D0717661

ANDREW O'HAGAN

Het waanzinnige leven van Maf de hond en zijn baasje Marilyn Monroe

Vertaald uit het Engels door
Tilly Maters en Eugène Dabekaussen

DE GEUS

Deze vertaling is tot stand gekomen met een bijdrage van
The Scottish Arts Council (Edinburgh)

De vertalers ontvingen voor deze vertaling een werkbeurs van het
Nederlands Letterenfonds

Oorspronkelijke titel *The Life and Opinions of Maf the Dog, and of His Friend Marilyn Monroe*, verschenen bij Houghton Mifflin Harcourt Publishing Company

Omslagontwerp Riesenkind; naar het ontwerp van Kimberly Glyder

ISBN 978 90 445 1744 6
NUR 302

Ter nagedachtenis van
Margery en Betsy

‘Geloof is het argument van niet-evidente waarheden.’
– RABELAIS

I

Mijn verhaal begint eigenlijk pas in Charleston, een volmaakt oord van licht en creativiteit gelegen op het Engelse platteland. Het was warm die zomer en de ochtenden duurden tot diep in de middag, als het beste van de tuin het huis in kwam: de bloemen door Vanessa in haar vruchtbare uren in vazen geschikt en nieuw leven gegeven. Ze was daar altijd met haar olieverf en haar ogen, in het licht dat door het glazen dak viel om de mogelijkheid van iets nieuws te ontsteken. Ze had goede dagen en slechte dagen. Op goede dagen legde ze haar penselen klaar en wist ze dat het tijd was om te werken op het moment dat al haar herinneringen als een aspect van slaap werden.

Het was juni 1960. De tuinman had zojuist een dienblad met vingerhoedskruid in de keuken gebracht, de bloemen pront maar hoorndol na een week of twee van bijen. Ik zat in een mand naast het fornuis toen een lieveheersbeestje over de tafel kroop. 'Die heeft het zwaar te verduren gehad, niet dan?' zei het insect, terwijl het over een broodkruimel klom.

'Hij is alleen maar moe', zei ik. 'Hij is toe aan een kop thee.'

Meneer Higgens veegde de aarde van de tafel, evenals het arme beest. 'Wat een klerezooi hier binnen', zei hij. 'Grace! Waar wil je ze hebben?'

Mensen hebben niets met wonderen. Ze worden in model geperst door de kracht van de werkelijkheid, een vloek, als je het mij vraagt. Maar alla: ik had geluk met mijn twee schilders, Vanessa Bell en Duncan Grant, een stel dat bij alle onderlinge verschillen gemeen had dat ze vastbesloten waren om de wereld waarin ze leefden te dromen en permanent te maken. En wat was het heerlijk om rond te trippelen op die tuintegels in Sussex, de gele wespen na te jagen en langzaam te veranderen in mijn charmante ik, het soort hond dat geknipt is voor buitenlandse avonturen en voorbestemd om het verhaal te vertellen.

Er zijn verschillende dingen die een beschaafd mens moet weten over de gemiddelde hond. Het eerste is dat we gek zijn op lever en het een hap, een slik, een grrmm en een traktatie vinden, vooral in worst. Het tweede is dat we gewoonlijk een hekel aan katten hebben, niet om de bekende redenen, maar omdat ze allemaal poëzie verkiezen boven proza. Geen enkele kat heeft ooit lang gesproken in gloedvol proza. Het is echter het grootste talent van de hond dat hij alles wat interessant is, in zich opneemt – wij nemen het beste van wat onze baasjes weten in ons op en we onthouden de gedachten van degenen die we tegenkomen. We hebben een goed geheugen en missen die fatale menselijke zwakte een groot verschil te zien tussen wat echt is en wat verzonnen. Het is allemaal hetzelfde, min of meer. De natuur is daar een mooi voorbeeld van, maar het is niet langer de plek waar mensen leven. Mensen leven op een plek die ze zelf hebben verzonnen. Vandaag verdrongen mijn broertjes en zusjes en ik ons om drie schalen op de keukenvloer, terwijl Grace Higgens bij de tafel stond met meel tot aan haar ellebogen. Ze gaf uitdrukking aan allerlei onzin over haar vakantie in Roquebrune, die eigenlijk geen vakantie was. Grace was slim: ze verbeeldde zich dat de dieren luisterden naar ieder woord dat ze zei en schaamde zich zelfs als ze iets stoms zei, wat niet alleen vertederend was, maar ook heel wijs. De luidruchtigste van de mensen in de eetkamer was ongetwijfeld meneer Connolly, de literatuurcriticus, die we ontwaarden aan het andere einde van een sisalkleed, waar de beroemde man in een lila leunstoel olijven kauwde en donkere wijn achteroversloeg alsof zijn leven ervan afhing. Elke keer als hij een slok uit zijn glas nam, vertrok zijn gezicht.

'Je vindt die wijn afschuwelijk, Cyril', zei mevrouw Bell. 'Waarom vraag je Grace niet een betere uit de kelder te halen?'

'Zelfs in de oorlog', zei meneer Grant, 'wist Cyril altijd een fatsoenlijke fles wijn te vinden. Ja, hij kon altijd wijn vinden. En papier voor zijn boze krantje.'

Ik likte mevrouw Higgens' elleboog toen ze me op de tafel zette. Ze maakte een vrolijk geluidje en boog voorover om naar haar weerspiegeling in de fluitketel te kijken en haar haar te fatsoeneren. 'Volgens mij ben je een vreselijke charmeur', zei ze. 'Een geboren charmeur, wat? Niet zo slim als het laatste nest. Jeminee. Dat waren pas slimme honden. Zulke slimme honden had je nog nooit gezien. Wat jij? Een leuk stel. Je wist direct dat ze van goede mensen kwamen. Walter zei het zelf. Echt waar. Een sieraad voor het ras. Zulke mooie ogen als ze hadden.' Zoals de meeste mensen die nooit veel zeiden, werd Walter altijd geciteerd om wat hij wél zei. Ze aaide mijn neus. 'Maar jij bent de mooiste. Ja, ja. De mooiste. Mmm-hmmm. En Amerika! Je zult ons niet meer willen kennen als je eenmaal in Amerika bent!'

Mevrouw Higgens hield het hele zaakje draaiende met koken en schoonmaken, en hoe geweldig het ook is om onder begaafde mensen te zijn, al het gedoe van hun extravagante karakters en hun seksleven en zo leek mevrouw Higgens volledig uit te putten. Alleen al bij de gedachte aan wat er in die hoofden van hen omging, verlangde ze naar een dutje. Natuurlijk was ze niet bang om haar zegje te doen en toen ze mij op de tafel tilde, ontwaarde ik een direct bewijs van haar neiging tot klagen: haar bruine dagboekje dat daar open en bloot lag. Dankzij mevrouw Higgens leerde ik de huisgoden waarderen: daar stond ze, deze ervaren spoeler van kleren, deze Helena van de mislukte taarten, die weleens haar ogen bedorven kon hebben in de veertig jaar dat ze die kunstenaars in staat stelde vrij te zijn. Ze ging zitten, veegde langs de rand van haar theekopje en pakte het boekje op. Aan de binnenkant van de omslag stond: 'Grace Higgens, Charleston, Firle, bij Lewes'. Terwijl ze het doorbladerde, herleefde ze dat hele leven weer, wat er niet stond zowel als wat er wel stond.* Het gelach dat uit de eetkamer kwam, leek een passende begeleiding van de kaneelgeur die in de keuken hing.

Mevrouw Higgens was niet de allerbeste kok. Ze maakte altijd iets uit een doos met recepten – dingen die ze uit *The Times* of de *Daily Express* had gescheurd, het papier inmiddels verkleurd, overdekt met opgedroogd ei, gemalen kruiden, stof. (Het was dezelfde doos waarin ze de tijdens de oorlog gasmaskers had bewaard.) Mevrouw Bell rolde voort-

---

* Als dagboekschrijfster was mevrouw Higgens een minimalist. 5 feb.: 'Roombroodjes gekocht met echte room'.

durend met haar ogen bij de hopeloze taak voor Grace de schijn op te houden dat haar maaltijden eetbaar waren. Maar wat mijzelf betrof, was ze de beste hondenvoedster die ik ooit heb gekend en nog lang nadat ik was bezweken voor de Amerikaanse levensstijl, moest ik terugdenken aan haar keuken.

Die dag werd er in de keuken een topprestatie geleverd, niet voor hun buurman Cyril Connolly, een frequente en frequent klagende gast op Charleston, maar voor mevrouw Gurdin, de hondenliefhebster uit Amerika, een bekende Russische emigree en de moeder van de filmster Natalie Wood. Ik heb de relatie nooit helemaal uitgeplozen, maar ik denk dat het die aardige schrijver meneer Isherwood was die ze allemaal met elkaar in contact had gebracht, omdat hij van meneer Spender had gehoord dat het personeel van de familie Bell jonge hondjes kocht en verkocht. Mevrouw Gurdin mocht graag en niet zonder trots zeggen dat de honden op deze wereld haar levenswerk en grote hobby waren.

Ik liep door de eetkamer, waar mevrouw Bell zachtjes zat te praten. 'Quentin vond het altijd vreemd dat Virginia wilde weten wat honden voelden. Maar zij wilde weten wat iedereen voelde. Herinner je je Pinker nog?'

'De hond van de Sackvilles?' vroeg Connolly. 'Die herinner ik me maar al te goed. Hij had Vita's gezicht. Ik ben ervan overtuigd dat Virginia met haar korte roman *Flush* de draak wilde steken met Lytton. Al die eminente victorianen, en dan die kleine spaniël van Browning, de eminentste van allemaal.'

'Pinker is begraven in de boomgaard in Rodmell', zei Vanessa, die haar polsen om beurten zachtjes aanraakte, alsof ze er parfum op aanbracht.

Als het op stamboom aankomt, is iedere hond die een worst voor zijn neus waard is, een deskundige. Wij maltezers – wij bichonmaltezers, de Romeinse dameshond, de oude cavalier king charlesspaniël, het Maltezer leeuwtje of de maltezerterriër – mogen ons de aristocraten van de hondenwereld noemen. Een aanzienlijk familielid van mij was beroemd als de hartsvriendin van Mary, de koningin der Schotten; een ander won de innige genegenheid van Marie Antoinette. We hebben filosofen en tirannen gekend, de roze punt van onze neus gedoopt in de zwarte inkt van de kennis en het rode bloed van de strijd, en Publius, de Romeinse gouverneur van Malta, die mijn verre familielid Issa onderdak verschafte, had van dit hondje een portret laten schilderen dat levensechter heette te zijn dan het leven zelf. Dat is onze gewoonte en ook ons credo. Toen ik mijzelf eenmaal leerde kennen, erachter kwam dat mijn familieleden in kunstwerken niet kleiner zijn dan het verhaal van mijn eigen cellen, begreep ik direct dat ik een telg moest zijn van die contemplatieve muze, het hondje in het *Visioen van Sint Augustinus* van Vittore Carpaccio. Niets is deze kleinste van alle honden vreemd. Wij figureerden in de mediterrane heldenverhalen, in de Heilige Oorlogen, en zaten op schoot bij zondaren en heiligen, belandden door echtverbintenis bij de vorsten van Europa om de tragische laarzen van Charles Edward Stuart te likken en brachten op onze beurt opvolgers voort in de geslachten van Eduardo Pasquini en de contessa di Vaglio, de conte Anselmo Bernardo de Pescara en de principessa de Palestrina. Nadat zowel vorsten als pups vermoord waren door hannoveriaanse agenten, trouwden de overlevende broer van de vorst en de broertjes van de puppy in het vorstenhuis Dalvray en later in het vorstenhuis van

Claude Philippe Vandenbosch de Monpertigen en de comtesse de Lannoy. Vandaar kwam per veerboot een zoon uit die verbintenis, getrouwd met Germaine Elize Segers de la Tour d'Auvergne, naar Leith met een nest pups onder wie mijn voorouder Muzzy. Te zijner tijd ontmoette Muzzy een volle maltezerteef tegen het parkhek op Heriot Row, precies tegenover het huis van Robert Louis Stevenson, wiens nicht Noona ze ooit allebei een aaitje gaf.* Enkele van hun adellijke kleinpups werden van Edinburgh overgebracht naar de Hooglanden, waar de volgende generaties opgroeiden in een kasteelachtig herenhuis aan het einde van een laan met zilversparren.

Onze stamboom was angstwekkend zuiver en ons geluk verzekerd toen ikzelf werd geboren in Aviemore, in de keuken van de pachtboer Paul Duff. Mijn eerste eigenaar had fantasie te over, een werkelijk aanstekelijke manier om kennis te creëren en woorden te verzinnen. Hij was een geweldige uitblinker, een bekende trotskist, verschrikkelijk met geld, en hij – de heer Duff van Aviemore en Kingussie met zijn fanatieke kop – had een fantastische oude stalinistische moeder met wie hij bekvechtte tot ze allebei paars aanliepen. Ze was in feite een grote heldin van Red Clydeside, maar ook een deftige oude meid. De hele familie noemde haar Olifant of Schrokop vanwege haar liefde voor Moskovisch

---

* De hele familie was aardig tegen honden. In de eerste, nog bestaande brief geschreven in zijn eigen hand heeft Robert Louis Stevenson het in liefdevolle bewoordingen over zijn hond, Coolin. Drie jaar later denkt hij nog steeds aan de hond, als hij vanuit de kostschool aan zijn moeder schrijft: 'Ik hoop dat het goed gaat met Coolin en dat hij me nog een brief zal sturen.'

gebak, aardappelkoekjes en brioches. Ze sprak vreselijk geaffecteerd, en zelfs op haar oude dag schepte ze nog soeplepels bramenjam naar binnen. Maar ik wens haar niets dan goeds: de oude dame hield van mijn eigen overgrootvader Phiz en schijnt de dag na de aanslag op Trotski in die villa in Mexico zijn mand bekleed te hebben met een rode vlag. Ik had nooit kunnen denken dat ik die villa op een dag zou zien, maar daarover later meer. De Duffs waren de eerste mensen die ik op aarde leerde kennen, en ik merk dat hun gewoonten uit de tijd dat ik een jonkie was me zijn bijgebleven, die avonden vol discussies, waarop Duff en Schrokop het wereldproza aan flarden trokken terwijl ze kruimels over de eettafel spogen als kogels in Ieper en de halve wereldbevolking dreigden te liquideren. Ik zeg liquideren, want dat soort dingen zei mevrouw Duff altijd. Ze kon het woord 'dood' of 'gestorven' niet uit haar mond krijgen, en ik dus ook niet. Dan vernauwden haar opgewonden oogjes zich alsof ze iets schandelijks ging zeggen en zei ze: 'Als mij iets overkomt, de map met verzekeringen ligt in het kastje boven de ketel. Ik ben verzekeringen gaan afsluiten. Zover is het met ons gekomen. Maar je moet voorzichtig zijn. Meneer McIver van de andere kant van de heuvel is iets overkomen en hij moest van de armen worden begraven.'

'Er is hem niets overkómen', zei Paul. 'Hij ging dóód.'

'Niet zo morbide', zei ze. 'Die honden janken, Paul. Ik weet zeker dat ze luisteren naar ieder woord van ons.'

De Duffs, moeder en zoon, hadden nooit een cent te makken, maar daar deden ze niet moeilijk over, want ze hielden het hoofd boven water door te boeren zoals het in Schotland van oudsher gebruikelijk was. Ik zeg niet dat ik ontsproot aan een mesthoop, maar mijn afkomst stelde niet veel voor.

Een modderige keuken. Een bedompte huiskamer. De fokker Paul was een gecompliceerd man met een liefde voor whisky en een passie voor de vroeg-Europese roman.* Hij bewerkte het land en las hele boeken achter het stuur van zijn tractor alvorens tegen zonsondergang terug te keren met kleur op zijn wangen, klaar om zich een stuk in de kraag te drinken. Zijn favoriete acteur was Cantinflas. Hij had al die oude socialistische films gezien toen hij in Glasgow woonde.

Maar ik dwaal nu echt af. (En afdwalen is nog zo'n credo.) Paul zat in het voorjaar van 1960 verlegen om een paar pond en verkocht mijn hele nest aan een tuinman uit Charleston, Firle, in het gewest East Sussex, die graag met vakantie naar Schotland ging, op zoek naar honden en plantenstekjes. Dit was niemand minder dan Walter Higgens, voltijds echtgenoot van mijn geweldige, goede vriendin mevrouw Higgens. Hij was naar Schotland komen rijden om rashonden te kopen en vond ons in Aviemore. Het was niet ver van de plaats waar meneer Grant werd geboren – allebei kraaiden wij onze eerste geluidjes in het land der muggen. Meneer Higgens' belangrijkste eigenschap was dat hij goed kon luisteren. We konden allemaal praten, op onze manier, en de Bloomsburygroep was natuurlijk gewend om eindeloos op hoog niveau te praten, een moderne versie van de klassieke liefde voor de retorica. Praten was iets wat ik als heel vanzelfsprekend beschouwde, zoals alle dieren, maar het belangrijkste talent is het talent om je oren te spitsen. Walter Higgens luisterde naar alles en zei weinig: dat was de eerste eigenschap die ik

---

* Hij hield van romanschrijvers die eropuit trokken. Defoe, Smollett, Orwell. Hij zei dat romanschrijvers die niet van avontuur hielden maar moesten gaan breien.

had geërfd, op de lange autorit door de bergen, laaglanden en rokerige graafschappen.

Ik ging opzitten en keek naar mevrouw Higgens. Ik bewoog mijn kop zoals zij dat leuk vonden, en zij gaf een klopje op mijn vacht en streelde mijn snuit. Ze perste haar lippen op elkaar toen ze probeerde een oud theeblik open te maken. 'Mevrouw Gurdin vertelde me vanmorgen dat ze heel vaak naar Europa komt en altijd regelt dat ze honden kan meenemen uit Engeland. Ze vindt fijne baasjes voor ze in Californië.' Onder het spreken keek mevrouw Higgens naar me met een vorm van zelfmedelijden, het soort waarbij iemand zich voorstelt dat het leven van anderen altijd opwindender is dan dat van zichzelf. Ten slotte kreeg ze het blik open en haalde er een halsband uit die meteen al rook naar leer dat urenlang in de regen had doorgebracht. 'Walter zorgde altijd voor de honden,' zei mevrouw Higgens, 'ook die in Rodmell, en dit was de halsband van Pinker. Je erft niet veel in deze familie. Meneer Grant is vijfenzeventig. Zo'n soort familie zijn we niet. Maar Vita heeft deze aan de hond van mevrouw Woolf gegeven en nu geef ik hem aan jou.' Ze verkleinde de halsband met een paar gaatjes. Toen maakte ze hem vast rond mijn hals met de plechtige ceremonie die Engelsen reserveren voor sentimentele momenten, en ik was meteen al blij dat ik het verhaal ervan bij me droeg.

2

Zoals de man zei: de waarheid is zelden evident en nooit eenvoudig, maar dit komt wel in de buurt. Mevrouw Gurdin nam me mee naar Londen voor een nacht in het Savoy en zette me toen op een Pan-Americanvlucht naar Los Angeles. Met een stel andere honden werd ik geplaatst in een existentieel vacuüm dat 'het ruim' werd genoemd. Vervolgens werden we in quarantaine gezet in een nieuw gebouw ergens in Griffith Park, zo dicht bij de dierentuin dat we de olifanten konden horen tekeergaan. Jaren later, toen ik terugdacht aan die tijd, herinnerde ik me dat Sigmund Freud, bij zijn komst naar Londen, had verlangd naar een van zijn geliefde chowchows, Lun, die in quarantaine zat in Ladbroke Grove, terwijl de beroemde dokter werd gefêteerd in Hampstead. In die gevangenis in Los Angeles hunkerde ik naar iemand die mijn eigenaar was en me miste. Ik was geen paard: ik hield van het idee een eigenaar te hebben, want eigendom van iemand zijn maakt een hond vrij. Ik wilde iemand die van me hield en ik kende haar naam nog niet.

'Mason, Tommy. Kijk eens wat leuk. Dit is beslist het hondje dat ik mee naar huis wil nemen. Die kleine witte?

Kunnen we die kopen, meneer?'

'Het spijt me', zei de cipier. (Hij was het altijd. Het kraken van zijn schoenen op het grind was vertrouwd. Het vleugje eau de cologne. Het waren zware schoenen. Het was zware eau de cologne.) We waren buiten op het kleine omheinde terrein. 'Deze honden zijn niet te koop. Er is een reden dat ze in deze kooien zitten. De dierentuin is die kant op.'

'Kun je iets kopen in de dierentuin?'

'Nee. Zoekt u een dierenwinkel? Los Feliz is die kant op.'

Afgezien van zijn talent in de kunst van het opsluiten maakte de cipier diepe indruk door zijn liefde voor sterren en planeten, waarover hij onophoudelijk praatte tijdens het voeren van de honden. Vaak taaide hij om halfdrie af naar het Griffith Observatorium, waar hij graag in slaap mocht vallen in het planetarium onder de wervelende kosmos. Hij was een deeltijder van zesentwintig met een goed gevoel voor wat het blote oog wel en niet kon zien. Hij was vooral gefascineerd door de koele, verre, ongenaakbare sterren, en ik mag wel zeggen dat hij mijn eerste Amerikaanse vriend was. Hij zat in over nabijheid, beoordeelde alles naar de afstand die het tot hem had. Voor zo iemand zijn dieren en kosmische ruimte prima liefhebberijen, want ze zijn allebei bruikbaar en troostrijk voor mensen met meer dan een vluchtige interesse in eenzaamheid. Zijn gesprekken gingen vaak over ruimtedieren, de arme beesten die regelmatig de ruimte in worden gestuurd als onderdeel van de respectieve ruimteprogramma's van de Verenigde Staten en de Sovjet-Unie. Hij vond het leuk om 's middags na te denken over de legioenen chimpansees, apen en makaken die door het zonnestelsel zweefden ter bevrediging van de menselijke ontdekkingshonger. Door zijn aangeboren patriottisme had de cipier meer oog voor de Amerikaanse kant van de zaak: het gebeurde allemaal in die jaren, dus we hoorden heel wat over Able en Miss Baker, de twee apen die als eerste levende wezens door de ruimte reisden en daarvan terugkeerden, maar er werden vele andere – Sammen, Hammen, Enossen, Goliats – de lucht in geschoten met de Little Joe 2 als onderdeel van het Mercuriusprogramma, tientallen uiterst onwillige beesten die de hoogte in gingen, geen volledige baan beschreven en in de ruimte verdwenen.

Mevrouw Gurdin, Maria Gurdin – 'Moeddr' of 'Moed', zoals haar meisjes haar noemden – vertoonde dezelfde vorstelijke meedogenloosheid als haar Wit-Russische neven. Net zoals de Romanovs in Jekatarinaburg hun juwelen in de zoom van hun kleren hadden genaaid, kleinoden die bij de fusillade door hun moordenaars algauw in hun lichamen werden gedreven, zo koesterde Moed een beeld van zichzelf als martelares van haar rijkdom, een moderne Russische icoon flonkerend van ellende. Toen ze ons op een novembermorgen in Griffith Park kwam ophalen, droeg ze een lichtgrijze tulbandhoed en schoenen met open neuzen en uiterst wankele hoge hakken. Ze was heel anders dan de vrouw die ik in Engeland had leren kennen. Als eerbetoon aan de verwoestingen die het Amerikaanse moederschap aanricht, droeg ze te veel make-up. Geen twijfel mogelijk: ze zag in het moederschap een soort martelaarschap en in de make-up een demonstratie dat ze het aankon. Moeddr bezat wat de dichter Keats 'negatieve capaciteit' noemde: in Engeland had ze de keurig gekapte, witgehandschoende zakenvrouw geleken, maar in Californië had ze over het gazon gewankeld als Joan Crawford op haar hoogtepunt van ontaard moederschap. Je kon haar lippenstift en algehele malaise zowaar rúíken op een afstand van vijfhonderd meter. Ik zou al snel grondig kennismaken met de diepe woede achter mevrouw Gurdins efficiëntiemodus: de dag dat we weg mochten uit Griffith Park, kwam ze ons halen in een gehuurd busje dat ze zelf bestuurde, gooide de achterdeuren open en smeet de honden erin na het papierwerk. Mij, mijzelf en ik? Wat denkt u? Ik schoot Moeddrs busje in als Tom Jones die over een tuinmuur sprong.

Hobbels. Massa's hobbels. En wat een fantastische les over de prijs van de toewijding gaf mevrouw de barones tijdens die rit door het dal en het plaatsje Sherman Oaks. Ik verzeker u: mevrouw Gurdin was de hogepriesteres van de toewijding, de fan der fans, een echte acteursmoeder, boordevol en dol van de emigrantenliefde voor de Amerikaanse droom. Jawel. Daar zat ze aan het stuur met haar imposante tulbandhoed Russische vloeken uit het raampje te schreeuwen, terwijl ze zich met een bus vol Britse honden door het verkeer worstelde. Op de plaats naast mij probeerde een donkere, mistroostige staffordshire-bulterriër een wiskundige formule op te stellen om te bewijzen dat mevrouw Gurdin gelukkig was in haar leven, tegen beter weten in. 'Als je haar kleine portie talent optelt bij haar grote mate van wanhoop,' zei hij, 'dat vermenigvuldigt met de precieze omvang van haar wraakzucht en dat dan deelt door de normale ijdelheid, kun je volgens mij bewijzen dat Moeddr in feite heel tevreden is.'

We kwamen langs het Greek Theater aan Vermont Canyon Road. Mevrouw Gurdin draaide lukraak aan het stuur: ze wilde per se de snelweg mijden en probeerde het geblaf te stoppen. 'Volgens mij had de mammie genoeg boosheid voor de halve stad', zei de Ierse wheaten terriër. 'Moet je haar zien, het zou de duivel niet lukken zijn teken op haar te zetten. Die grote kop. Zonder gekheid: daar wordt de soep nog koud van. Kijk toch eens hoe dik de laag nagellak op haar nagels is. Ach, nee maar.'

'Parbleu', zei een schapendoes die in de rij vlak achter mij zat. 'Vreselijk mieters om uit die belazerde kerker te zijn, nietwaar?'

'Ik denk dat ik die vent van jou, die cipier, nog ga missen', zei de wheaten, starend naar een rij palmbomen terwijl we Los Feliz Boulevard kruisten.

'Ik ook', zei ik.

'Hoho!' zei de schapendoes. 'Het is hartstikke fijn om vrij te zijn. Die cipier was een verschrikkelijk rare vent.'

'Volgens mij was hij een beetje paranoïde', zei een labrador met noord-Londense ogen. Ik denk dat ze was gefokt door een psychotherapeut die voornamelijk rijke dames behandelde die hun dienstmeisjes wilden vermoorden. 'Zat er niet een beetje een schreeuw om aandacht in zijn geflikflooi?'

'Hoe bereken je dat?' vroeg de staffordshire.

'Nou. Het was alsof hij ons vroeg hem af te wijzen', zei ze. 'Duidt het niet op een zekere zelfhaat dat hij per se wilde dat wij hem interessant vonden?'

'Achh, kijk eens aan', zei de wheaten.

'Sommige mensen hebben een diepgewortelde angst,' zei de labrador, 'een angst dat de dieren meer weten dan zij. Daardoor voelen ze zich tekortschieten.'

'Kom nou', zei ik.

'Kletskoek!' zei de schapendoes.

'Jullie zitten allemaal in de ontkenningsfase', zei de labrador. 'Menselijke wezens maken zich vaak zorgen dat het dierenrijk, zogezegd, naar ze kijkt en over ze praat en ...'

'Over ze oordeelt?' opperde ik.

'Achten jullie dat niet mogelijk?' zei ze, terwijl ze naar het raam klauwde en zich vervolgens op de bank nestelde. We bevonden ons nu op Franklin Avenue en iedereen buiten had een zonnebril op. 'Als je de som van iemands paranoia neemt,' zei de staffordshire, 'en die deelt door zijn natuurlijke dominantiegevoel, daar een variabele hoeveelheid nederigheid van aftrekt alvorens er een vaste mate van zelfbehoud bij op te tellen, dan kun je bewijzen dat mensen nooit echt toegeven aan de waarheid van wat hun verbeelding ze zou kunnen zeggen. Ze worden nooit door de waarheid verslagen.'

'Woef!' zei een kleine schnauzer, nogal opgewonden en geneigd de lolbroek uit te hangen achter in de bus. 'Ik bedoel: inderdáád.' De schnauzer had de eerste twee maanden van zijn leven doorgebracht in een portiersloge in Cambridge.

'Ik zal je woef leren', zei de Ierse wheaten.

'Braaf daar achter!' zei mevrouw Gurdin, zich omdraaiend met een verzenuwd, ongemakkelijk lachje. 'We zitten op Highland, vlak bij Hollywood Boulevard.'

Er klonk een stem van de andere kant van de bus, van een jack-russelachtige bastaard die in het quarantaineverblijf erg op zichzelf was geweest. Hij leek het een en ander over het leven te weten en hij sprak, wanneer hij sprak, met een soort simpele oprechtheid. De meeste honden zijn socialist, maar de schnauzer zei dat de bastaard een arbeideristisch type hond was met een kort lontje, een marxist après la lettre, een van die jonge honden die maar bleven zaniken over de voorhoede van het proletariaat. Het gerucht ging dat mevrouw

Gurdin hem had gevonden in Battersea.* 'De waarheid is dat mensen weten dat we naar hen kijken,' zei hij, 'en de slimme weten dat we over ze praten. Mensen zijn niet dom. Ze gedragen zich alleen maar zo.'

'Gompie', zei de schapendoes.

'Ik meen het, man', zei de bastaard. 'Ze zijn d'r allang achter. Ze luisteren gewoon niet naar waar ze al achter zijn gekomen. *Wíj* zijn gaan luisteren. *Wíj* onthouden. Elk systeem van uitbuiting staat of valt met het feit dat de uitbuiters zullen vergeten waardoor ze ooit een natuurlijk voordeel zijn gaan genieten. Zo werkt het nu eenmaal. Zo kunnen mensen ook een leugen vertellen zolang ze geloven dat het de waarheid is.'

Hij zweeg om zijn oor te krabben.

'Het staat in Aristoteles', vervolgde hij. 'Hij heeft de waarheid aan het licht gebracht over dierlijke intelligentie.'

De schnauzer viel hem in de rede. 'Hij schreef dat wij beschikken over "iets wat gelijkstaat met slimheid". In *Historia Animalium.* Hij zei dat mensen en honden wel degelijk veel gemeen hebben.'

'Hij schreef dat we begiftigd zijn met geheugen', zei de bastaard. 'We leven in sociaal verband.'

'Bravo voor de geleerde heer', zei de Ierse wheaten. 'Hij bezat wel wijsheid. Maar hij schreef ook dat de olifant bij één maaltijd negen Macedonische medimni gerst kon eten. Die is goed! Dat getuigt toch nauwelijks van gelijke vermogens. Die man beweerde ook dat het varken het enige dier is dat de mazelen kan krijgen. Die is goed! Aristoteles.'

---

* Het beroemde tehuis voor zwerfhonden. Op haar reizen naar Engeland was mevrouw Gurdin daar vaak te vinden, wenend in haar glacés.

'Graumans Chinese Theater aan jullie rechterkant!' riep mevrouw Gurdin vanaf de bestuurdersplaats. 'Daar zetten de sterren hun handen en voeten in het natte cement.' De bus slingerde nog steeds over de weg, terwijl de honden grommend en bekvechtend over de zittingen trippelden. Er hing een sterke lucht van lichaamswarmte, speeksel en parfum in het voertuig.

Ik zat te trillen en te schudden op mijn stoel, terwijl ik de gedachte probeerde op te graven waarnaar ik op zoek was. 'Alles wat de mens aanraakt, verandert door vernuft, techniek en kunstmatigheid. Ik denk ...'

'Dat bedoelen we toch', zei de staffie.

'Toch zijn dieren door de tijden heen de grote onderwerpen en de grote liefhebbers van kunst.'

'Zo mag ik het horen', zei de wheaten.

'Juist', zei de schnauzer.

'Hartstikke mooi gezegd!' zei de schapendoes. 'Het werd verdomme eens tijd dat iemand de dingen bij hun naam noemde.' De andere honden keken naar hem, en hij oogde, tja, zo niet schaapachtig dan wel schapendoezig.

'Mensen gaan ons voor,' zei ik, 'en wij volgen. Maar moet je zien hóé. De grote voorganger in dit opzicht was Plutarchus, niet Aristoteles.' Enig boegeroep, zacht gesis, algemeen gekrakeel en heel wat 'kom nou's' waren het gevolg, direct onderbroken door mevrouw Gurdin.

'Willen jullie dieren daar achterin je koest houden!' zei ze. 'Het lijkt wel een menagerie!' De bus kruiste Fairfax Avenue en leek, met al zijn atomen in beweging, neer te ploffen op Sunset Strip. We zagen de auto's buiten en het zonlicht dat op alles schitterde.

'Jullie kunnen zeggen wat jullie willen', zei ik. 'Het was

Plutarchus, het genie van Chaeronea ...'

'Weg met de praktische ethiek', zei de staffie. Er ging nu een golf van opwinding door de bus.

'Hoewel Aristoteles welwillend stond tegenover ons,' zei ik, 'zag hij ons in wezen als vreters en fokkers.'

'Schande!' schreeuwde de schapendoes.

'Leve het vreten', zei de bastaard. 'Leve de gelijke porties.'

'Het was Plutarchus die onze spraak onderkende', zei ik. 'Hij kende ons het vermogen tot "verbeelding" toe. Dat is toch niet niks? Hij laat ons praten en dromen.'

'*De droomduiding*', zei de labrador, die zich op haar zitting nestelde. 'Misschien moeten we de mensen die de ruimte in gaan een exemplaar meegeven.'

'Of de lui die de Bom hebben gemaakt', zei de staffordshire. 'Als je de som van de menselijke ambitie neemt en die deelt door het algemene geluk van het grootste aantal, daar vervolgens alle ideologie van aftrekt en de maximale hoeveelheid economische rechtvaardigheid bij optelt, komt al snel vast te staan ... wat?'

'Dat niemand een mens zou willen zijn als hij een andere keuze had', zei de bastaard. Hij likte zijn poot. 'Hoe dan ook,' voegde hij daaraan toe, naar me opkijkend met pretlichtjes in zijn verschillend gekleurde ogen, 'je lijkt geen gebrek aan opvattingen te hebben.'

'Ras, ouwe jongen. Ras', zei ik.

Mevrouw Gurdin had een omweg met ons gemaakt. (Haar hele leven was een omweg.) Vlak bij de Los Angeles Country Club gooide ze in een vlaag van opwinding het stuur om en drukte het gaspedaal in. Ze hield van de aanblik van een groen gazon. Bofte zij even. Ik ving haar blik in de spiegel, en ze zei: 'Hoe gaat het met je, kleintje? Binnenkort zie je een Engelse tuin zoals die hoort te zijn.'

'Je weet dat we ons in een woestijn bevinden', zei ik, met een blik naar de bastaard, hopend op gezond verstand.

'Ja', zei hij. 'Water is hier pas echt schaars, al zou je het niet denken. Ze verbeelden zich dat de natuur hier weelderig is.'

'Het hele oord is een oase.'

'Of een luchtspiegeling', zei hij, terwijl hij zich weer naar het raam draaide om te kijken naar de uitgestrekte droge gebieden voorbij de Franse chateaus en Italiaanse villa's. Beneden in de canyon was rook te zien, struikbranden, en net toen ik ze in het oog kreeg, kwam er een helikopter over de bergen van Santa Monica gevlogen die water begon te sproeien, een schimmige damp. De tongen van de honden waren druk met praten en hijgen van de hitte, en ik zag een zweetdruppel van onder Moeddrs tulband verschijnen en haar wang af rollen. 'Waarom is het vandaag zo heet?' zei ze. 'Het is goddomme eind november.'

Hoogstwaarschijnlijk kon je Ventura Canyon Avenue vanuit de ruimte zien, de straat en de zwembaden, de bougainville-explosies die het huis van de familie Gurdin overdekten en de knipperende lichtjes in de kerstboom. Ik stel me voor dat als buitenaardse wezens zich op aarde zouden verzamelen, ze Sherman Oaks als hun basis zouden kiezen: die plek leek gewoon geschapen voor ze, geschapen voor marsmannetjes, rijp voor ufo's. Maar dat was voor ik Texas leerde kennen. (Maar laat ik niet vooruitlopen op mijn verhaal.) Er zat een stel dikke roodborstjes op een telefoondraad bij het huis toen we arriveerden. 'Ach, arme schlemielen,' zei het ene roodborstje, 'ik vraag me af hoelang deze exemplaren het uithouden.'

'Jezus', zei het andere. 'Zij ziet er nog wanhopiger uit dan anders. Moet je zien. Ze is er helemaal klaar voor. Moeddr heeft het op haar heupen. En Nicky Boy is net naar binnen gegaan, een half uur geleden, dronken als een Russische matroos. Ik zat in die grote boom daar en ik zag Nicky Boy uit een taxi rollen, een liedje zingend en roepend om de balalaika, je kent het wel. Goeie grutten. En nu weer al die honden.'

'Waarom doet ze het toch?'

'Ze zal wel niet goed snik zijn. Ze wil ze uitdelen voor Kerstmis.'

'Arme Engelse schlemielen.'

'Hou toch op. Hou toch op over Kerstmis. Zo erg als hier heb ik het nooit meegemaakt, zoals ze elkaar dwingen zich te amuseren.'

De roodborstjes schudden hun kop.

'Die kleine witte houdt het nog geen week vol.' Ik keek omhoog en betrapte de twee midden in de zin, hun grijze kopjes bij elkaar gestoken. 'Stop je oren dicht, jochie!'

'Ik wed om drie bessen, drie bessen, dat-ie het nog geen week volhoudt. Er staat met grote letters "Kerstcadeau" op hem geschreven.'

'Ach, gut.'

'Zeg dat wel. De vrouw des huizes, de keizerin van Alle Ruslanden, die houdt er een wachtlijst op na. Een wachtlijst zo lang als je vleugel. Ze weet dat mensen een moord doen voor die Engelse honden. Een of ander dik kind met vier stepjes gaat die witte binnen de kortste keren doodknuffelen.'

Stel je je het tafereel voor. Zeven jonge hondjes die elkaar nazitten in een tuin met winterbloemen, bloeiende magnolia's en peperbomen met grijze bessen, de hondjes piesend en blaffend en jankend. Mevrouw Gurdin doet de voordeur open en wij schieten tussen haar benen door een huis in dat rijkelijk naar kaarsvet riekt. Voor mij is de inrichting altijd het belangrijkst en die begint ook altijd met de soort vloer. Het ouderlijk huis van Natalie Wood in Sherman Oaks was een staaltje van rampzalige binnenhuisarchitectuur, de locatie van een gedwongen huwelijk tussen Amerikaanse lichtheid en Russische morbiditeit: de kleurstelling van het tapijt lachte hysterisch naar de fronsende schilderijen, de optimistische koelkast blies een melkfrisse bries naar de gordijnen, zwaar van verschaalde sigarettenrook, geel brokaat en bittere herinneringen aan Sint Petersburg. 'Aardig optrekje', zei de bastaard. Hij keek naar mij.

'Dat meen je niet', zei ik. Ik werd niet goed van de rustieke accenten.

'Wat is er mis met je muil, prins van Malta?'

'De schilderijen! Het behang!' Ik trippelde de eetkamer in en vond een stenen kat. De onontkoombare, opdringerige lelijkheid van het huis benam me de adem, terwijl ik door de kamers dwaalde, met een grote boog om verschillende generaties aan gruwelen, koperen ornamenten, schuimende zeeën van filigraan en geruite plaids. Geruit! In sommige nissen stonden altaartjes gewijd aan ofwel Nikolaas II ofwel Natalie Wood, de oudste dochter des huizes, in beide gevallen met portretten omringd door plastic bloemen, iconen en offerkaarsen. In het altaartje van Natalie – de actrice was nog maar tweeëntwintig – bevonden zich een aantal gipsen engeltjes, porseleinen eieren en ook een klein ivoren crucifix, jaren tevoren meegebracht in een van Moeddrs grote hutkoffers uit Harbin. Een haast onzichtbaar Hawaïaans dienstmeisje, Wanika geheten, had de taak de altaartjes de hele dag en delen van de nacht in bedrijf te houden.

Op de overloop boven stond Nick Gurdin al naar zijn

vrouw te schreeuwen. Ik kwam er snel achter dat Nick de meeste tijd boven doorbracht, waar hij de flessen bewaarde en waar de televisie nooit uit stond. Ik ben bang dat Nick een onverbeterlijke paljas was. Hij zag altijd bleek, het soort man dat lichtjes zweette, zoals een meisje huilde. Alles in zijn leven had te maken met respect of eigenlijk het ontbreken daarvan: hij riep het niet op en hij kreeg het niet, waarom wist hij niet, en de situatie dreef hem steeds dieper de put in, waar hij in zijn eentje dronk in bars in San Fernando en nieuwe manieren bedacht om zijn groeiende haat bot te vieren. Als hij in New York had gewoond en op een kantoor had gewerkt, had hij misschien gedijd als de typische, te veel gin-martini's drinkende, ontrouwe echtgenoot die elke avond met de trein van 19 uur 14 vertrok naar White Plains, met een veeg lipstick boven aan zijn hals en een vloed aan leugens waarmee hij de volgende dag zou halen. Maar Nick was met Moeddr en Moeddr was in Hollywood. En in Hollywood was Nicky Boy met vervroegd pensioen gestuurd. Boven hoorde ik hem zijn vrouw uitschelden omdat ze hem had achtergelaten met te weinig geld om de dag door te komen. Ze zei iets over werk in de studio. Timmerwerk. In de nis flikkerde een kaars toen hij weer schreeuwde. Ik hees mezelf met mijn poten omhoog om de opzichtige zittingen van de stoelen in de hal te inspecteren.

'Ach, hou daar toch mee op', zei de staffordshire. Hij kwam naast me liggen onder een rococoachtige stoel die rook naar goedkoop vernis. 'Als je de maximumhoeveelheid nationalistisch sentiment neemt', zei hij, terwijl hij zijn mooie kop op zijn poten legde, 'en dat combineert met gelijke maten van artistieke banaliteit en emotionele paniek, dan kom je uit op ...'

Hij draaide zich om en keek me aan. 'Waar denk je precies op uit te komen?'
'Thuis', zei ik.

3

Ieder thuis was in het begin tijdelijk: ik wachtte op mijn baasje, zoals mensen het noemen, of mijn gedoemde maatje. Wij schelmen weten dat wachten en luisteren en van onze fouten leren altijd het leeuwendeel van onze avonturen zal uitmaken. De grote uitdagingen moeten altijd nog komen. Intussen was er de hectische wereld van Ventura Canyon Avenue en de uurlijkse crisissen. Mevrouw Gurdin leefde haar leven via haar kinderen, maar ook in een immens besef van historische eenzaamheid. Op dat punt kon de arme vrouw niet worden getroost of bijgestaan. De honden zagen al snel in dat zij Moeddr niet konden helpen, dus besloten we maar ons heil buitenshuis te zoeken en haar hulpkreten te negeren.

'Blijf aan uzelven trouw', zei de bard. Maar in het hele dierenrijk zijn het alleen de mensen die over integriteit inzitten. Ik groeide op in het gouden tijdperk van het existentialisme, dus neemt u het me vast niet kwalijk dat ik het hele idee van een zelf waar je trouw aan moet zijn een beetje belachelijk vind. We zijn wat we ons verbeelden te zijn: de werkelijkheid zelf is het grootste verzinsel. Ondanks jaren van overtuigende bewijzen raken de mensen maar niet gewend aan deze situatie. Ze leven als de mensen in Plato's grot en geloven nooit echt dat hun schaduw even waarachtig is als zijzelf.

Ik had het grote geluk, eerst in Engeland en vervolgens in de Verenigde Staten, te verkeren onder mensen die sterk tot het tegendeel geneigd waren. Dit waren mensen die hun leven vormgaven naar hun diepste verlangens en in hun verzonnen toestand een uiterst obssessief soort oprechtheid zagen. Mevrouw Gurdin heette ooit Maria Stepanovna Zudilova: mensen met haar achtergrond gaven zich graag volledig over aan emotie, iets wat de Russische innerlijke capriolen geliefd maakte bij verschillende generaties van Amerikaanse acteurs, onder wie mevrouw Gurdins dochter Natalie en mijn gedoemde maatje.

Mevrouw Gurdin stamde uit een familie die zeep- en kaarsenfabrieken in Zuid Siberië bezat. Op de vlucht voor de bolsjewieken propten ze hun zakken vol geld, maar vergaten Michail, de broer van mevrouw Gurdin, en toen ze uit hun schuilplaats kwamen, zagen ze de jongen aan een touw in een boom hangen. Mevrouw Gurdin zou de bolsjewieken de rest van haar leven haten. Het gezin vluchtte – met een privétrein, zei ze altijd – naar een huis in Harbin, waar Maria balletles nam en beschikte over een Duitse kinderjuf en een Chinese kok. Mevrouw Gurdin varieerde haar verhalen, maar ze gingen allemaal over een leven van tegenspoed. Ze was eeuwig aan het uitweiden, eeuwig haar sporen aan het uitwissen. Soms was ze een zigeunerkind gevonden op de steppe, maar vaker was ze een Russische prinses die ontsnapte aan de kogel of de beul om de tuin wist te leiden. Hoe dan ook, het maakte Californië tot een soort paradijs voor haar, een oord waar de naakte waarheid zelden toereikend en zelden betrouwbaar was. Mevrouw Gurdins man, Nick, was ooit Nikolai Zacharenko uit Vladivostok.

Op een vroege avond kwam onze vriendin de hondengek de trap af in iets wat alleen maar een baljurk genoemd kan worden. Ze had haar haar gedaan en zich opgemaakt en volgehangen met namaakjuwelen. Ze sprak over haar schouder tegen Nick alsof ze het had tegen iemand hoog boven in de engelenbak. 'Vaddr', zei ze.

'Schei uit, Moeddr. Je hoeft er niet op te rekenen dat ik daar beneden wat kom drinken.'

'Vad! Ik heb spijt van de dag dat ik je leerde kennen. Je bent geen man.' Nick kwam de overloop op met een geweer. Zijn haar zat door de war en hij was dronkener dan een Siberische arts.

'Jaag me niet op stang, Moeddr. Niet vanavond. Ik laat me niet zien op jouw communistische bijeenkomst.'

'Hoe durf je', antwoordde ze. 'Je kwetst me in mijn ziel, Vaddr. Kleine Michail ligt nog steeds in zijn graf en jij beschuldigt me ervan dat ik communisten in mijn huis haal?'

'Sinatra is een communist.'

'Hij is een vriend van de jonge aanstaande president. We moeten er trots op zijn dat we hem kennen.' Nicks geweer was niet geladen. Hij hield het altijd in de aanslag wanneer hij naar cowboyseries op de televisie keek. Hij zei dat Kennedy een Ierse boer was of zoiets.

'Krestianin', riep hij. 'Boer.'

'Meneer Sinatra is een vriend voor Natasja', reageerde mevrouw Gurdin. 'Jij bent geen man. Jij zorgt niet voor je gezin. Jij bent een zielig type.' Haar man vloekte luid en zette de televisie harder, terwijl zij haar vorstelijke afdaling voortzette. Ik sprong uit de mand en ontweek haar zoom. 'Meneer Gurdin is een … zoals je zegt, stoute man', zei ze met een glimlach. 'Maar dat kan jou niet zoveel schelen, hè, maltezer?' Mevrouw Gurdin keek altijd een beetje wanhopig, ook als ze gelukkig was. 'Het geeft niet', voegde ze eraan toe. 'Dit is je laatste nacht hier, Sizzle.'

Ze waren me Sizzle gaan noemen als eerbetoon aan onze goede vriend Cyril Connolly. Het bleef in de familie: ze zei het niet tegen fokkers – ze noemde me nog steeds 'de maltezer'. Toen Natalie vertelde dat meneer Sinatra een hond zocht om cadeau te geven, nomineerde mevrouw Gurdin zonder aarzeling mij. Ze zei dat ik Britse klasse had, al had haar persoonlijke idee van Britse klasse in Sussex een deuk opgelopen. Ze zeilde weg naar de keuken in haar tafzijden gewaad, op het moment dat ik de trap op klauterde om een kijkje te nemen bij Nicky Boy. Hij zat in een oude, gelige leunstoel voor de televisie, omringd door allerlei soorten Russische poppen die de wereld in keken met hun dode historische ogen. Hij lurkte aan een literfles wodka. Dit was Nicky Boys uur van de dag. Hij staarde naar het scherm als iemand die zich voorstelde dat hij ieder moment naar voren kon springen en in het Wilde Westen verdwijnen. Meneer Gurdin keek *Bonanza* en hij richtte het geweer op het scherm om het vervolgens neer te leggen op zijn uitgestrekte benen. 'Meneer Cartwright,' zei de jonge man op het scherm, 'er zijn twee dingen waarmee ik overweg kan: paarden en vrouwen. In die volgorde natuurlijk.' Meneer Gurdin liet het geweer los en gaf een klap op zijn dij, stak toen zijn fles omhoog en toostte op de serie. De gastster Ben Cooper werd afgeworpen door een paard en de muziek werd heel vreemd. Nick leunde voorover. 'Mijn benen, meneer

Cartwright!' zei Ben Cooper. 'Ik kan ze niet meer bewegen! Ik kan ze zelfs niet meer voelen!' Toen begon de aftiteling en vulde de herkenningsmelodie van *Bonanza* de slaapkamer.

'Dit', zei meneer Gurdin, terwijl hij met vermoeide ogen door de kamer naar mij keek, 'is een hele mooie serie. Een hele, hele mooie serie, dat vertel ik jou gratis en voor niks, Dogville.' Ik stak het vloerkleed over en hij tilde me op zijn schoot, waarbij de koude loop van het geweer in mijn zij drukte. Toen ik Nick zo zag, vond ik zijn gezicht een kleine tragedie. 'Je bent een aardig wezen', fluisterde hij met dikke tong. 'Een leuk hondje en ik moet je één ding vertellen. Kijk uit voor de rooien. Die pakken je je eten af en laten je buiten in de regen achter.'

Ik besnuffelde zijn hand. Medelijden kan een redelijk beschaafde manier zijn om je een goed gevoel te geven over jezelf. Hij droeg een paar smoezelige, witte suède schoenen, de schoenen van iemand die betere dagen had gekend.

'Buiten in de regen', zei hij. 'Zo gaat dat bij die lui.' Ik draaide me om en zat even op zijn schoot, en we keken naar een reclame voor diepvriesmaaltijden. 'Walgelijk', zei hij. 'Chroesjtsjov-eten voor mensen die willen leven in de ruimte.'

Beneden ging de deurbel, en ik sprong van zijn schoot en liep de trap af. Nick stond op en sloeg de deur achter me dicht. Maar het was niet Sinatra, het was Natalie, die vroeg kwam om met haar moeder te praten over de problemen met haar nieuwe huis aan North Beverly Drive. 'Wat enig', zei Natalie toen ik aan haar voeten verscheen in de hal. 'O, Moeddr – is dit die voor Frankie? Dat moet wel, hè?'

'Da', zei mevrouw Gurdin. 'Ik weet dat-ie van artiesten houdt en deze kent de wereld, echt waar, Natasja. Zelfs

Engeland, en daar zaten de andere honden nog in de mand, maar deze was eruit. Hij is de aardigste.'

'O, wat enig.' Natalie tilde me op en omgaf me een paar seconden met haar schoonheid. Ik snuffelde aan haar hals en rook een exquise bloemengeur, Joy, dacht ik, ja, Joy van Patou, jasmijn, tuberoos, het filosofenidee van de volmaakte bloem.* Haar ogen waren zo donker dat je het gevoel had dat ze geheimen verborgen, met inbegrip van de diepste geheimen, maar alleen een perverse hond kon het over iets anders dan het leven hebben als hij het had over Natalia, mevrouw Wagner, Natasja, Natalie Wood, op haar hoogtepunt, slechts een paar maanden voor ze schitterde in zowel *Splendor in the Grass* als in *West Side Story*. Achter haar mooie gezicht ging een broeinest van vijandige gevoelens schuil. Dat nam ik in me op terwijl ze me streelde en weer neerzette, de dochter die zich schrap zette voor een gevecht met Moeddr en alles wat ze dacht te begrijpen. Het leven is toch al een film, maar niemand speelde het zoals Natalie, die voordat ze iets zei de dialoog in haar hoofd afdraaide.

Ze diepte een sigarettenpijpje op, stak een sigaret aan en onderwierp Moeddr aan de volledige van-top-tot-teen-inspectie. 'We hebben kikkers', zei ze. 'Het nieuwe zwembad stikt van de kikkers. Ze gaan allemaal dood. Jij was voor een zoutwaterbad, Moeddr. Beter voor de bloedsomloop, zei je. Nu hebben we daar verdomme een bijbelse plaag. Fantastisch,

* Zoals u weet, zijn hondachtigen niet al te geweldig met de ogen. In elk geval niet met kleuren. Maar onze oren en neus maken dat weer goed. In tegenstelling tot mensen kunnen wij horen wat mensen in zichzelf zeggen en kunnen we de geur van illusie ruiken. Deze laatste eigenschap maakt honden extra gevoelig voor commerciële parfums.

niet? Neem van mij aan dat we over de tong gaan in Higgins Canyon. Het is geen geur voor Beverly Hills, Moeddr. Dooie kikker is geen geur voor Beverly Hills, verdomme!'

'Niet vloeken, Natasja', zei mevrouw Gurdin. 'Het is heel ordinair om te vloeken.' Natalie keek op haar neer en sperde haar ogen theatraal open.

'Niet waar de puppy's bij zijn, hè?'

Natalie draaide zich schielijk om en liep de woonkamer in, op zoek naar een asbak, als om een argument kracht bij te zetten. Meteen begon ze een hele lijst met klachten af te draaien, over haar huis en haar man en de nieuwe film die ze aan het maken was, een lijst die van een litanie overging in een lawine. Mevrouw Gurdin was het soort moeder dat de heftige gevoelens van haar kinderen liet prevaleren boven die van haarzelf, althans zolang ze in hun aanwezigheid was. En zo zag ze het ook: ze was niet bij haar kroost, maar ze was in aanwezigheid van haar kinderen. Haar relatie met Natasja impliceerde een grillige mengeling van trots en vernedering. 'Dat is het boeiendste gedeelte van haar verhaal', had de labrador gezegd voordat ze naar een nieuw baasje ging. 'Wil ze zich misschien vereerd voelen door het succes van haar kinderen, maar ook erdoor gekweld, omdat het de kansen aan het licht brengt die zij nooit had?'

Natalie ging maar door. De schilders waren oplichters. De kleur van het roze marmer op de begane grond was niet overal gelijk. Haar privébadkamer was te zwaar en in het plafond eronder verschenen nu scheuren. Minstens de helft van de kroonluchters was namaak. Het loodgieterswerk was amateuristisch en tegen de tijd dat het warme water de kranen had bereikt, was het ijskoud en, geloof het of niet, smerig. Smerig badwater en kikkers in het zwembad! Het was alsof ze in een moeras ergens in Bolivia woonde. De baas van Fox dreigde het contract van haar man RJ op te zeggen. 'Is dat niet het toppunt? Die hulpkelner uit Saint Louis, Missouri, die Griek die in de botenbusiness zit. Acteurs zijn geen boten! Je kunt ze niet laten zinken als ze een beetje roestig worden.'

'RJ is niet roestig', zei Moeddr. 'Hij is dertig.'

'In deze stad is dat roestig', zei Natalie. 'Dat is rijp voor de sloop. Een acteur van boven de dertig kan het wel vergeten. De een of andere idioot in een nylon pak uit het hoofdkantoor kijkt of hij hem eruit kan gooien, neem dat van mij aan, ik ken die lui.' Moeddr wrong haar handen en dook in de doem. We hadden nooit uit Harbin weg moeten gaan. Die arme vader en moeder van me. Nog even en we komen allemaal om van de honger. De bolsjewieken hebben die arme Michail opgehangen aan een boom. Op dat moment haalde ze een zakdoek uit de mouw van haar japon. Het had ons beter moeten vergaan, en nu komt Robert op de schroothoop en is het leven voorbij. Voorbij, let maar op.

Mevrouw Gurdin had de neiging alle problemen te benaderen met de extatische tranen en tedere emoties die karakteristiek zijn voor Dostojevski's gelovige vrouwen. Ze liet geen gelegenheid, hoe klein ook, voorbijgaan voor deze ontzagwekkende hebbelijkheid zich te ontboezemen: mevrouw Gurdin vond het bijna iedere dag nodig het hogere gezag aan te roepen om haar portie ellende hier op aarde op te schorten en ervoor te zorgen dat de melkboer op tijd komt.

'O, hou op, Moeddr!' zei Natalie. 'Ik heb de tijd van mijn leven, want voor het eerst ... want voor het eerst ís het mijn leven.'

'Ben je aan het repeteren?'

'Hoezo?'

'Ben je je tekst aan het afdraaien?'

'Doe niet zo belachelijk, mamma. Ik ben geen kind meer.'

'Je bent tekst aan het afdraaien, Natasja. Die rol van zigeunerin krijg je nooit. Ik heb het script gelezen. Ze willen iemand die de hoer speelt. Jij bent te onschuldig. Ze herinneren zich het kleine meisje in de kerstfilm.'

'Hou op, mamma.'

'En ook die film van Kazan. Je declameert eruit, niet, Natasja? De dingen die je tegen me zegt! Je speelt het meisje Deanie. Alle films waarin jij wilt spelen zijn moederhaatfilms. Iedereen wil de moeder de schuld geven.'

Plotseling liep Natalie rood aan. 'Verwijt mij niet dat je niet weet hoe je moeder moet zijn. Geef mij niet de schuld dat je de tekst niet kent, Moeddr. Ik ben de dochter van Maureen O'Hara en van Bette Davis geweest. Ik ben goddomme de dochter van Claire Trevor geweest. Van Gene Tierney. Ik weet alles van moeders!* Moeders zoeken altijd vergeving, moeders zoeken altijd verzoening, moeders doen alsof het nooit om hen gaat. Moeders huilen zich 's nachts in slaap. Je hebt gelijk, moeder! Als ik íéts weet, jazeker, dan is het wel hoe ik een dochter moet spelen.'

'Ik vraag je niet om te spelen, Natasja.'

Ik keek omhoog naar mevrouw Gurdin, met ogen die naar ik hoopte uiterste verwarring verraadden. Ze tilde me op en liep de woonkamer in, waar Wanika, eeuwig glimlachend in haar witte schort, sandwiches en kaaskoekjes op mooie bordjes legde. Ik liet me uit haar armen in een lege stoel val-

---

* Natalie overdreef. Ze was nooit de dochter van Joan Crawford geweest.

len. Ze slaakte een zucht. 'Ik heb meneer Sinatra niet meer gezien sinds je verjaardagsfeestje bij Romanoff's.'

'Dat was het aardigste wat iemand ooit voor me heeft gedaan', zei Natalie weemoedig. Deze opmerking griefde Moeddr, maar ze compenseerde dat gevoel door nee te zeggen tegen een kaaskoekje, terwijl Natalie naar de spiegel boven de haard liep, een actrice die haar lippenstift bijwerkte.

'Meneer Sinatra is een aardige man', zei mevrouw Gurdin. 'Hij heeft een prachtige toespraak gehouden die avond van je verjaardag. Hij steunt heel wat nuttige ... heel wat nuttige doelen.' Natalie draaide zich om en boorde haar bruine ogen in die van haar moeder, de ogen die de twijfel erachter konden omtoveren in vurige en bijna blasfemische zekerheid.

'Ik ben geen dóél, moeder', zei ze. 'Ik ben een vriendin van Frank. Dat ben ik. Franks vriendin.'

'Natuurlijk', zei mevrouw Gurdin. 'Ik dacht aan het werk dat hij doet voor de zwarten.' Natalie liep naar haar toe en legde haar volmaakte handen over die van haar moeder, een smekende en intimiderende pose die ze langgeleden in haar vroegste jeugd had geperfectioneerd.

'Moed', zei ze. 'Verpest het nou niet tussen mij en Frank, wil je?' Mevrouw Gurdin had het gevoel dat haar dochter dit niet bedoelde in romantische zin. Thuis zat het niet lekker met de Brylcreem Kid, dat wist ze, ja, ze begreep dat het in Natasja's aard lag, net als in die van haar, om voortdurend gespitst te zijn op tekenen van ontrouw bij de mensen van wie ze hield. Haar vrouwelijke intuïtie vertelde haar bovendien dat RJ het soort man was dat gek werd van Natasja's buien. Maar meneer Sinatra was belangrijk voor haar dochter, en dat wist ze ook. Mevrouw Gurdin wist dat haar dochter zich moest gaan bezighouden met serieuze, volwassen zaken en politiek. Meneer Sinatra mocht Natalie graag, en Natalie wilde hem daarvoor belonen door de dingen die hem aan het hart gingen serieus te nemen. Dat vond Natalie volwassen gedrag. Moed moest dat toch weten. Natalie draaide zich weer naar de spiegel en fronste. 'Als Vaddr boven naar de *Andy Griffith Show* zit te kijken, dan zit hij daar goed', zei ze in de spiegel, waarin ze haar moeders blik opving.

'Ja', zei mevrouw Gurdin. 'Hij maakte niet zo'n goede indruk bij Romanoff's.'

'Erger nog', zei Natalie. 'Hij was al bezopen voor de soep kwam en hij noemde Peter Lawford een rooie Engelse flikker.'

'Ja, dat was stout van Vad.'

'Stout? Het was stuitend. Hij was dronken. Peter is de zwager van de aanstaande president van de Verenigde Staten van Amerika.'

'Dat is juist', zei mevrouw Gurdin. 'Nick is vaak heel moe en het is een zware tijd geweest ...'

'O, kom nou, Moed. Kóm nóú.'

'Tja. Sinds het ongeluk.'

'Het was geen ongeluk, Moeddr. Hij was dronken en reed door rood. Hij heeft die vent doodgereden. Midden in Beverly Hills.'

Moeddr keek naar het tapijt en meende dat ze een pluisje zag. 'Er lopen haast nooit mensen te wandelen in Beverly Hills', zei ze afwezig.

'Moeddr!'

'Maak je geen zorgen, Natasja', zei ze. 'Hij is op de slaapkamer en daar blijft hij vanavond ook. Hij is niet ..., zoals jij zegt, sociaal.'

'Het is maar een cocktailparty, moeder.'

'Ja.'

'Het is de Oscaruitreiking niet. Moeten we niet iets doen met die hond, hem een spuitje laten geven of zo?' Ik liep over het tapijt en verdween de hal in, waar ik Natalie hoorde zeggen: 'Ik denk niet dat honden me mogen.' Ze stak haar hoofd om de deur. 'Hé, vriend! Iedereen mag mij! Ik ben erg geliefd. De studio krijgt iedere week vijfduizend brieven van fans, steek dat maar in je zak.' Na deze opmerking slaakte ze het soort gilletje waar een regisseur blij mee zou zijn geweest. Boven hoorde ik, geloof het of niet, de herkenningsmelodie van *Huckleberry Hound.*

Natalie lachte en opende een van de grote ramen die uitkeken over de oprijlaan. Een koele bries streek langs haar benen en ze wees omhoog. 'Wij zijn echte valleimeisjes, Moeddr', zei ze. 'Dat daarboven zijn de San Gabriel Mountains, niet?'

'Dat soort dingen weet ik niet', zei mevrouw Gurdin. 'Het zijn allemaal gewoon bergen. Geef mij maar een strandhuis in Malibu of geef mij maar Beverly Hills. Dat zijn bergen waar ik iets mee heb.'

'Als er boven de heuvels een gloed verschijnt, vertelde Nick Ray, komt dat meestal door rakettesten van het leger.' In tegenstelling tot Natalie, die onbekommerd Amerikaans was in alle voor de hand liggende opzichten, voelde mevrouw Gurdin altijd een onbestemde vlaag van melancholie als het ging over raketten of schuilkelders, van welke laatste meneer Gurdin al heel lang een exemplaar wilde aanleggen achter in hun tuin.

'Ik hoop dat ze niet zomaar geld vergooien aan die raketten', zei mevrouw Gurdin.

'Ha! Je klinkt al net als ik', zei Natalie. 'Je politieke overtuigingen gaan mijn richting op. Ik dacht dat je er helemaal voor was dat we dood en verderf zaaien in het Moeddrland.'

'Ik verafschuw mijn land niet', zei mevrouw Gurdin. 'Ik verafschuw wat ze ermee gedaan hebben.' Ik stapte de patio op. Meteen rook ik sinaasappelen en grapefruits in de bries die door het dal trok en hoorde ik het zachte gegrom van lynxen de dichtbegroeide hellingen af komen, en was er niet ook een zweem van oude Spaanse luchtjes en zwavel daar in de bergen? Dit alles werd abrupt verstoord door het geluid van een claxon en een schittering van tanden.

'Frankie!'

Hij had inderdaad wel stijl, die man. Hij stapte uit de auto met bloemen voor mevrouw Gurdin, witte orchideeën in een zilverkleurige pot, en zong daarbij een oud liedje van Bing Crosby, op zijn speciale manier, opdringerig en verontschuldigend tegelijk. Volgens het liedje was de San Fernando Valley precies de plek voor hem. Franks keurige rij tanden rijmde volmaakt met de witte streep van de pochet die uit de borstzak van zijn pak stak. Ik rende naar binnen om aan zijn charme te ontkomen, maar pas nadat ik hem mevrouw Gurdins hand had zien kussen en zijn armen zien uitstrekken naar Natalie, terwijl hij zei: 'Hé, lekker stuk! Laat je een kerel smeken?' Ze zoende hem, en ik was getuige van een van die subtiele transformaties waarin Natalie zo verschrikkelijk goed was. Het was alsof iemand voorzichtig een koelkast hoger had gezet, waarbij haar ogen een ietsje harder flonkerden terwijl zij een paar graadjes koeler werd.

Ze spraken op een nonchalante manier, maar toch heel gemaniëreerd. Meneer Sinatra spoog de letter t uit op z'n New Jerseys, onderwijl de rol spelend van de meest relaxte vent op de aardbol, woorden uitklakkend die over de grote thema's van het moment scheerden. Hij wekte graag de indruk zich nergens veel van aan te trekken. Maar hij trok zich wél veel van alles aan, op het waanzinnige af. Het was een verbazingwekkend komisch soort vloek, dat verlangen om onderkoeld over te komen, vooral omdat mensen die met de vloek behept waren over het algemeen een vage angst hadden die onverenigbaar was met onderkoeldheid. Hun type gespannenheid vormde een uitdaging voor de moleculaire natuurkunde, maar, hé, vader, wat een opgewekte bataljons aan besluitvaardigheid stuurden ze er niet op uit om te zegevieren over de behoeften van jan modaal.* Alles leek op te gaan in een schouderophalen, maar dat was alleen maar schijn: meneer Sinatra was in feite de minst ontspannen persoon die ik ooit ben tegengekomen. 'Wat een flop', zei hij, terwijl hij voor ieder van hen een sigaret aanstak. Hij had het over *Ocean's Eleven*.

'De bonzen zullen het wel doen voor de dollars', zei Natalie, vervallend in het Hollywoodgeschamper dat haar zo lag.

'Die zitten gebeiteld', zei Frank. 'Die zakkenwassers weten wel aan hun geld te komen. Zeg, hoe gaat 't met die cheerleader van een man van je?'

'Nu je het vraagt,' zei mevrouw Gurdin, 'RJ doet momenteel auditie voor een serieus stuk in New York.'

'Misschien moeten we zijn neus wat buigen', zei meneer Sinatra. 'Om hem de Actors Studio-kop te geven, hè?'

---

* De acteurs waren geknipt voor de rollen die ze speelden. Ze zouden nooit volwassen worden. Sinatra was voor eeuwig Private Maggio, de slungelige en klungelige antagonist in *From Here to Eternity*. En Natalie zou altijd het meisje blijven dat onderkoeld wilde zijn in *Rebel Without a Cause*.

'Ja-ha!' zei Natalie lachend. 'Detroits antwoord op Karl Malden. Komt dat zien, het grootste spektakel in de stad. Val dood!' Mevrouw Gurdin keek naar haar dochter en zei niets, maar Natalie voelde haar berisping maar al te goed. Ze had zich al te veel blootgegeven met haar enthousiaste kritiek op haar echtgenoot. 'RJ is gewoon een dandy', zei ze. 'Altijd even knap, en op zijn gezondheid.'

'Hé, meid. Ik heb een ouderwetse regel', zei meneer Sinatra. 'Ik weiger op iemand te toosten als ik geen glas in mijn hand heb.'

'Sorry, Frank', zei mevrouw Gurdin. Ze liepen naar de bar achter in de kamer en mevrouw Gurdin belde om Okey, Waniki's man, die over de drank ging. Meneer Sinatra zette een pot zilveruitjes op de bar en richtte zich rechtstreeks tot de barman, alsof de dames hem met geen mogelijkheid konden begrijpen. 'Oké, makker. Kun je een gibson maken – driemaal?'

'Als guave-gorgelwater?'

'Zeg dat nog eens?'

'Zijn Engels. Dat is slecht', zei mevrouw Gurdin.

'Een gibson-martini', zei Sinatra.

'Tuurlijk. Driemaal. Wodka of gin?'

'Gin, ouwe makker', zei meneer Sinatra. 'Altijd gin.' Ze liepen naar de bank. 'Wat moet ik met die vent? Neemt-ie me in de maling?'

'Hij heeft een vreemd gevoel voor humor', zei Natalie. 'Die Hawaïanen.'

'Ik mag die Hawaïanen wel. We kunnen hem meenemen naar Traders als hij wil zien hoe Hawaïanen drankjes maken. Ik zal hem leren guave te gorgelen. We hebben daar acht tiki-goden als versiering. Iemand heeft ze uitgesneden.

Uitgesneden met de hand, en wij hebben ze in de bar. Is die man wel goed snik?'

'Laat nou, Frank', zei Natalie, die zich eens heerlijk volwassen kon voelen. 'De kerel maakte alleen maar een grapje.'

'Ik zal hem leren grappen te maken', zei Frank.

'Hij en Wanika hebben pas een zelfbouwhuis gekocht', zei mevrouw Gurdin. 'Ze hebben het uit een catalogus.'

'Sears Roebuck?' vroeg Frank.

'Nee,' zei mevrouw Gurdin, 'die doen daar al jaren niet meer in. Een ander bedrijf doet er nu in. Ze hebben het gebouwd in Inglewood, bij Hollywood Park. Het huis kwam met de post. Okey ... jullie hebben toch het huis gekocht dat met de post kwam?'

'Ja, mevrouw Gurdin. Een huis in een doos. Het is heel mooi. We hebben het in elkaar gezet met een hamer, meer niet.'

Ik keek in de deuropening toe hoe meneer Sinatra fronste, mevrouw Gurdin zich zenuwachtig maakte en Natasja op de leuning van de bank rook uit zat te blazen midden in de verwarring van het groepje. Okey de barman maakte de martini's een voor een en hij boog voorover om er een aan meneer Sinatra te overhandigen. 'Ik maak dit voor u, meneer Frank', zei hij. 'Ik leer hem maken in de Porpoise Room.'

'Okey en Wanika hebben in de cocktailbar van het Marineland gewerkt', zei mevrouw Gurdin. 'In Palos Verdes, weet je wel?'

'Ik maak hem goed', zei Okey.

'Oké', zei Frank.

'Zo heet-ie', zei mevrouw Gurdin.

'Nee, oké', zei Frank. 'Het drankje is prima.' Hij keek op naar de afwachtende barman. 'Het is oké, Okey. Je hebt kennelijk meer in je mars. En nu opkrassen.' Hij wendde zich tot Natalie en leek verbaasd over zijn eigen overwinning. 'Neem jij niet een van deze lieve moedertjes?'

4

Net als Noël Coward of Holly Golightly had prinses Natalia een wat je zou kunnen noemen cocktailuurmentaliteit. Ze sloeg verscheidene van die gibsons achterover en haar adem rook heerlijk naar gin en zilveruitjes, terwijl haar moeder sombere Russische dingen zei en het Hawaïaanse personeel bij de piano stond te wachten op orders, de handen voor zich gevouwen en met grote ogen voor zich uit starend. Een uur of meer verstreek met gelach, intense blikken, bedrijfsroddel en paniekaanvalletjes, gelardeerd met salvo's geweervuur van de televisie boven. Intussen werd Natasja steeds exuberanter, steeds sexyer, steeds meer Natalie.

Op zoek naar een rol voor zichzelf in Franks toenmalige preocccupaties besloot ze hem te vragen naar de Kennedy-campagne. Natalie had een instinctieve adoratie voor de machtigen der aarde. 'Tja, wij hebben ervoor gezorgd dat hij de verkiezingen won', zei Frank. 'Wij hebben de fondsen geworven. Wij hebben ervoor gezorgd dat hij de verkiezingen won. Eens zien of DP zijn beloften kan waarmaken.'

'DP?' vroeg mevrouw Gurdin.

'De president, mamma.' Natalie draaide zich iets te energiek om. 'Zij zijn de Jack Pack', zei ze.

'Je bent een schat', zei Frank. Ze giechelde zoals meisjes altijd giechelden als Sinatra in de buurt was, ieder geluidje overgoten met een sonore vraag om bijval. Frank vond het prachtig. Frank straalde. 'Zoals de man zei: hij is de lieveling van het land.'

'Hij trekt zich het lot van de underdog aan', zei Natalie.

'Zo is dat, meid', zei Frank. 'Da's ook mijn pakkie-an. Ik geloof in de eerste tien amendementen van de grondwet. Daarom wilde ik een van de lui op de zwarte lijst inhuren om die oorlogsfilm te schrijven. En weet je wat de Hearst-kranten deden? Die hebben me de das omgedaan, liefje. De hufters hebben me te grazen genomen. Ik heb het over de Hearst-kranten. John Wayne. General Motors. Kardinaal Spellman. Het was een eersterangslynchmeute, en ik vergeef het ze nooit. Misschien kan Kennedy iets betekenen voor dit land. Ik heb al mijn hele leven tegen lynchmeutes gevochten. Maar ik moest de schrijver de laan uitsturen.'

'Wayne is een verlinker', zei Natalie.

'Jezus', zei Frank. 'Die vent deugt al dertig jaar niet. Het is een mafkees.' Hij deed alsof hij het onderwerp wegwuifde, maar hij had nog meer. 'Neem van mij aan, prinses, die kerel zou duizend betere kerels in de gevangenis gooien alleen om te laten zien dat hij de grote keiharde sheriff in de stad is. Hij zou duizend boeken verbranden om er één niet te hoeven lezen. Zo zit het, mevrouw Gurdin. Tja, wat kan ik jullie nog zeggen? John Wayne is een zakkenwasser. Hij is een mislukkeling. En in het nieuwe spel is er geen rol voor mislukkelingen.'

'Kennedy!' zei Natalie als een groupie.

'Zo is dat, prinses.'

Er schoot een schaduw door de hal en toen hoorde ik gestommel op de trap en een deur dichtgaan. 'Die verkiezing was binnen, die zat gebeiteld', zei Frank. 'Succes verzekerd. Het was misschien op het nippertje, maar voor mij was het altijd een uitgemaakte zaak. We hebben stevig campagne gevoerd in Hawaï.' Hij hield zijn glas scheef voor de barman, alsof hij nog een appeltje met hem te schillen had. 'Maar er moet een boel worden rechtgezet in dit land. Sommige mafketels willen de vooruitgang tegenhouden, en dan heb ik het ook over Democraten. Wisten jullie dat Sammy werd uitgejouwd door die kolerelijers uit Mississippi toen we het volkslied zongen? En dat nog wel op de Conventie toen Jack werd genomineerd.'

'Tja', zei Natalie, met een blos op haar wangen. Van genoegen, dacht ik. Als een slimme leerling vond ze het heerlijk steeds een antwoord klaar te hebben. 'De vader van dr. King was van plan Republikeins te stemmen. Hij zei dat hij zou stemmen op de partij van Lincoln.'

'Jack was zich daarvan bewust', zei Sinatra. 'Toen ze King arresteerden en hem daar in Reidsville in de gevangenis gooiden, belde Jack zijn vrouw. De vrouw is zwanger. Jack belt haar op om haar te zeggen dat hij aan haar denkt. Is dat klasse of niet?'

Frank was zo ongedurig dat hij niet echt kon zitten, en een paar keer struikelde hij bijna over me voordat we aan elkaar werden voorgesteld. Het gepraat over Kennedy maakte het eigenlijk alleen maar erger. 'Maria,' zei hij tegen mevrouw Gurdin, terwijl hij terugbeende van de ramen, 'ik heb een aardigheidje voor je meegenomen. Alle mooie meisjes verdienen een cadeautje.' Mevrouw Gurdin bracht haar hand naar haar hals en veinsde onverwachte blijdschap. Ze haalde het lint en het papier van het pakje dat hij haar overhandigde en vond daarin een blauwe Fabergé-doos. Ik ging op de vloer liggen met mijn kop tussen mijn voorpoten.

'O, meneer Sinatra,' zei ze, terwijl de tranen haar in de ogen schoten, 'wat is dat prachtig.' Ze legde haar handen over me heen en tilde me op naar zijn gezicht. 'Deze kleine is uw hond', zei ze. Je had het gevoel dat zijn blauwe ogen zichzelf konden bekijken terwijl ze naar jou keken.

'Hé, dat was niet zo best van me, makker', zei hij terwijl hij mijn oor aaide en heen en weer bewoog. 'Ik had je moeten groeten toen ik binnenkwam. Hé, makker. Jij wordt een cadeautje voor Marilyn.'

'Is ze in New York?' vroeg Natalie.

'Ja. Ze is depressief geweest.'

'Is het uit met Miller?'

'Finaal', zei Frank. 'Ze hangt halfstok.'

'Zo veel cadeautjes', zei mevrouw Gurdin. 'Het moet gezegd, meneer Sinatra, u bent wel genereus. Dat vindt mijn man ook. Altijd even genereus. Ook voor onze Natasja.'

'Moeddr ... hou op. Je brengt Frank in verlegenheid.'

'Inderdaad', zei hij. 'En ik vind het heerlijk.'

Het kabaal boven nam toe. Het was alsof er met meubels werd gesleept. Je hoorde iemand aan een klink trekken, en plotseling schreeuwde meneer Gurdin over de leuning. Zijn vrouw plengde nog tranen van dankbaarheid en een gevoel van nationaal verlies, toen Nick begon te schreeuwen, maar het geluid van zijn stem bracht haar direct van slag, bedierf haar stemming, smoorde haar tranen. 'Fanaten!' riep Nick. 'Verdomde fanaten en communisten, zeg ik jullie. Allemaal rooien. Rooien in mijn eigen huis, verdomme.'*

Sinatra lachte, en ik zag een angel van wreedheid zijn ogen vochtig maken. 'Het is Nicky Boy!'

'O, hou je koest!' zei Natalie giechelig over haar schouder. Ze riep quasischreeuwend naar hem terug: 'Hou je koest, Vad.'

'Het stemt me droevig', zei mevrouw Gurdin. Ik ging de hal in en zag Nick over de leuning hangen, zijn gezicht helemaal grijs en woest boven een bungelende fles.

'Wij beloven ons met alle middelen die onze organisatie ter beschikking staan te verzetten tegen iedere poging van een groep of individu om het witte doek ontrouw te laten zijn aan het vrije Amerika dat aan de wieg ervan stond.'

'Godsamme', zei Sinatra. 'Hij komt met de "Gedragscode".'

'Hou daarmee op, Nikolai!'

'Maak je niet druk, Moed. Hij is dronken.'

'Serieus', zei Sinatra. 'Het is het oude liedje. De Filmliga voor het Behoud van Amerikaanse Idealen.'

'Ach, mijn hemel. Hij moet ermee ophouden. Het is verschrikkelijk', zei Moed.

'Gooi het er maar uit, Nicky Boy!' zei Sinatra.

'Wij wijden ons werk ...' riep meneer Gurdin.

Natalie rolde met haar ogen en sloeg haar gibson achterover. 'Werk, ha! Die is goed', zei ze. 'Hij heeft niet meer gewerkt sinds hij weg is uit Vladivostok.'

---

* De combinatie van cowboyseries en drank deed Nick geen goed. In die zin leek hij op de grote filmregisseur John Ford, die maar een slok van het Ierse spul hoefde te drinken, vooral in de nabijheid van galopperende hoeven of schietende vuurwapens, of hij veranderde in een rechtse fanaat.

'... in de hoogst mogelijke mate ...'

'Dat is niet eerlijk, Natasja', zei mevrouw Gurdin. 'Hij heeft geprobeerd te werken, zoals ieder ander.'

'Dat geloof je zelf niet, Moeddr. Hij voert geen klap uit.'

'Brutaal nest, hè?' zei Sinatra.

'... aan de weergave van het Amerikaanse leven, zijn normen en vrijheden, overtuigingen en idealen, zoals wij die kennen en aanhangen.'

'Gooi het er maar uit, jij miezerige oplichter', brulde Sinatra. 'Ik heb zin om naar boven te komen en je benen te breken.'

Er werd over en weer gedreigd en gevloekt. Een van de andere honden rende jankend de keuken in. Ik denk niet dat ik ooit eerder zo'n chaos had meegemaakt, in Schotland, noch Engeland, bij Pan-Am of tijdens de quarantaine, en er kwam een einde aan toen mevrouw Gurdin dreigde te gaan bidden tot een van haar iconen of Romanovs of wie ook die in haar ogen een einde aan deze nachtmerrie kon maken. Er volgde een moment van stilte toen Nicky Boy boven zijn vijandelijk vuur staakte en de deur dichtsmeet voordat Natalie uitbarstte in een van haar theatrale giechels, terwijl ze keek naar Moeddrs lippen, die nog steeds geluidloos bewogen. 'Je denkt dat mijn moeder geïnteresseerd is in sterren,' zei ze tegen Frank, 'maar in werkelijkheid gaat het haar om de tsaren.'

Mevrouw Gurdin wikkelde mij samen met een rubberen kluifje in een deken.

'Kalm aan, gekkie', zei Frank tegen Natalie. 'Je moeder is weduwe. Ik geef nog geen cent voor dat citroenijs boven. Geen cent. Die is volkomen geschift.'

'Vind je mijn moeder echt aardig?'

'Maar wel zeker', zei Frank.

'Ze is ooit balletdanseres geweest', zei Natalie, op haar lip bijtend en in een zeker verlangen trots te zijn op haar moeder. Meneer Sinatra gaf een tikje tegen haar kin en viste een zilveruitje uit zijn glas, gooide het in de lucht en ving het op in zijn mond. 'Pas nou maar op met die film. Bemoei je nergens mee. Je bent er nog steeds mee bezig, niet? Denk eraan, Kazan is een verlinker, net als die klaploper boven. Een verrader. Raak je in de penarie, geef me dan gewoon een belletje, prinses.'

'Ik ben er niet gerust op, Frank. Ze denken dat ik nog steeds het kleine meisje met de vlechtjes ben.'

'Doe gewoon je werk, Miss Moskou,' zei Frank, 'en bedenk wel dat je hem niets verschuldigd bent. Kazan, Jack Warner en hem daarboven ook niet. Je hebt het verdiend. Die hufters mogen van geluk spreken dat ze jou hebben.'

Over het gazon op weg naar de auto hoorde ik nog Moeds felle verwijten op de bovenverdieping. Ik hoorde een fles breken toen ze in het Russisch gilde. Meneer Sinatra haalde me uit de deken en zette me op de zachte bekleding van de achterbank. Er hing een vleugje Sicilië om Frank heen, een zweempje citroen en jasmijn, en ik wist niet zeker of het de bloemen waren die hij had gegeven, het eten waarvan hij hield, Acqua di Parma of gewoon een lang vervlogen geur die op zijn huid was achtergebleven. Ik nam die waar toen zijn hand mijn snuit raakte en toen hij om de auto heen liep. Hij wierp een kushandje naar Natalie, die met haar eigen auto was en al uit Sherman Oaks wegscheurde met die lach van haar die het gevaar van de nacht en het geheim van haar eigen vrijheid leek te belichamen. Zoals ik al zei: Frank en Natalie waren de rollen die ze speelden: dat zag ik heel duidelijk toen hun auto's de snelweg op draaiden en hun koplampen de palmbomen de duisternis in joegen. Ik wilde plassen. Toen ik door de achterruit keek, moest ik denken aan Belka en Strelka, de twee Russische honden die dat jaar de ruimte in waren gezonden, en ik vroeg me af welke kleine rol ze waren gaan spelen in de beweging van de nachtelijke hemel. Ja, ook zij hadden natuurlijk moeten plassen toen hun capsule door de ruimte reisde, en ik voelde enige trots toen ik omhoogkeek en me voorstelde welke moeite mijn kameraden zich hadden getroost voor de mensheid.* De verre nachtelijke hemel is vaak een troost: hij laat je geloven dat we allemaal in gelijke mate alleen zijn. De auto bewoog met ingehouden woede naar Bel Air, en pas toen liet ik de lange dag toe tot de lagere regionen. Ik gaf me over aan mijn avontuur, telde mijn zegeningen en deed een lange, warme plas achter in Franks auto.

Het moet besmettelijk zijn geweest, want Frank hield ergens boven aan Beverly Glen stil en stapte mopperend en vloekend uit om een plek aan de rand van het struikgewas te zoeken waar hij kon pissen. Ik staarde omhoog naar de zilveren sterren. Er kwam een kater voorbij die langs de weg bleef staan. Hij likte zijn bek af toen hij mij zag en declameerde het begin van een smachtend, narcistisch sonnet, in Italiaanse stijl ter ere van Frank. Het raam stond open en ik voelde de bries door de canyon komen.

* Belka en Strelka waren inmiddels terug op aarde en deden andere dingen voor de mensheid. Ik bedoel, ze kregen *pupniks,* wat puike diplomatieke cadeautjes bleken te zijn. Chroesjtsjov gaf er een aan Kennedy's dochter Caroline.

Het leven is losbandig zij het niet genoeg
De bomen hier zijn mijn getuigen, valse fik.
Het Tulpenlaantje was waar ik om liefde vroeg
En snoof de hemel van alleen maar zij en ik.
Ze was volmaakt, verstandig, gretig, zwart,
De levendige schaduw van opake nacht.
Slechts één woord, dan behoorde mij geheel haar hart,
En toch verdween ik schielijk, op gevaar bedacht.

Twee dagen later halverwege de ochtend hielden de mannen in Franks gevolg een wedstrijd in stupiditeit. Ik zeg niet dat het allemaal stomkoppen waren, maar ze namen de dreigende houding van B-filmgangsters aan en mengden die met het scherpe venijn dat je wel aantreft bij corpsmeisjes, omgaven Frank met een bel van onbestemde agressie en milde hatelijkheid, een situatie die hem een goed gevoel over zichzelf leek te bezorgen. Frank vond het prettig als mensen bang, maar ook afhankelijk van hem waren. Dat was zijn favoriete combinatie bij iemand die hij als vriend beschouwde. Dus die lamstralen uit Chicago of New Jersey of, god weet, Palm Springs, die hadden geen banen of echte rollen, die deden boodschappen, beantwoordden telefoons, bestelden auto's, maakten drankjes, regelden meisjes en hingen de stoere bink uit als het maar even mogelijk was. Maar ze kraamden voornamelijk een gestage, constante stroom pure onzin uit tegen elkaar, peilden vol trots de diepten van hun onnozelheid naast een verbluffend blauw zwembad.

'Kweenie, Tony. Als je morieljes eet, word je ziek.'

'Nee, oetlul. Dan word je dik. Het is een bekend feit dat je dik wordt van paddestoelen.'

'Vraag het maar aan Legs daar.'

'Wat moet ik hem vragen?'

'Vraag hem over dik zijn. Hij heeft al twintig jaar z'n lul niet meer gezien, zo vet is die miet geworden.'

'Hé, Legs. Heb je weer van de paddestoelen gegeten?'

'Val dood, Marino. Jouw moeder heeft haar kut ook niet gezien, maar alle anderen wel.'

'Ach, Legs. Beste vriend. Dat is erg.'

'Die heeft geen paddestoelen of niks niet gegeten', zei een kleine bleekneus met een hinniklach. 'Legs heeft zich volgevreten met gebraden kip sinds Ernie Lombardi voor het eerst uitkwam tegen de Brooklyn Robins.'

'Ik ga dit varkentje naar binnen werken', zei een kerel met goud in zijn gebit, een kerel die bezig was zijn overhemd aan te trekken. Hij was net binnen geweest met Frank bij de massagetafels. Hij liep op mij af naast het zwembad en ik kefte naar hem. 'Bak es wat van die morieljes voor me, Tony. Bak ze lekker in boter. Ik heb hier een hondje niet groter dan een kippenkluifje. Hij 's borrelhapje.'

Grrrrrrrrrretver.

'Ho, kleintje. Ik zeg maar wat.'

'Hier heb je je kluifje', zei Legs gnuivend met opgestoken middelvinger.

Toen ik de villa binnenging, zag ik dat Frank in de woonkamer was, koffers open op de vloer, bezig van alles te regelen met zijn bediende, meneer George Jacobs. Hij nam altijd te veel mee, overal waar hij heen ging. Een paar dagen New York kon wel vijftien stuks bagage betekenen. Er lag flink wat gebroken glas van de avond tevoren. Een of ander nieuwtje over Kennedy had hem woest gemaakt, en hij had een stuk Laliquekristal gepakt en naar de haard gegooid. 'Maak je niet druk, ouwe', had hij gezegd in zijn badjas, grinnikend naar meneer Jacobs. 'De wereld is onze asbak, toch?' Meneer Jacobs had heel wat uitbarstingen meegemaakt, niet alleen van Frank maar van iedereen om hem heen. De eerste keer dat Franks moeder George Jacobs ontmoette, nam ze hem op van top tot teen, zag dat hij een wit jasje droeg, zag dat hij zwart was en bereid haar te dienen, en wendde zich tot Frank met de woorden: 'Wie denk je wel dat je bent, Ashley Wilkes? Nou, ik ben geen Scarlett O'Hara.'

Nimes Road. Wat een oord. Ik was er die ochtend in geslaagd uit het huis te ontsnappen en had genoten van tien minuten in mijn eentje op Nimes Road voordat meneer Jacobs me kwam zoeken. Frank woonde in een Toscaanse villa op het hoogste punt van de laan, naast een Frans chateau. Aan de overkant van Nimes Road stond een Witte Huis in het klein, met Griekse colonnades, en verderop, in de richting waarin ik liep, stond een volmaakte versie van een Engels plattelandshuisje, overdekt met klimop en rozen. Het echte verschil tussen mensen is dat sommige geven om authenticiteit en andere helemaal niet. De mensen in Bel Air geven er niet om. Voor hen was Franks villa mooier dan iedere echte villa op tien kilometer van Lucca. Als je het zo nodig moet hebben over de Californische stijl, zou ik het persoonlijk niet hebben over *finca's* gemaakt van adobe in een bonenveld. Dan zou ik het hebben over die kleine Engelse cottage met zijn volmaakte symmetrie en zijn appelbomen. In wezen had het gebrek aan authenticiteit ervan iets geweldig waarachtigs, iets essentieels en menselijks. Honden hebben altijd goed kunnen leven met dat soort werkelijkheid. Daar is ze. Daar was ze. Franks Toscaanse villa aan Nimes Road, geïmporteerde rozemarijnstruiken en terracotta, en fonteinen die stralen water in de lucht van deze mooie woestijn spoten.

Franks beste vrienden waren allang vergeten dat hun superioriteit over de wereld grenzen kende. Ze hadden de macht van Italië zonder Italiës besef van verval, een boel van Augustus maar niets van Epictetus, een boel van Machiavelli maar niets van *De tijgerkat*, en ze geloofden duidelijk dat de mens er almaar op vooruitging. De stomkoppen meenden dat ze het hoogste waren wat het universum te bieden had, hetgeen wel heel onbescheiden van ze was, om niet te zeggen koddig, maar toegegeven, soms ergerde het me dat ze ervan uitgingen dat ik minderwaardig was. Terwijl zij zaten te vreten en te boeren, wilde ik hen laten kennismaken met de pratende paarden van Swift.

Ik wijt het trouwens niet aan de Italianen. Ik wijt het aan de Fransen. Ik wijt het aan de Verlichting. Ik wijt het aan Descartes in het bijzonder. Hij denk dus hij Ben – nou, mooi voor Hij. Mooi voor Ben. En vervolgens wenst deze toegewijde vader van de moderne wetenschap in discussie te gaan met Montaigne, mijn persoonlijke vriend, en die aardige Pythagoras, door te stellen dat dieren geen denkende wezens kunnen zijn, omdat ze wel een orgaan voor spraak hebben, maar dat niet gebruiken, dus geen gedachten, geen spraak, geen Ben. Te denken – aha, te dénken! – dat de kleine bruine muizen die al die jaren in het Collège Royal Henri-Le-Grand in La Flèche huisden, wiskunde fluisterden in Descartes' pannenlaporen terwijl hij sliep, en dat de kraaien rechtspraken terwijl ze over zijn hoofd vlogen op de Universiteit van Poitiers, te denken dat geen van hen erkenning kreeg in zijn modieuze redenering. Ach, daar heb je het weer, de overmaat aan arrogantie en stelligheid van de mens. Ik weet niet waar ik het vandaan heb, meneer Connolly waarschijnlijk, maar in mijn herinnering zitten gedeelten van een brief die Descartes in 1646 schreef aan de markies van Newcastle. Ik moet, vrees ik, bekennen dat het me pijn deed eraan te denken, toen ik keek naar de stomkoppen bij dat leuk bedachte huis aan Nimes Road. 'Het baart me geen zorgen dat de mens de absolute heerschappij bezit over alle andere dieren, want ik geef toe dat sommigen van hen sterker zijn dan wij en ik geloof dat er misschien ook wel zijn met een instinctieve geslepenheid die in staat zijn de sluwste menselijke wezens om de tuin te leiden. Maar ik constateer dat ze ons alleen evenaren of overtreffen in die daden waarbij we ons niet laten leiden door onze gedachten. Alle dingen die honden, paarden en apen worden geleerd te verrichten, zijn slechts uitdrukkingen van hun angst, hun hoop of hun vreugde en kunnen dan ook zonder enige gedachte worden verricht. Als de zwaluwen komen in de lente, functioneren ze ongetwijfeld als klokken.'

Brrrrr. Bedankt, meneer Descartes. Het was niet een hond die de *Eerste Meditaties* schreef, maar het was ook niet een hond die de atoombom uitvond. 'Wie leerde de schildpad een beet te genezen met dollekervel?' (De vraag deed zich voor bij mijn geboorte: uitgesproken door Simplicius Simplicissimus in een door mijn baasje bewonderde roman.) 'Wie leert de slang venkel te eten als ze haar huid wil afwerpen?' Bij de herinnering aan de muizennegeerder was ik met mijn nekharen overeind gaan keffen, net zoals bij de man met het goud in zijn gebit, maar ik voelde me beter toen ik Franks bediende was gevolgd in een kast van de grote slaapkamer, waar alleen maar stropdassen hingen. 'Veel te veel, verdomme', zei meneer Jacobs. 'Neem van mij aan, Rinty, meneer Sinatra heeft vriendinnen gehad die jonger waren dan sommige van deze dassen.'

De kamer was een studie in pastelkleurige barok, een oord

van onheilspellende gezapigheid, zoals de sets in de films van Douglas Sirk.* De meeste honden zijn ruimhartig als het aankomt op de inrichting van een huis, vooral Maltezer leeuwtjes. Tijdens mijn reizen moest ik vaak denken aan mijn broertjes en zusjes: zouden ze, net als ik, ergens op een aardig plekje op vloerkleedniveau zijn, misschien een chique zitkamer in Kensington inspecteren of vlekken maken tussen de gele chinoiserie in een Europees boudoir? Mijn held Trotski zou een grandioos interieurontwerper zijn geweest: tenslotte heeft inrichting alles te maken met persoonlijkheid en geschiedenis, het nauwgezette werk van het scheppen, ontdekken en kiezen van de levensvoorwaarden en ze dan ook precies zó te plaatsen. De beste ontwerpers vinden het heel normaal om een scheut dialectiek door hun materialisme te mengen. Pappa Hemingway zei ooit dat proza architectuur is en geen interieurontwerp, maar hij had slechts half gelijk: goed proza is beide, zoals hij geweten moet hebben in de fluwelen kamers van zijn vuurrode hart. Pappa was ook een van die genieën die hun hele leven hysterisch veel moeite deden om te doen alsof alles hun moeiteloos afging, zoals hij daar zat in zijn eeuwige pyjama met die tot de rand gevulde bekerglazen Dubonnet en zijn ongenoegen omvormde tot de gekunstelde eenvoud van *The Old Man and the Sea*. Op zijn best was Pappa net als Wallace Stevens, de beroemde,

---

* De regisseur, geboren als Hans Detlef Sierck, is bekend om een zekere kwaliteit in slechte smaak. In de tijd dat ze uitkwamen, werden zijn films door de critici verafschuwd omdat ze te onwerkelijk leken. Later werden ze mooi gevonden omdat ze zo ironisch waren. In weerwil van mijn probleem met sommige van zijn kleuren, heb ik hem altijd beschouwd als een meester in artistieke betovering.

briljante Interieurontwerper van de Amerikaanse Literatuur, de magnaat van de poëzie, wiens idee van orde in Key West (in zijn gedicht 'The Idea of Order', geschreven in Key West) er een was waarbij niets werd gegeven en alles werd gemaakt. 'Want zij was de maakster van het lied dat ze zong ... herhaald in een zomer zonder einde.'

Ik mijmerde hierover terwijl meneer Jacobs verschillende dassen op een donkergele poef legde. Deze verdieping van Franks huis was gedaan door Alexander Golitzen, een artdirector die had gewerkt bij Universal, een expert in het combineren van de kunst van het sederen met de kleurenpracht van Technicolor. Dat was wat Frank bovenal wilde, een huis gebouwd uit zekerheid, een stijl die zichzelf kende, een gele stoel in een heel blauwe kamer, een donker pak met een volmaakte crêmekleurige das. Meneer Jacobs keek op me neer terwijl ik de vezels van het vloerkleed krabde en mijn poten likte. Buiten loeiden automotoren: de stomkoppen kwamen en gingen met nodeloze haast. Ik likte aan een bot en herinnerde me het doosje met de uitgescheurde recepten van mevrouw Higgens in de keuken in Charleston, al die vergeelde papiertjes die gingen over sappige, gesmoorde stukken vlees en botten.

Meneer Jacobs was voorkomend en hij zette vaak de televisie aan als hij zag dat ik alleen in een kamer was. Toen we terugkuierden naar de woonkamer, zag ik dat meneer Sinatra link werd tegen een of andere vent die met zijn rug naar me toe stond. Het was meneer Lawford, en mijn vriend zette de televisie aan om te proberen een scène te voorkomen. De televisie stond helemaal in de hoek van een gigantische kamer en ik ging zitten voor een reeks tekenfilms van Tom en Jerry. Welnu, niet alle katten zijn dichterlijk, zoals ook niet alle gedichten kattelijk zijn, maar deze knul Tom was wild en rende rond alsof zijn staart in de fik stond, zonder zich iets aan te trekken van de soundtrack, slingerde – ik zou zeggen, krabbelde, *scatterde* – zoals iedereen deed in die jaren, tussen brutaliteit en sentiment. Maar sjonge, die tekenfilms waren een geweldige inspiratiebron voor de politiek. Die dag bij meneer Sinatra kwam het misschien voor het eerst bij me op dat heel wat van die Democraten het beter zouden doen als ze meer tekenfilms keken. Daar zag je de wereld volwassen worden. Maar Frank bleef meestal doof voor de roep van de werkelijkheid en ruziede met Lawford over een of ander aspect van Kennedy's plannen.

'Het zal me een rotzorg zijn, Peter', zei hij. 'Ja? Het zal me een rotzorg zijn. Ik werk me de pleuris. Snap je dat?'

'Natuurlijk, Frank.'

'Begrijp je dat? Ik neem pillen om te slapen. Ik heb verdomme buikpijn van dit … dit koleregelul. Wie brieft dit gelul door aan de kranten – meneer Sinatra's "connecties", meneer Sinatra's "relaties"? Ik zal hun rotkinderen aan de piranha's in Oceanworld voeren, hoor je. Ik weet wat het is om een slechte pers te krijgen.'

'Natuurlijk.'

'Oceanworld, zeg ik.'

'Frank.'

'Ik organiseer verdomme een inauguratie, Peter. Snap je wat ik doe? Ik laat iedere godvergeten ster op de planeet opdraven om het godvergeten feest van de Kennedy's op te luisteren. Ik werk me de pleuris. Ik word hier nog eens gek …'

'Ik weet het, Frank.'

'Kom me niet aan met "Ik weet het", wil je? Of ik hak je vingers af.'

'De familie stelt het op prijs ...'

'Kom me niet aan met "de familie", jij gladde Engelse slijmjurk. Kom me daar niet mee aan.'

'Frank.'

'Ik maak je verdomme kapot. Hoor je me? Ik steek mijn hand verdomme door je borstkas verdomme en ruk verdomme je lever d'r uit, jij Engelse klootzak. Ik werk me de pleuris voor die lui. Ik steek mijn nek uit voor die jongens. Hoor je me? Die uitnodigingen gaan naar persoonlijke vrienden van me. Persoonlijke vrienden! Zeg tegen Jack of Ted Sorenson of Jezus H. Christus dat die heren naar de hoofdstad komen als mijn gasten. Gesnopen? Anders kunnen ze de hele zaak vergeten. Dan ga ik een Afscheidsgala voor Adlai Stevenson doen. Dan ga ik verdomme een barbecue voor Richard Nixon doen. Zeg ze dat maar. Zeg Ted Sorensen maar dat ik ermee kap. Ik ben er klaar mee.'

'Toe, Frank. Jack weet ...'

'Kom me niet aan met wat Jack weet! Ik sta op het punt naar New York te vertrekken om nog meer werk te doen voor Jack Weet.'

Tom en Jerry heetten vroeger Jasper en Jinx. De kat had de muis bij de staart en probeerde hem over de Welkom-mat zijn bek in te laten rennen.

'Ik maak het in orde, Frank. Heus.'

'Vandaag, Peter. Ik wil het vandaag geregeld hebben.'

De zwarte huishoudster kwam binnen met een bezem en zo'n luide, zuidelijke stem, een forse, dikke dame met oranje kousen en blauwe pantoffels. Ze riep: 'Jasper! Jasper!'

'Er moet nog allerlei belangrijks gebeuren, Frank. Het spijt me als er iets niet duidelijk is. De lobby van dr. King zit ze op de nek. Jacks speciale assistent Woodruff maakt stampij. Jack probeert gewoon alles uit de schijnwerpers te houden, met de segregatiekwestie die nu urgent wordt en de rechtse columnisten ...'

Het gezicht van de zwarte dame zag je nooit. Nooit. MGM's oog voor sociaal realisme hield in dat je in een tekenfilm nooit het gezicht van een dienstbode zag. Jawel, m'vrouw. En daar kwam de gezichtsloze dame de trap af, schreeuwend naar die arme Jasper omdat hij het huis had gesloopt. 'Wacht maar, jij waardeloze, goedkope bontjas. Nog zo'n slooppartij en je legt d'r uit. E-I-T uit!'

'Tja, Dombo. Bedenk dat sommigen van ons al net zo lang uit zijn op verandering als die zwager van jou uit is op het presidentschap.'

'Ja, Frank.'

'En we hebben er een prijs voor betaald. De wereld is veranderd, maar we hebben een prijs betaald.'

'Inderdaad. Dat weet ik.'

'Snap je dat?'

'Ik snap het, Frank.'

'Snap je het?'

'Reken maar.'

En de slimme muis verneukt de kat en laat hem het hele huis weer slopen. De dienstbode komt de trap af en ze heeft nog steeds geen gezicht, geen geschiedenis, en die luide, zuidelijke stem die op je afkomt met haar bezem en haar goede zorgen voor het huis. 'Als 'k uit zegt, dan bedoelt 'k uit!' De deur wordt opengegooid en eruit vliegt de kat. De muis is gelukkig met de wereld.

Meneer Jacobs deed de laatste koffer dicht en gaf me wat middageten in de keuken voor we allemaal naar de limousine naast de fontein kwamen. Ik moest in een draagtas, maar dat vond ik niet erg. Op de een of andere manier was Franks uitputting naar mij doorgesijpeld, en ik lag alleen maar door een stukje raam naar de verdwijnende palmen te kijken terwijl Franks stem tot zwijgen kwam. Er viel winterse zonneschijn in de auto en ik herinner me dat de stuwkrachten van het puppyschap me in een heel nieuwe richting begonnen te duwen. Thomas Mann begreep hoe vreemd het voor een hond is om alles in de gaten te houden en niets te zeggen en het leven van een lome lobbes te leiden, vermoeid van het uitrusten. De Duitse staander Bauschan lag altijd naast Mann, en dankzij zijn lichaamswarmte voelde de baas zich behaaglijk en minder eenzaam. 'Er komt altijd een diep gevoel van sympathie en blijdschap over me als ik me in zijn gezelschap bevind en naar de dingen kijk met de ogen van de hond', schreef Mann halverwege zijn leven. Terwijl we over de snelweg reden, herinnerde ik me het verhaal van Theodor Adorno, die mijmerde over de eliminatie van het individu in een huis in de tuinen van het paradijs, een huis in Malibu dat uitzag op het blauwe water van de Stille Oceaan. Hij mag misschien een product van de oorlogsjaren zijn geweest, maar zijn tijd kwam in de jaren zestig, een decennium dat voor ons allen feitelijk begon met de verblekende ster van Marilyn.

5

Het luchtruim was aangenaam, althans dat zeiden ze. Het luchtruim was een plek om uit te rusten voor de vermoeide zakenman met zijn verslappende handdruk en zijn vrijdaggezicht, en wie zou hem een bourbon met ijs ontzeggen en een knap meisje met haar TWA-hoedje op om hem zijn zorgen te doen vergeten. Als je de advertenties mocht geloven, en dat deden we allemaal, was het in de tijd rond Kerstmis 1960 een waar feest boven de wolken, een wereld weg van de sores beneden.

Frank had een eigen jet, maar die moest die maand aan de grond blijven. De begintijd van het reizen met straalvliegtuigen was echt iets voor Frank. Hij voelde zich helemaal thuis bij de afgezette ruimten en de stralende meisjes van de eerste luchtvaartmaatschappijen. 'Blij u weer te zien, meneer', zei het meisje. 'Dat was langgeleden.' Haar witte bloes kwam boven haar kraag uit en ze boog zich over de afscheiding. In voor iets nieuws. De gewelfde wenkbrauwen, de geamuseerde ogen, de knalrode lippen: alles aan haar zei ja tegen een oneerbaar voorstel. 'Wat een leuke hond', zei ze.

'Je vindt hem wel lief, hè?'

‘Hé, Barbra. Kom eens kijken naar de hond van meneer Sinatra. Is-ie niet schattig?’

‘Jaha’, zei Barbra. ‘En de puppy is ook niet gek.’

‘Meiden als jullie’, zei Frank met een lach. ‘Moeilijkheden. Sores. Een hele hoop sores. Gaan we hier vanavond eens lekker de bloemetjes buiten zetten, schoonheid?’

‘Bang van niet, meneer Sinatra’, zei het meisje. ‘Barbra moet morgenvroeg naar de kerk.’ Ze gniffelden. Ze haalde haar tong langs haar tanden, heel uitdagend. ‘Ze heeft al stoute dingen gedaan. Ze moet bidden.’

‘Jullie meisjes doen altijd moeilijk. Nou, zeg haar maar dat ze me wat hosties brengt.’

‘Komt eraan. Barbra, wil je meneer Sinatra een dubbele Jack Daniels met ijs apart brengen?’

Frank zorgde er altijd voor dat hij niets tekortkwam. Hij knipoogde naar de eerste stewardess en ze boog zich over de stoel. Hij smakte direct een vijftigdollarbiljet in haar handpalm. ‘Zorg dat er geen slijmballen hier in de buurt komen te zitten’, zei hij. Geen deugd, geen mededogen, geen land of smekende stem kon Frank ervan weerhouden om zijn eigen manier van leven na te jagen.* Hij deed wat hij wilde, goed of slecht. En toch leek hij in onze tijd het soort goedheid uit te stralen dat mensen gezond maakte.

Eigenlijk zou ik in het vliegtuig in mijn kooi moeten blij-

* Frank moet iets speciaals hebben gehad waardoor zo veel mensen hem zo’n goede man vonden, want in werkelijkheid beantwoordde hij aan Lockes beschrijving van de mens als er geen God meer is, met ‘zijn eigen wil als enige wet en zichzelf als enig doel. Hij zou een god zijn voor zichzelf en de bevrediging van zijn eigen wil zou de enige maatstaf en het enige doel van zijn daden zijn.’

ven, maar ik was met de Voorzitter, dus tilde hij me eruit en kreeg ik mijn eigen stoel. Maar ik was een ouderwetse reiziger – dat wil zeggen, ik was bang. Tegen die tijd waren luchtvaartmaatschappijen niet meer bezorgd dat mensen bang waren, maar dat mensen zich verveelden. Frank maakte me nog angstiger door onmiddellijk een exemplaar van de *New York Times* open te vouwen en zwijgend een verhaal door te nemen over twee vliegtuigen die de dag tevoren boven Staten Island op elkaar waren gebotst. Ik draaide me naar het raampje, maar ik hoorde ieder woord dat door zijn harde, kleine brein ging. Frank las het verhaal vier keer. Zo iemand was hij, en bij de laatste keer zaten we diep in de lichtende wolken boven Nevada. Frank las de krant en gebaarde dat hij nog een whisky wilde, en toen nog een, terwijl het verhaal in de krant de cabine met angst vervulde, maar niet Frank, die het een heel geruststellende ervaring vond. (Nare dingen overkwamen andere mensen.) De brokstukken van een van de vliegtuigen waren terechtgekomen op Park Slope in Brooklyn en daarbij waren verschillende herenhuizen in brand gevlogen en een vuilnisman die sneeuw stond te ruimen en een man die kerstbomen verkocht omgekomen. Een jongen die in de United 826 uit Chicago zat, had nog even geleefd in het New York Methodist Hospital. Hij herinnerde zich dat hij in de seconden voor de botsing had neergekeken op de sneeuw die op de stad viel. 'Het was net een plaatje uit een sprookjesboek', had de jongen gezegd.

Er was een avond in het Waldorf Astoria. Ik herinner me dat Frank schreeuwde naar een vijftal piccolo's onder een kolossale kroonluchter. Hij wilde dat zijn schoenen werden gepoetst. Hij wilde vierentwintig witte rozen. Hij verlangde iets te drinken. Hij verlangde een limousine en verdomme een privélijn. Franks verlangens manifesteerden zich altijd als dwingende dreigementen, maar de jongens met hun knappe, jonge gezichten, die Franks gescheld en de daarop volgende dikke fooien gretig verwelkomden, leken hem graag van dienst te zijn. Mijn poten waren stijf en alles deed me pijn na al die uren in een krappe behuizing, een gevoel dat ik probeerde duidelijk te maken op de gebruikelijke manier, door een kleine aria te janken en uit de auto de stoep op te springen. Ik denk dat Frank het de volgende dag doorhad, want hij stuurde de auto weg en we gingen te voet van het Waldorf naar East 57th Street 444. Frank ging nooit ergens te voet naartoe. Het was een heerlijke, sneeuwovergoten dag en mijn poten genoten van het glibberige ijs op de straten. Met veel gevloek trok Frank zijn hoed omlaag en ademde woest uit, waarbij de koning van Sicilië aan de riem trok en zei: 'Bij de voet, goddomme, bij de voet', en ik voelde me tevreden met dit mooie nivellerende moment: de Voorzitter die over Park Avenue werd gesleurd. 'Kalm aan, kleintje! Rustig, nondeju.'

Toen we bij Sutton Place kwamen, nam Frank een diepe ademteug van de East River en werd nostalgisch. Mensen zijn zo begaan met zichzelf, het is een van hun charmante trekjes, en Frank, die graag dacht dat hij boven dat alles stond, ging die dag een sepiafoto van zijn oude moeder binnen en herinnerde zich hoe de ongepolijste volharding van haar liefde zich ooit mengde met de geluiden van de rivier. Hij keek omhoog naar de Queensboro Bridge. Aan de andere kant is het één en al paprikawinkel en worsttent, dacht hij, en hier is het de ene parfumeriezaak na de andere. Bij Frank hield geen enkel gevoel lang genoeg stand tegen zijn elementaire notie dat het leven een hoop verlakkerij was. Hij betrapte zich erop dat hij dacht aan de paprikawinkels toen we door de straat liepen, en hij snoof in de wind en stak zijn hand in zijn zak. 'Wat een lulhannes', zei hij.

Vince was de portier van het gebouw op 444. Er stond een duif te pikken aan een laag, koperen roostertje naast de deur toen we aan kwamen lopen. 'Hé, makker', zei de duif. 'Moet je horen. Deze vent is te gek. Blijven jullie hier rondhangen? Deze vent is een kanjer.' Vince kwam de lobby uit, grinnikend als een achterlijke sukkel. Vince had eigenschappen die maar weinigen van ons hebben: ik bewonderde de kerel. De grote grap met de meeste mensen is dat ze denken dat dit leven het enige is dat ze zullen hebben: ze stoppen het vol met paniek, verdriet, waarde en roem; ze vliegen in een ijzeren vogel van Los Angeles naar New York, maar ze hebben de eenvoudigste dingen niet door. God is niet op zijn werkplek en neemt de telefoon niet op – gesnapt? Jullie worden niet verlost, broeders en zusters, jullie krijgen een nieuwe bestémming. Ik ken maar één persoon die zich gedroeg alsof hij dat wist en dat was Vince, die een vorig leven moet hebben gehad als een varken in de stront. Niemand van ons herinnert zich precies waar hij is geweest. We weten het niet. Hij lachte graag om dingen en sloeg zich op zijn dikke vette dij, donuts etend en lachend alsof het iedere dag vakantie was, wat ook zo is – het is vakantie van iemand anders zijn. Vince was voor mij de eerste man die niet dacht dat hij zichzelf bezat.

'Hé, kijk wat 'n leuke Engelse lord', zei hij, terwijl hij me aaide in Franks armen.

'Ik ben Schots, zeg.'

'En hoor hem es leuk keffen. Ik durf te wedden dat-ie een liedje voor u en mij zingt, meneer Sinatra.'

'Pas maar op voor hem. Het is een playboy. Is ze klaar?'

Frank knikte naar boven en Vince snapte wat hij bedoelde. 'Ze is klaar voor u', zei hij. 'Ga maar direct naar de dertiende. Ik geef deze kleine seigneur wel zijn middageten.'

Wat een kerel. We moeten ruim een half uur daar samen beneden zijn geweest. Hij opende een blik Dash en prakte dat in een kom. Wat kan ik er verder nog over vertellen: leverhapje met als bijgerecht brokjes, klaargezet om te eten in de lobby vol spiegels, onder de elektrische kaarsen, Vince aan zijn bureautje luisterend naar de rugbywedstrijd in het Yankee Stadium, de Giants tegen de Cleveland Browns. Dash was waarschijnlijk het allerbeste blikvoer dat ze in Amerika hadden. Het haalde het niet bij de zelfgemaakte stoofschoteltjes van mevrouw Higgens, maar na het gevangenisvreten, weet u, en na de taartjes van mevrouw Gurdin – ze voerde haar honden bladerdeeggebakjes die ze 'Napoleons' noemde – was het gewoon zalig om meneer Vince van Jackson Heights in Queens te ontmoeten.

Plutarchus dacht dat dieren konden leven op goedheid alleen. Dat was lief. Een filosoof kan niet alles hebben. Ik ben blij dat hij inzag dat dieren konden spreken, maar hij had geen oog voor ons slechte karakter, terwijl we met zo'n onmiskenbaar genoegen een os verscheuren met onze tanden, een zwijn met onze bek bij de strot grijpen en er daarna een goed gevoel over hebben. Maar onze kennis dient om ons geweten in bedwang te houden, nietwaar? Leren we onszelf niet om deugdzaam te zijn? Dus het was met een leveradem dat ik op die koude vloertegels mijn eerste dutje deed, mijn aas verterend en me zorgen makend dat ik daardoor misschien niet meer aantrekkelijk was.

Frank stond te fluiten in de donkere gang en liet zijn hoed

op zijn vinger ronddraaien, toen de liftdeur op de dertiende verdieping openging en Vince me overhandigde. Het was Franks grote grap om me in het appartement te zetten en me zelf de weg naar Marilyn te laten vinden. De deur was open. Ik stapte over een paar schoenen met naaldhakken vol fonkelende grijze nepdiamanten – *Ferragamo* stond erin – en bleef even staan om te knagen aan de riem van een Pucci-handtas die tegen een drankwagentje stond. Ze was nergens te bekennen, dus ging ik op een exemplaar van *Paris Match* zitten. 'Doorgaan, kst. Doorlopen, kluns', souffleerde Frank vanaf de voordeur, terwijl hij zich vooroverboog om me aan te sporen. Het tapijt was wit en wollig en rook naar carbolzeep, een Engelse lucht van rottende bloemen. Toen ik in de woonkamer kwam, kon ik haar stem horen en zag haar toen zitten op een boers soort Lodewijk XV-stoel, geschilderd in ivoor en geel, haar fraaie benen onder zich gevouwen. Ze droeg een kanten jurkje. De stoel stond vlak bij een kleine, witte piano en ze was aan het telefoneren, haar hoofd achterovergeleund, haar ogen het licht absorberend dat kwam van een klok van geslepen glas die boven de televisie hing. 'Het is geen verhaal voor Marilyn Monroe', zei ze. 'Het is vast een goede schrijver, maar het meisje is een soort snol, niet? Nou, Lew. Toevallig weet ik dat ze die zinnen niet zou uitspreken. Dat zou ze niet kunnen. Er zit geen Schat in en er zit geen Engel in, en gossie, Lew, er zit niets van mij in. Vind je dat niet belangrijk? Als ik al een snol moet spelen, doe ik nog liever *Rain* voor NBC. Lee zegt dat ik het aankan. Meneer Maugham wil me, begrijp je?'

Ze zag me niet binnenkomen. Ze luisterde als een ouderwetse luisteraar, bereid om te leren, bereid om te veranderen, gespitst op de onverwachte wijsheid die het hele verschil uitmaakt. Het ene moment beet ze op haar nagels en het volgende verdraaide ze het telefoonsnoer. Het was een feest voor mijn hongerige oren. 'Tja, dat is ook mogelijk. Ja, dat weet ik allemaal wel ... Niet waar ík vandaan kom ... Maar wil jij jezelf nou nooit eens versteld doen staan, Lew? Ik bedoel opstaan en niet te moeten ... gossie, het is vernederend. Ik wil geen imitatie van mezelf doen, oké? ... Nou, het is aardig van je dat je dat zegt, Lew ... Ik kom altijd in aanvaring met het onbewuste van mensen. Misschien. Ik hoop het. Welke rol? Deze rol? Ik dacht van niet. Misschien ben ik inmiddels zover dat ik mezelf opnieuw kan opstarten. Hé, is dat mogelijk? Ik weet wat ze is en zo is ze niet. Ik ben voor vrijheid, Lew.'

Ze lachte en schonk wat champagne uit een fles naast de telefoon. 'Hoor je me? ... Ik ben een monster, Lew, oké? Dat geef ik toe. Maar hoor eens ... Maar ... Ja, ik ben van jongs af aan nerveus ... Hoor eens. Lew.'

Ik had nog nooit iemand zo in vervoering horen telefoneren. Ze leek Frank te zijn vergeten en ze merkte mij pas op toen ze de hoorn neerlegde. 'Wauw', zei ze. 'Mijn hemel. Wauw. Hattie! Lena! Frankie!' Ze was het enige meisje dat een uitroep kon fluisteren. Ze nam me in haar armen en zoende me alsof ik de weergekeerde held was, en even voelde ik me ook bijzonder, weet u, hoog opgetild door Marilyn als de hond die eindelijk zijn weg naar huis had gevonden.

Gegroet, Kameraden. Marilyns personeel kwam de kamer binnengerend terwijl Frankie erbij stond te lachen. 'Tjeempie!'

'Wat 'n lieffie!'

'Ach, gut.'

'Een schatje. Ach, een schatje gewoon.'

'Klein dinkie.'

'Gewoon een fikkie dat ik aan de Westkust heb opgepikt. Hij komt uit Engeland.'

'Ach, een echte heer.'

'Ik denk … ik vind hem enig, Frankie.'

'Mooi zo, liefje. Hij is voor jou.'

'Ik vind hem enig.'

'Natalie Woods moeder handelt in honden', zei hij. 'Ze vindt ze en ze … nou, ze haalt ze op. Zo ben ik aan dit enkelbijtertje gekomen.' Hattie de kokkin en Lena de huishoudster verdwenen uit de kamer in een stroom van enthousiaste en tedere woordjes. Ze leken blij. 'Elk meisje heeft een man in huis nodig', zei Frank.

Haar ogen waren vochtig. 'Gossie.'

'Hoe gaat-ie heten?' vroeg Frank. Ze wreef met haar neus tegen de mijne en ik voelde dat de hare ijskoud was.

'Deze kleine mannetjesputter. Gossie.'

'Wat denk je van Britt?' zei Frank. Terwijl ze me wiegde in haar armen, keek ze me heel lief aan, waarbij over één oog een lange lok blond haar viel. Ze hield haar adem in en glimlachte volmaakt.

'Je bedoelt zoals Engels?'

'Neu', zei hij. 'Ik vind dat je hem moet noemen naar Sammy's nieuwe vrouw. Ze is Zweeds. Britt is best een goede naam voor een blondje.'

'Nee', zei ze. 'Het is een mannetjesputter, toch? Ik ga hem Mafia noemen – Mafia Schat.'

'Ach, dat is leuk, kind.'

Ze zoende me opnieuw en liet een waterval van giechels horen. 'Vind je die naam mooi?'

'Je durft. Je leest te veel kranten.'

'O, ik lees geen enkele krant. Als ik mezelf wil zien, kan ik in de badkamerspiegel kijken.'

'Ik zal je Mafia leren, brutaal nest.' Hij glimlachte en liep de kamer uit om zijn jas te halen.

Sizzle, Maltezer, Mafia Schat. Is er hier een kans dat je je naam kunt houden? Scott Fitzgerald heeft ooit gezegd dat een goede biografie van een schrijver absoluut niet mogelijk is, want een schrijver die iets voorstelt is te veel mensen tegelijk. Daar ben ik het mee eens. Ik geloof het. Schrijvers waren belangrijk voor Marilyn. Al die tijd in New York was ze een dikke Russische roman aan het lezen, droeg het boek overal mee in haar tas. Ze las het heel traag en misschien besteedde ze er wel meer aandacht aan dan het verdiende. Het gaf haar het gevoel dat ze niet alleen was.

Dus was ik Mafia Schat – kortweg Maf. De dagen regen zich aaneen in de East Side. Voor het eerst sinds ik uit Engeland weg was, had ik een gevoel van vastigheid, iedere dag in veilig gezelschap met hetzelfde dienstmeisje en dezelfde huishoudster. Het was schijnbaar mijn lot om altijd maar heel kort te blijven als ik ergens was aanbeland, maar in veel opzichten zal ik altijd vinden dat het appartement op nummer 444 mijn thuis is geweest. Marilyn was een vreemd en ongelukkig schepsel, maar tegelijkertijd bezat ze meer natuurlijke komedie dan iedereen die ik ooit heb gekend. Meer komedie en meer kunst. Voor haar niet die strenge afwijzing van de absurditeiten des levens: Marilyn had een gevoel voor grappen en moreel drama dat de kopstukken van het psychoanalytische Wenen in verrukking zou hebben gebracht. Het kostte haar weinig tijd om mijn beste vriend te worden.

'Maf. Vandaag krijg je gehaktballen.' Dat zei Lena Pepitone, die de kleren verzorgde en soms de keuken. Ze was meestal te vinden in de bijkeuken, waar ze de zoom van een kokerjurk van Jean-Louis naaide, paillettes weer aanzette en draden afbeet, maar regelmatig kwam ze de bijkeuken uit met het voorstel een uitgebreide Italiaanse maaltijd voor ons te maken. Ze werkte onder een ets van Renoir, *Sur La Plage, à Berneval*. Ik vond Renoir altijd zo overdreven: ik bedoel, al die kringelende penseelstreken, ik kreeg koppijn van die exorbitante sierlijkheid. Je hebt een beetje lelijkheid nodig om op de been te blijven. Zoals Frank, die wist wel wat een tikkeltje vulgariteit vermocht: hij gaf Marilyn een stel gouden sigarettenaanstekers met CAL NEVA LODGE erop. Ze stonden op de boekenplank naast een bakje tandenstokers en een exemplaar van *Madame Bovary*.

Er hing een sterke derdepersoonsfeer in het appartement aan 57th Street, tot en met de aandenkens van een grotendeels verzonnen verleden en de vele portretten van Marilyn zelf aan de muur, de meeste geschilderd door fans. Binnen de kortste keren voelde ik me haar beschermer, een al te bekend en misschien vals gevoel, maar ik ben ervan overtuigd dat het voor ons allebei iets betekende. Ik leek gestuurd om op haar te passen. Nu Marilyn weer alleen woonde, voelde ze zich verjongd en uitgeput tegelijk: ze wilde leren zichzelf serieus te nemen,* haar ervaring op waarde te schatten. En toch zat ze vast aan de persoon die ze altijd was geweest:

* Er zat altijd een verhaal achter Marilyns streven naar serieusheid. Arthur heeft het een aantal malen proberen te benoemen, maar vermoedelijk heeft hij de mannelijke houding ertegenover het accuraatst weergegeven in zijn toneelstuk *Na de zondeval*. Zijn versie van zichzelf, Quentin, zegt over Maggie: 'Ik had moeten accepteren dat ze om te lachen was, een prachtig stuk dat probeert zichzelf serieus te nemen.'

het lieve en willige meisje dat nu aan de pillen en de drank was. Het viel haar zwaar. Haar eerdere pogingen tot onafhankelijkheid waren veelal mislukt. Ze was moe. Als ze me knuffelde, haar trooster, haar hoeder, voelde ik een zware last aan teleurstelling om haar heen, alsof de keuzen die ze in het leven, en in de liefde, had gemaakt alleen maar bewezen dat ze tekortschoot en geen respect kon verwerven. Maar ze was die winter blij dat ze van Arthur en zijn inktzwarte, eeuwige, onberispelijke eer af was.

Het hele appartement ademde de sfeer van vervlogen wrok, alsof Marilyn zich uiteindelijk had bevrijd van een persoon met een destructieve energie, het soort persoon dat het niet nodig vond te koesteren wat goed was in haar karakter of noodzakelijk voor haar overleven. Echtelieden wedijveren soms met elkaar, nietwaar? En de slechte willen niet alleen vernietigen wat ze liefhebben, maar ook het vermogen daarvan om liefde te geven. Dergelijke echtelieden verbeelden zich dat niemand zich hun leugens, hun gewelddaden, hun grilligheden zal herinneren, en toch is dat uiteindelijk alles wat hun vroegere beminden zich van hen zullen herinneren: hun vreselijke gedrag. Arme echtelieden: misschien zouden ze kunnen leren van honden dat je eerst je eigen zaakjes moet regelen, alvorens iets met een ander te beginnen.

Dat was allemaal uit de kamers verdwenen. Alle verwijten waren verdwenen en alle typemachines. Maar in mijn universum, dat, laten we eerlijk zijn, het universum van de vloer is, struikelde ik steeds over bewijzen van meneer Millers poging Marilyns leermeester te zijn. Alle boeken waren recent, van de laatste paar jaar, en geen ervan zei iets over de dingen die Marilyn hadden geboeid toen ze in de twintig was of, verder terug, in haar jeugd. Voor de badkamer stonden, op nog een Ferragamo-doos, *De wortels van het Amerikaanse communisme* van Theodore Draper, *Het verzamelde werk van Rabelais*, De Tocquevilles *Democratie in Amerika*, *A Piece of My Mind* van Edmund Wilson en een fraai geïllustreerde editie van het kinderboek *The Little Engine That Could*. Al die boeken, behalve het laatste, zag je Marilyn nooit lezen, tenzij er een fotograaf in het appartement foto's kwam nemen. Ze verscheen in het tijdschrift *Life* altijd met een exemplaar van *Ulysses* of *De gedichten van Heinrich Heine* balancerend op haar bevende boezem. Ik wilde dat ik haar kon zeggen dat alles over te laten aan de hondsvotten: iedereen kan een boek lezen, maar Marilyn kon mensen laten dromen, zoals Lena dat kon met haar heerlijke tagliatelle bolognese. Na een poosje kreeg ik het gevoel dat Lena me behandelde zoals Dr. Johnson zijn favoriete kat Hodge behandelde. Het poezenbeest sprak in alexandrijnen die de grote moralist niet kon horen, maar hij gaf de kater wel oesters te eten en het dier was heel gelukkig.

Marilyn nam me overal mee naartoe. We hadden veel plezier als we de avenues op en neer liepen, Marilyn soms met een hoofddoekje en een zonnebril op, door niemand herkend, met onze monden open tegen de wind in rennend en uit op belevenissen. Ik denk dat we allebei een gevoel hadden voor de troebelen van de tijd, een neiging om de afstand tussen het hogere en het lagere te slechten, iets wat mettertijd de diepte van onze vriendschap zou verklaren. Als zij de acteur in mij naar boven haalde, dan kan gezegd worden dat ik de filosoof in haar naar boven haalde. De Marilyn die ik kende, was fantastisch en aardig en een kunstenaar tot in haar vingertoppen.

Ik vond het heerlijk om op de witte piano te zitten en

toe te kijken hoe zij zich klaarmaakte voor een avondje uit. Het had iets totaal schaamteloos zoals ze haar spiegelbeeld bewonderde. Het was als het middenpaneel van Hans Memlings wonderschone triptiek, *Aardse IJdelheid en Hemelse Verlossing*, waarop IJdelheid is afgebeeld met haar witte schoothondje, een toonbeeld van kameraadschap, dat naast haar op een tapijt van verse bloemen staat. Ik keek altijd naar haar – naar de Leichner-make-up, de wimpers, de Autumn Smoke, de Cherries à la Mode, de Day Dew, de tissues, de haarspelden, de borsteltjes en de lippenstiften die als gouden kogels over het blad verspreid lagen – en dan vroeg ik me af in hoeverre onze liefde wordt ingegeven door onze behoefte aan geheimenis. Was Emily Brontës fantastische hond Keeper niet de liefde van haar leven? Hield ze niet meer van hem dan van welk schepsel ook om zijn kracht en zwijgzaamheid en strafte zij hem niet omdat hij haar zo goed kende?*

Sommige vrouwen hebben volmaakte stilte nodig om te kunnen spreken, en dat leek soms ook het geval met mijn baasje, als ze voor de spiegel met een in zichzelf gekeerde blik haar wordingsrituelen volvoerde. Naast mij op de piano stond een ingelijste foto van Marilyn met een brief van Cecil Beaton. 'Eigenlijk weten we dat deze uitzonderlijke vertoning alleen maar poppenkast is', schreef hij. Ik besnuffelde het ding. 'De raadselachtige waarheid is dat Miss Monroe een schijnsirene is, ongekunsteld als een Rijndochter, on-

---

* Liefde is vreemd. Emily vertelde dat haar hond haar leek te begrijpen zoals een mens. En zij strafte hem zoals mensen degenen straffen die hen te goed kennen. In *Woeste hoogten* hebben de honden het zwaarder dan de mensen.

schuldig als een slaapwandelaar. Net als Ondine van Giraudoux is ze pas vijftien jaar oud en zal ze nooit sterven.'

Op een avond was ze echt op dreef en beloofde ze me tegen het einde van haar opmaaksessie een fantastisch avondje stappen. Ze trok een zwarte cocktailjurk en een witte hermelijnen jas aan en tilde me met een klaterende lach van de stoel. 'Hé', zei ze, terwijl ze me aaide met haar glacés. 'Je bent mijn kleine opgetutte Maf, toch, schat?'

'Nou, om eerlijk te zijn. Ik ben doodop ...'

'Je gaat met me mee vanavond.'

'Maar ...'

Ze kon er niets aan doen dat ze me niet hoorde en me alleen zag zoals zij het zich voorstelde. Zo is het nu eenmaal. Ze belde met de autodienst en informeerde wanneer de auto zou arriveren. Ik kon de man horen praten door de hoorn op de gedempte eekhoorntoon die het zo goed doet in de film. 'Mevrouw Monroe, de auto staat al een uur te wachten.'

'Dat is zijn taak, vader', zei ze.

Ze zette een plaat van Dean Martin op en wiegde op de muziek, drinkend uit een glas champagne. Ik sprong van de kussens op het vloerkleed, liep naar het raam en likte haar tenen. Ze smaakten mousserend. Ze was een paar minuten van de wereld, terwijl ze keek naar een boek met de titel *Baby- en kinderverzorging* van Dr. Benjamin Spock. Het talmen werd theatraal. Marilyn kon wachten veranderen in een soort surrealistische, existentiële cesuur, alsof haar geest een tijdje was gestopt. Toen smeet ze het boek op de eettafel en verscheen er een fantastisch wellustige lach op haar gezicht. 'Kom mee, Sneeuwbal', zei ze, terwijl ze me oppakte. Haar ogen fonkelden. 'Ons hart behoort aan de Copacabana.'

6

Er lag een aureool van neon over Times Square. De poelen lichtten roze op en de gloeilampen gaven de binnenstad een tekenfilmachtige schoonheid, trokken schaduwen en arme mensen uit de stegen. Het sneeuwde en de helverlichte commercie deed haar voordeel met de duisternis, waarbij de kleurveranderingen als gebeurtenissen voelden en het strijdgewoel van geluiden op nieuws leek. Te midden van al die schittering kon je je afvragen of mensen ook zelfs maar de kans hadden een verstandig leven te leiden.

Ze wilde uitstappen op de hoek van 44th Street en Broadway. De drogisterij was vierentwintig uur per dag open en we huppelden er de gemethyleerde omgeving binnen, terwijl de auto om de hoek op ons ging wachten. We waren ver uit de koers, maar dat was altijd onderdeel van de sensatie. In de drogisterij veroorzaakte Marilyn blikken die je niet zou geloven: ze dacht dat het hielp als ze een zonnebril droeg, maar daardoor viel ze alleen maar meer op en trok ze alle aandacht. Ik liep langs de tandpasta en het mondwater, snuffelend om te bepalen welke parfums ze verkochten. Maar na een minuut nam ik mijn kans waar en rende de deur weer uit. Er was van alles te zien, vooral in de theaters. Het St James: *Becket* met in de hoofdrollen Laurence Olivier en Anthony Quinn. Het Hudson: *Toys in the Attic*, een nieuw stuk van Lillian Hellman, met Maureen Stapleton, Robert Loggia en oudgediende Irene Worth. Het Majestic: *Camelot,* met Richard Burton en Julie Andrews, 'de succesmusical van het seizoen', een explosie daar van felle lampen en wat in mijn verbeelding diepe arthuriaanse groenen waren. Het moet na elven die avond zijn geweest, want de theaters hadden hun deuren gesloten en de mensen die langsliepen, waren weggedoken in hun overjassen en een beetje tipsy van de cocktails.

'Maf!'

Toen ze mijn naam riep, zag ik net een rat tevoorschijn komen uit een pijp aan het gebouw naast Twain's Diner. De rat had een nerveus pruilmondje, meesmuilend van eigendunk, en hij sprak met een Brooklyns accent dat Marilyn meteen overstemde. 'Bemoei je verdomme met je eige', zei hij, terwijl ik naar hem staarde en op mijn hardst kefte. 'D'r zijn d'r die motte werken.' De claxons klonken en mijn blonde maatje gilde op volle sterkte, terwijl ik de straat over holde om de miezerige arme donder te vangen. De rat leek sprekend op J. Edgar Hoover. Hij rende rechtstreeks Broadway op, en terwijl hij wegschoot zo snel zijn roze voeten hem konden dragen, schreeuwde hij over zijn vettige schouder: 'Hé, kerel. Pak iemand van je eige formaat.'

De rat verdween door een scheur in de muur van een pizzatent en was uit mijn verhaal. Verdomme. Ik was teleurgesteld in mezelf: ik wilde mijn maatje laten zien dat ik even goed was als Laelaps, de magische hond voorbestemd om in alle gevallen zijn prooi te vangen. Marilyn had me al snel bij de halsband. 'Ik ben Laelaps', zei ik. 'Het was zijn taak de zuigeling Zeus te bewaken!'

'Stoute jongen', zei ze. 'Om zo weg te rennen. O, er had wel iets ergs kunnen gebeuren.'

'Mijn baas was Cephalus van Athene', zei ik. 'Hij heeft mij gebruikt om de Teumessiaanse Vos, de gesel van Thebe, te verjagen.'

'Koest, Maf! Janken heeft geen zin', zei ze. 'Ik was gewoon doodsbang toen ik je de straat op zag rennen.'

Er zijn goede en slechte dieren, zoveel is zeker. Adonis werd gedood door een wild zwijn. Slecht dier. Actaeon werd veranderd in een hert en door zijn eigen honden verscheurd. Slechte dieren. Tom werd met een koekepan op het hoofd geslagen door Jerry en toen van een dak geduwd. Sléćht díér. En daar stond ik met deze aardige, knappe dame, waardoor ik me voelde als Aethon van Vergilius, het strijdros dat, ontdaan van zijn tooi, wenend komt aanlopen en zijn hoofd besprenkelt met grote tranen, alleen maar omdat ik een felle en gerechtvaardigde weerstand tegen Lelijk had proberen te tonen.

'Ik ben een van de goede dieren', zei ik nogal pathetisch, terwijl ik mijn kop tegen haar arm vlijde toen we weer in de wachtende auto stapten.

We gingen op bezoek bij Sammy. In de auto praatte Marilyn niet met me en daar maakte ik me niet druk over. Als mensen chagrijnig waren, hield ik me altijd aan dezelfde tactiek: vergeef het hun, want ze weten niet wat ze doen. Ik ontleende dit idee aan verhalen over de grote man, de *Deus absconditus*, wiens zoon Jezus dit zegt in een film over iemand die nagels in zijn handen en voeten slaat. Ik dacht dat het een film van Cecil B. DeMille was, getiteld *Koning der Koningen*, nogal hoogdravend, als u het mij vraagt. Hoe dan ook, ze kruisigen Hem, massa's mensen weeklagen, dan springt hij op als Sylvester de Kat of Wile E. Coyote na een ongeluk waarbij hoogte een rol speelt. Marilyn zei de chauffeur naar de Copacabana op East 60th Street te rijden en keerde zich toen naar het raam om te kijken naar de voorbijglijdende winkels, terwijl ik mijn neus tegen haar hand duwde, en de auto langzaam noordwaarts reed. Ten slotte trok ze bij en streelde mijn neus.

'Hallo daar, Sneeuwbal', zei ze. Ik duwde mijn kop in haar jas, en zij tilde me op en zoende me. 'Saks heeft een Ierse linnen jurk', zei ze. 'Ze hebben die in palmgroen. Herinner me eraan dat we hem ophalen, goed, Slijmbal?'

De Copacabana was een nachtclub met goed eten. Honden waren niet welkom, maar Marilyn was Marilyn of, preciezer gezegd, Frank was Frank, en de chauffeur reed de auto achterom naar de dienstingang. 'Sjonge', zei ze toen de auto stopte op de achterparkeerplaats. 'Hou je vast, Maf. Ik zie een paar paparazzi.' Binnen de kortste keren waren we uit de auto en zat ik onder haar jas, mijn kop er nog net uitstekend terwijl we naar de deur liepen. Drie camera's klikten, en ik voelde haar lichaam verstijven terwijl ze glimlachte en zich naar hen omdraaide.

'Gaan u en meneer Miller gauw scheiden?' schreeuwde er een.

'Vanavond niet, jongens', zei ze. 'Ik bedoel: geen commentaar.'

In de wereld van Frank Sinatra gold: hoe groter de vis, hoe dichter bij de dis, dus zijn tafel in de Copa was niet zomaar een tafel, het was een epicentrum, het midden van een gouden vijver met de mindere tafels uitwaaierend eromheen.

Aan de tafels achterin zaten klanten te reikhalzen terwijl ze hun kerstgratificatie erdoorheen joegen, blij dat ze in de zaal waren, genietend van de kerstsfeer. Marilyn ging aan Franks tafel zitten, nam een sigaret en accepteerde een vuurtje, sloot haar ogen half en zei 'Waarom ook niet' toen haar een glas champagne werd aangeboden. Er klonk een applausje op uit de donkere hoeken van de zaal, en Frank, die erbij stond in een onberispelijk blauw pak, fronste licht en leende een drukbezet oor eerst aan Roddy McDowall, die naast Marilyn en mij zat, en toen met een grijns op zijn gezicht aan zijn vriend Frank Todaro, die rechts van hem zat. Het applaus was intrigerend: het suggereerde dat de hele stad het over Marilyn had. Sinatra wees naar mij terwijl hij mijn existentie toelichtte, voor zover hij het begreep, en beschreef vervolgens zijn aandeel in de reis die me bij Marilyn had gebracht. 'Hé, liefje. Hoe gaat het met je droomhond?' zei hij.

'Hij is mieters', zei Marilyn op zijn Marilyns. 'Ik geloof dat hij een stoute jongen is, net als jij, pappie.'

Voor meneer Todaro was dat het voorbije decennium in een notendop. Hij had geen idee van de pret die in het vat zat en dacht nog steeds dat Amerika's hoogtepunt in de tijd van Al Capone lag. Maar het gaf hem echt een kick om tegenover zo'n beroemde meid te zitten. Terwijl hij naar Marilyn keek, die daar met haar vinger tegen haar mooie wang gedrukt zat, vond hij haar gezondheid van dien aard dat iedereen zich er beter door voelde en dat was niet niks voor oude cardiogevallen als hij. Ze keek terug met een blik die ze jarenlang had geoefend, een blik die zei: ik wil graag aardig voor je zijn, maar meer niet. Ik zie nog voor me hoe hij met zijn vingers tegen zijn champagneglas tikte alsof hij een instrument bespeelde en het vervolgens behendig voor zijn gezicht liet kantelen. Hij knipoogde naar ons. Uit decoratief oogpunt vroeg ik me af of zijn glans niet een beetje te egaal was. 'Er zijn twee dingen waarvan een man nooit zal toegeven dat hij er minder goed in is', zei hij. 'Dan heb ik het over autorijden en dan heb ik het over de liefde bedrijven.'

'Dat weet ik', zei mijn baasje. 'En vaak doet hij het ene te snel en het andere te langzaam.'

De danseresjes waren niet fantastisch goed, maar ze zwierden over de vloer in hun Zuid-Amerikaanse bloezen. Ik heb sambaballen altijd een uitzonderlijk onaangenaam instrument gevonden, maar deze meisjes schudden ze als nooit tevoren in de eeuwenlange annalen van het vermaak. Tegen de tijd dat Sammy Davis Jr. heupwiegend het voortoneel op kwam, stond de tent op zijn kop. Ik kroop onder de tafel om te drinken uit een kom water die ze hadden neergezet en liep toen verder onder de tafel om van de schoenen te genieten: de gaatjesschoenen van meneer Todaro die bewogen op de muziek, en Marilyns naaldhakken die een nerveuze maat op de vloer tikten. De lucht van schoenpoets en vloerwas was sterk, net als het gevoel van een belangrijk verband, daar en op dat moment, tussen zelfvertrouwen in openbaar optreden en uitstraling in het politieke leven. Kijkend naar een gaatje in de zool van meneer Sinatra's schoen voelde ik me thuis bij de volmaakte Democraten, die zich schaarden achter een nieuwe dictatuur van goede bedoelingen.

Ik sprong weer op de stoel. 'Drum normaal en geen boodschappen', zei Sammy tegen de zwarte drummer, en was Sammy niet lenig in zijn glanzende pak? En ramde hij niet de hele geschiedenis van het menselijke charisma in dat liedje? Als onverstoorbaarheid een populaire versie was van Hemingways obsessie met waardigheid als je onder druk staat, dan had Sammy daar meer van dan Frank: een grote en aantrekkelijke, persoonlijke kalmte bij overweldigende spanning. 'Ik ben zwart, Jood en Porto Ricaan', zei hij. 'Als ik naar een bepaalde wijk verhuis, is het gedaan met die wijk.' Behalve dat iedereen lachte, vond iedereen het ook een eer om te lachen: ze hadden het gevoel dat hun lach een teken van progressief zelfvertrouwen en echte verandering was. 'Send Me the Pillow that You Dream On', zong hij, en Marilyn bracht haar ogen naar de mijne. Ze gaf me een kushandje. 'Stuur me het kussen waarop je droomt.'

'We hebben zojuist de verkiezing van een nieuwe baas meegemaakt', zei Sammy. 'President Kennedy.' Applaus. Hij had een sigaret in zijn hand en draaide onder het spreken met die hand in het rond, toekijkend hoe de rook tussen zijn vingers door kringelde.* 'Een fantastische nieuwe president.' Hij wachtte. 'Ik heb ook een fantastische nieuwe vrouw. Ze heet May Britt en het volgende liedje is aan haar opgedragen.'

'Fijn voor hem', fluisterde Roddy McDowall in Marilyns oor. 'De fantastische nieuwe president zou hem en zijn vrouw – zijn blánke vrouw – niet toelaten op een receptie, want dan stond het Zuiden op z'n achterste benen.'

'Gossie', zei Marilyn. 'Je meent 't.'

'Sammy heeft de bruiloft uitgesteld tot na de verkiezin-

---

* Dit was het tijdperk van het heroïsche roken. De mensen rookten: dat deden ze nu eenmaal. Net als Sammy hanteerden velen een Lucky Strike als een dirigeerstokje, waarmee ze de symfonie van hun eigen onverstoorbaarheid dirigeerden. Ik heb een paar kleine talenten, maar ik heb het altijd betreurd dat ik niet kon roken of mijn tong uitsteken tegen passerende vijanden.

gen. Ze moest zich gedeisd houden, snap je? Hij wilde niet met drek smijten naar de Pres.'

'Ken je de dame?'

'Ben je mal? Ze zat ondergedoken. De laatste keer dat hij met een blondje wilde trouwen, wilde het hele land hem lynchen.'

'Ze is Zweeds, weet je.'

'Weet ik.' Hij lachte. 'Blond van nature.'

'Wat dat ook moge betekenen', zei ze. 'En overigens: krijg de tering.'

Er arriveerden martinicocktails. Longdrinks. Meisjes kwamen langs met bladen en zweetlucht begon de scherpe geur van dure parfums te bederven. Mensen wuifden zich koelte toe en nu en dan verstarde onze groep wanneer een uitgenodigde fotograaf zijn kans waarnam. Meneer Todaro stond nooit op de foto's. Het was fijn om een eigen stoel naast die van Marilyn te hebben. Ik had geen interesse in de soep, koude kommen met draderige asperges die niemand aanraakte, behalve Todaro, die van zijn moeder had geleerd nooit voedsel te verspillen. Er dreef een vlieg in Marilyns soep en ik boog voorover om hem te verstaan. Het was een soort Aesopus-type, een en al boodschap, een en al wijsheid, maar ik zei dat hij zich niet zo druk moest maken en de soep moest opeten, omdat er die avond toch niemand op hem lette. Ze waren allemaal dronken en de muziek was te hard voor ethiek. 'Ik weet het, ik weet het', zei ik. 'Je wilt me een heel verhaal vertellen over hoe je vleugels doorweekt zijn geraakt en je zo iedere kans om te vliegen hebt verspeeld. Voor een klein beetje genot heb je jezelf in gevaar gebracht. Bah.'

'Weer mis, vader', zei de vlieg, die klonk of hij uit de Bronx kwam. 'Het geval wil dat ik mijn dertig dagen achter de rug heb. Dit is een mooie manier om te gaan. Je moet niet zomaar met iedereen dineren: ze zijn niet betrouwbaar.'

'Wie is wél betrouwbaar?' zei ik. 'Jij niet. Ik niet.'

'Dat is waar', zei hij. 'Maar wij kiezen geen partij. Wij nemen de wereld zoals ze is en putten troost uit haar illusies. Deze lui zijn nihilisten, beste vriend. Ze zeggen over de wereld zoals die is dat ze niet zou moeten bestaan en van de wereld zoals die zou moeten zijn dat ze nooit zál bestaan.'

'Droog je vleugels, betweter', zei ik. 'Vanavond even geen Nietzsche. Er is hier te veel lol te beleven.'

'Schopenhauer, om precies te zijn', zei hij. Toen kwam er een lepel op hem neer en was het gedaan.

Ella Fitzgerald kwam aan de tafel zitten tijdens Sammy's pauze. 'Hallo, baby', zei ze tegen Marilyn en ze aaide mijn oor.

'Je ziet er mooi uit', zei Marilyn.

'Zo is dat, schatje. Ik doe mijn ogen open en ik loop naar buiten en het verkeer staat stil. Wat een snoezig ding. Hartstikke cool.'

'Hij is me er eentje, inderdaad', zei Marilyn.

'Dat ben ik dus niet', zei ik. 'Het is hier bloedheet. En die Engelse acteur laat me steeds uit zijn champagneglas likken. Kijk. Moet je hem zien!'

'Cool als Christmas Day', zei Ella. 'Houdt u van honden, meneer McDowall?'

'Tja', zei hij. 'U weet hoe het zit met kinderen en honden. En als kind werkte ik met een hond – kunt u zich die ellende voorstellen?'

'O ja', zei ze. 'Lassie.'

'Een heel slimme hond', zei Marilyn.

'Zeg dat wel', zei hij. 'Naast die hond leek Albert Einstein op Jerry Lewis.'

Een van de obers bracht mijn vriendin een briefje. Ze keek ernaar en liet het aan Ella zien. 'Voor Marilyn Monroe, een sieraad voor de menselijke soort, de mensheid in het algemeen en het vrouwelijk geslacht in het bijzonder. Brendan Behan.' De vrouwen keken op en zagen drie tafels verderop een man met een pienter gezicht en een warrige bos haar het glas heffen. Marilyn gaf hem een kushandje en propte de kaart in haar tasje. 'Een schrijver?' zei Ella. 'Een Ierse schrijver. Toneelschrijver, toch?'

'Vast', zei Marilyn. 'Ze zijn blind, maar ze zien alles.'

'Schrijvers in het algemeen?'

'Toneelschrijvers in het bijzonder, denk ik.'

De twee vrouwen lachten. Ik begreep dat meneer McDowall een grote vrouwenvriend was. Ze waren allemaal dol op hem, omdat hij zich op een terloopse manier bekommerde om de dingen die belangrijk voor hen waren. Ooit zei hij dat de Fransen echt van vrouwen moesten houden, omdat ze het bidet hadden uitgevonden, en dat was het soort observaties waarom vrouwen van hem hielden. 'Deze is aardiger', zei hij, zonder echt naar mij te kijken. 'Jullie moeten wel beseffen dat Lassie een beetje een diva was.'

'Ga weg!' zeiden beide vrouwen.

'Een diva', zei hij, een olijf etend. 'Net zoals jullie twee. Een echte diva, zonder twijfel.'

Frank keek onze kant op om te zien waar alle hilariteit over ging. Hij had niets tegen nichten. Hij was eraan gewend. Maar soms was hij bang dat ze om hem lachten. 'Is er wat?' zei hij.

'Roddy vertelt ons net over een paar genieën waar hij mee heeft gewerkt', zei Marilyn.

Sammy was terug. Er was een tamelijk lang intermezzo

met sambaballen geweest terwijl hij van smoking wisselde.
'Nu je het erover hebt', zei Roddy. 'Op dit ogenblik werk ik met Richard Burton. *Camelot.*'

'Ik heb het stuk op 44th Street gezien.'

'Je moet nokken met Ibsen', zei Marilyn.

'Krijg de kolere.'

'We gaan volgend jaar allebei een film met Elizabeth maken. Fox doet *Cleopatra.*'

'Boe', zei Marilyn.

'O, doe nou niet zo, *zwijnehoend*', zei hij. 'Jullie houden eigenlijk van elkaar. Jij en Liz zijn nog de enige sterren in deze rotindustrie. En nou je bek houden.'

'Lik me krent.'

'Lik me serpent', zei hij.

De muziek werd uitzinnig, en ik was in gedachten nog steeds bij Lassie. Ik moet zeggen dat Lassie altijd het meisje van mijn dromen is geweest, zo glanzend en elegant voor de camera's. 'Hoor eens', zei ik. 'Dat mens Elizabeth zat ook in die hondenfilm. De eerste van die Lassie-films? Hij daar en Elizabeth en Lassie, allemaal jonge kinderen bij elkaar, toch?'

Maar Sammy was alweer op dreef, hij kauwde de lucht en proefde de zoete triomf van zijn talent. Roddy keek nog eens naar me. 'Hoe heet de hond?' fluisterde hij naar Marilyn. Ze keek op en zag Frank in onze richting kijken.

'Vertel ik je nog wel, schat', zei ze.

Er was geen stukje van Sammy dat niet meedeed, de muziek niet hoorde, de lichten niet opzoog. Er was geen cel in zijn lichaam die niet reageerde op de opwinding van het publiek. Ik weet zeker dat zijn maagspieren pulseerden op het ritme, een oog rollend naar het plafond hier, een vinger priemend naar de vloer daar, een voet tikte en wees zijwaarts exact op tijd, op de maat, op het goede moment, terwijl zijn haarzakjes om beurten jeukten. Hij was een amusementsdier tot in zijn zenuwuiteinden, straalde hoop en talent uit, dat alles samengepakt in dit vreemde mannetje afkomstig uit de ergste achterbuurt van Harlem. Hij zong, danste, imiteerde mensen, de meest hondachtige mens die ik ooit heb ontmoet. 'Ik heb niks om over te klagen', zei hij tussen twee liedjes in. 'Ik heb 't nog nooit zo goed gehad in m'n leven, snap je? Ik heb een zwembad en ik kan nog niet eens zwemmen.'

In het damestoilet stond een fles L'Heure Bleue op de richel onder de beslagen spiegel. Marilyn zette me in de wasbak, terwijl ze haar make-up bijwerkte. De vriendelijke toiletjuffrouw was verbaasd toen ze ons zag binnenkomen. Ze zei hallo alsof ze een prijs in ontvangst nam en terwijl ze vervolgens de spiegel schoonveegde, bleef ze naar Marilyn kijken, die met een poederdoos in de weer was. Het kan u niet zijn ontgaan: mensen praten tegen honden alsof het mensen zijn, spreken de woorden uit die de hond had moeten zeggen. 'Je bent een moe hondje en een dappere vent, hè?' zei Marilyn. 'Ja. Dat ben je. Al die lawaaierige mensen. Ja, je bent een moe diertje. Je wilt naar huis, hè? Naar huis om te zien wat Hattie voor je heeft klaargezet.'

'Het is een mooi beest', zei de juffrouw.

'Ach, dank u wel', zei Marilyn. 'Heb hem pas een paar weken. Het is een ietepetieterig diertje dat het liefst naar zijn bedje wil. Brave hond.'

Dat doen mensen. Ze praten tegen je. Ze praten onzin. Ze praten tegen je en ze praten vóór je. En zo creëren ze een persoonlijkheid voor je die wordt bepaald door de manier waarop zij jou spelen. Iedere minuut dat ze bij je zijn, modelleren ze je naar hun behoefte: een kameraadje, een mannetje, een wollig vriendje dat alleen maar van zijn baasje kan houden om haar bemoederende taaltje. 'Wat zeg je tegen die aardige dame?' vroeg Marilyn.

Kom nou. Je weet verdomde goed dat je me niet kunt verstaan. Je doet met mij wat volgens jou die studiobazen met jou doen. Hou eens op met denken dat ik hier eigenlijk alleen ben om te beantwoorden aan jouw kloteversie van mij.

'Ik ben bang dat we niet tegen zo veel lawaai kunnen, hè, Toetiemoetie. Te veel mensen. We wandelen liever in Central Park.'

Het zal wel allemaal gespeeld zijn. En ik ga niet doen alsof ik niet hou van dat aspect van mensen, dat toneelspelgedoe. Andere dieren bezitten dat vermogen niet en dat is een groot gemis. En misschien had Marilyn gelijk: misschien was ik wel moe en misschien wandelden we wel liever in Central Park. Hoe dan ook, mijn kruiperigheid is altijd het belangrijkste onderdeel van mijn charme geweest.

Er kwam een oudere dame het toilet binnen. Ze keek naar Marilyn en liep onmiddellijk op haar af. 'Ik ben Lillian Gish', zei ze. Ze had een prettige stem en een directe manier van doen. Marilyn zorgde onmiddellijk voor een stoel voor haar en gedroeg zich zo fantastisch tegenover de oudere actrice, fluisterde zulke lieve woordjes en complimentjes dat er al snel een gesprekje was boven twee glazen water met ijs. Mevrouw Gish had het over Springfield, Ohio, en zei ook het een en ander over meneer Griffith, de regisseur. De hele ontmoeting leek Marilyn te kalmeren: ze was nu verlost van de spanning van bemoeizuchtige, kritische mensen en veilig bij een pure actrice als Sarah Bernhardt. Zo was het gesteld met mijn gedoemde maatje: ze voelde zich altijd op haar gemak bij de oude garde van de actrices die gloeiden van zelfbehagen, alsof haar eigen schittering geen bedreiging voor hen kon vormen. Sybil Thorndike had die rol gespeeld in de Engelse film, net zoals Isak Dinesen toen Marilyn en haar vriendin Carson haar ontmoetten om met haar te lunchen, en Edith Sitwell, die zozeer zichzelf was dat ze zich alleen aangetrokken voelde tot Marilyns gezicht en geest. Ouderdom was een ereteken voor deze vrouwen, en niet een garantie voor naijver en onrust zoals voor sommige andere mensen. Deze vrouwen waren niet onbeschadigd door het leven gekomen, maar droegen dat lot met humor en bravoure. Natuurlijk, ze hadden allemaal de uitstraling van schoonheden op leeftijd, wat op zichzelf al staat voor de eeuwige jeugd, heel anders dan de houding van mensen die nooit op die wijze gezegend waren geweest. Marilyn mocht ze: ze mocht graag denken dat overleven een kunst was die vrouwen beheersten, ondanks alles. (Weinig wees erop dat haar moeder die kunst ooit had beheerst.) Mevrouw Gish straalde een geruststellend soort artistieke verfijning uit en Marilyn vond dat vanzelfsprekend. Ze spraken over acteerlessen en mevrouw Gish zei dat ze het verrukkelijk vond om weer op het toneel te staan, in het Belasco.

'Uw hond heeft een heel aardig koppetje', zei ze nog.

'Hij is denk ik geen stout soldaatje', zei Marilyn. 'Ik zou zeggen dat hij enigszins geïntimideerd is door vanavond.'

'Het is fijn om een vriend te hebben', zei mevrouw Gish. Daarna drukte ze haar lippen op een stukje tissue en wendde zich tot Marilyn. 'Toen u nog heel jong was, juffrouw Monroe, had u toen een hartsvriendin?' Marilyn zweeg maar heel even om uitdrukking te geven aan haar verbazing over de vraag, maar ook aan haar voldoening dat zo'n vraag kon worden gesteld op een plek als deze. Marilyn had een gave om snel intiem te worden.

'Ja', zei ze. 'Ze heette Alice Tuttle.'

'Dat merk ik naarmate ik ouder word: de meisjes uit je verleden komen naar boven om je gezelschap te houden. In mijn kleedkamer in het theater moet ik vaak aan ze denken. Is dat niet vreemd? Pas geleden nog vond ik een foto van zo'n meisje – heb haar in geen vijftig jaar gezien – en ik heb die op een spiegel in de kleedkamer bevestigd.'

'U bent vast een mieterse vriendin', zei Marilyn.

Bij ons staat het menselijke verhaal altijd centraal: daarom is een hond de perfecte vriend. En toch dacht ik aan de wilde honden die over straat zwierven in het oude Rome, de honden waarvan de filosofen meldden dat ze in het holst van de nacht de stad onveilig maakten. Het waren Keltische honden die uit de bergen kwamen, bij hun eigen soort bleven, hun weg zochten tussen de zuilen, stof likten van de mozaïeken en rond het Forum renden om te blaffen tegen de mysteries van de beschaving.

Vriendschap. Die is gebaseerd op de opschorting van het instinct om je alleen maar voort te planten. Je moet delen van jezelf ongebruikt laten om een goede vriend te zijn. Ik heb nooit het soort dier willen zijn dat anderen verleidt en zich een weg naar een toppunt van genegenheid snuffelt. Wie een goede vriend wil zijn, moet soms bereid zijn te doen alsof hij de zaak tegenwerkt, kritisch zijn als duidelijkheid en vooruitgang dat vereisen. In mijn carrière als huisdier van Marilyn heb ik een zekere mate van morele krachtdadigheid nagestreefd: in die wereld van vleierij probeerde ik mijn eigen liedje te zingen, zij het met weinig succes, maar ik denk dat ze mijn bedoeling begreep dankzij een lange reeks van blikken en blaffen.

Voordat we vertrokken, vroeg een fan die Charlie heette en die ze heel goed kende de portier snel een foto van hem en Marilyn te maken, en ze werkte graag mee, hem een arm gevend. 'Gossie. Je handen zijn koud vanavond, Charlie. Hoelang heb je hier buiten gestaan?'

'Twee uur.' Hij haalde zijn schouders op. 'Minder nog. Ik ben *Exodus* gaan kijken bij Warner's aan 47th Street.'

'Preminger', zei Marilyn.

'En Dalton Trumbo.' Samen liepen ze de paar passen naar haar wachtende auto. 'Niet te geloven dat Trumbo weer schrijft.'

'Ze hadden hem op de zwarte lijst gezet, niet?'

'Nou en of. Bovenaan. Misschien wordt het wat minder.'

'Mmm, ik betwijfel het', zei Marilyn. 'Niet zolang Chroesjtsjov met zijn schoen op tafel slaat. Hoe vond je de film?'

'Een beetje langdradig', zei hij. 'Cobb is goed.'

'Lee Cobb?'

'Ja.'

'Arthur heeft hem gekend.'

'Weet ik', zei Charlie. 'Hij speelde in zijn stuk.'

'Hij heeft namen genoemd. Het wordt ze uiteindelijk altijd vergeven.'

'Wie?'

'Mannen.'

'Ach, schiet op', zei Charlie, zijn neus optrekkend. Charlie was een van die slimme jongens die je met genoegen leuk vindt. 'De film probeert iedereen recht te doen, wat altijd fout is bij een drama, vind je ook niet?'

'Zal wel', zei ze.

Charlie was een van de Monroe Zes. Dat was een groep

van jongeren die rondhingen voor Marilyns appartementsgebouw en die op dagen dat ze in het Waldorf verbleef, wachtten in de hal. Ze zag ze vaak als ze op weg ging naar afspraken en ze had altijd een glimlach voor hen en deelde handtekeningen uit. Ze pasten op haar als ze alleen uit wandelen ging, haar volgend op een afstandje, en ik leerde Charlie kennen. Soms mocht hij met haar meerijden door de stad in de limousine.

'Vanavond niet, Charlie.' Ze bedoelde de auto. Maar ze keek hem aan alsof hij het juiste soort vriend was, en mijn eerdere mijmeringen over dit onderwerp begonnen op te lossen in de koude nachtlucht. 'Een andere keer, oké? Ik bedoel: binnenkort.'

'Prima.' zei hij. 'Ik moet morgen werken.' Hij liep al achteruit, stopte zijn camera in zijn zak en wuifde gedag. Marilyn dacht dat hij de toekomst was. Ik hoorde het haar denken toen hij wegliep. De jongen was in staat politiek en roem, hun gezamenlijke macht, te nemen voor wat ze waren en dat gold al net zo voor Marilyn. Het verschil was dat zij er een vreemd gevoel in haar maag van kreeg. Ik was nog maar net bezig mijn gedoemde maatje te leren kennen, maar nu al hield ik van de eigenschap die Carl Sandburg als volgt omschreef: 'Ze had iets democratisch.' Maar de kwestie van roem en intellect beheerste vaak haar overpeinzingen. Terwijl ze wegreed van de Copacabana, zwaaide ze vanuit de auto naar Charlie en zei tegen zichzelf dat als iemand een ster van haar had gemaakt, dat het volk wel was. Meer niet. Maar populariteit heeft heel wat haken en ogen. Terwijl we Lexington op reden, herinnerde ze zich dat er een foto van Rita Hayworth in roze negligé was geplakt op de bom die ze op Hiroshima hadden gegooid.

Het park aan Sutton Place ziet uit op de East River. We gingen daar overdag vaak heen om te kijken naar de kinderen die in een zandbak speelden. Er kwamen dan ook andere honden, en Marilyn ging op een bank naar het water zitten staren en stelde zich het leven voor van de mensen in de boten die langsvoeren. De nacht van de Copacabana gingen we naar het park, en daar zat ze een sigaret te roken. Mensen kunnen alleen zijn met hun hond, helemaal alleen, zolang de hond zich maar koest weet te houden en gewoon de privacy van zijn baasje bewaakt. Bij die gelegenheden zat Marilyn vaak maar wat voor zich uit te staren en namen uit te spreken. Mannennamen. Ze voelde zich vervreemd bij de gedachte hoeveel ze verschuldigd was aan mannen, al die mannen die haar iets groots hadden gegeven, terwijl ze de bedoeling hadden iets van haar te nemen. Het zat haar altijd dwars dat ze zo afhankelijk was geweest van de mannen die ze bewonderde. Ze staarde naar het water en zei: 'Tommy Zahn.' Blijkt dat een strandwacht geweest te zijn in Santa Monica toen ze nog een tiener met muiskleurig haar was die wanhopig probeerde op te vallen.

De Queensboro Bridge was vol lichten die in een boog naar Welfare Island liepen, en daarnaar starend zag ik voor mijn geestesoog het beeld van Emma Bovary, met haar kleine Italiaanse windhond Djali.* Volgens mij is het algemeen bekend dat Emma helemaal met haar naar het beukenbos in Banneville wandelde, waar ons oplettende en blije mor-

---

* Een hond moet wel van voetnoten houden. We brengen ons leven hier beneden door. En in zekere zin is alle literatuur een voetnoot. Zo was Djali, de hond van Emma Bovary, een voetnoot bij Esmeralda's geitje in Hugo's *Notre-Dame de Paris*, dat ook Djali heette.

mel zich onledig hield met keffen naar de gele vlinders, terwijl Emma haar hart luchtte. Ze luchtte haar hart zonder terughoudendheid. De hond was de enige die haar geheim te horen kreeg. 'Ach, waarom, mijn god, ben ik met hem getrouwd?' Het wezen van honden wordt vaak geopenbaard in schilderijen. Ik dacht aan het schilderij van Fragonard getiteld *Het souvenir*. O, de eenzame plek, het donkere bos, de jonge vrouw in gepeins verzonken, en de kleine hond die naar haar opkijkt, verlangend haar te begrijpen. De kunst maakt ons allemaal verwant. Terwijl Marilyn op de bank zat, stak ze een vinger naar me omlaag en streelde mijn kin. 'Mijn moeder vertelde me dat het leven vijftien fasen heeft', zei ze. 'Is dat geen vreemd aantal, Sneeuwbal? Ze had het gehoord van een huis-aan-huisverkoper. Vijftien stappen, zei hij. Vijftien *tracos*. Maar misschien zijn er maar twee fasen: ervoor en erna.'

In het appartement liet ze lopend door de hal haar kleren vallen, behalve de jas, die ze achter zich aan sleepte naar de woonkamer en bij de witte piano legde. 'Voor jou, Sneeuwbal', zei ze terwijl ze mijn snuit zoende. Ik nestelde me in het hermelijn en snoof haar rozenparfum op. Marilyn haalde een fles Dom Pérignon uit de ijskast en liep terug door de hal, en al snel kwam uit haar grammofoon de stem van meneer Sinatra, waarvan de klank met een streep licht aan de onderkant van haar slaapkamerdeur ontsnapte.

7

Een keer op Paaszondag kwamen ze met de honden in Alabama. Ik heb het over een paar jaar na de periode dat ik met Marilyn in New York was. Het maakt geen deel uit van onze avonturen, maar ik wil het hier wel noemen. Ze kwamen met de honden en ze kwamen met de brandslangen en ze richtten die op de mensen die om vrijheid vroegen. De honden blaften en de mensen waren bang gebeten te worden, maar al even bang voor hun eigen woede. Ik heb het over het soort woede dat iemands leven kan verwoesten. De gebeurtenis in Alabama was een verschrikkelijk misverstand, want, mijn god, ik zag op televisie honden aan hun riemen rukken en huilen van schaamte toen de mannen van Bull Connor ze tegenover de zwarte mensen zetten. Trotski zei dat opstand een kunst is die haar eigen wetten kent, maar in Birmingham waren die wetten gruwelijk gecorrumpeerd: de honden moesten de rol spelen van slaven die werden opgezet tegen slaven. Alleen mensen konden zoiets diep onmenselijks verzinnen. De honden voegden hun geluid bij de stem van de democratie, die 'Freedom Land' zong met de prilheid van Betty Mae Fikes. 'Kap,' blaften ze, 'kap, kap, kap met de slavernij.'

Iedereen met ervaring weet hoe het leven je instincten tegen je kan keren. Ik merkte dat toen ik nog jong was, een tijdje voor Alabama, toen ik nog bij Marilyn was. Ik denk vaak aan burgerrechten als ik terugdenk aan New York dat voorjaar, want het zinderde in de straten en in de eetbars, in de parken en in de busstations, het gevoel dat de tijd rijp was voor verandering. Op een ochtend liepen we twintig blokken in de zonneschijn. Een zwarte man met een mondharmonica zat op een brandkraan op de hoek van 77th en Madison. Marilyn, aan het andere einde van mijn riem, droeg een zwarte pruik en een donkere bril. Een sjaal van Hermès hulde haar hoofd in wolken blauw met goud. We hielden stil en ze maakte aanstalten haar portemonnee te openen, maar de man bedankte. 'Hou je geld zolang je kunt', zei hij. Toen zong hij een fragment van een liedje. 'Your Dog Loves My Dog'.*

De Galerie van Castelli bevond zich in een donker herenhuis. Marilyn wilde een uurtje nieuwe schilderijen bekijken:

---

* Marilyn trok me te snel weg. Ik wilde de man iets zeggen over de hond van Lincoln, Fido. Het was een vrijheidslievend dier, een golden retriever. Hij woonde in Springfield, Illinois, en bleef daar achter toen de grote man naar Washington werd geroepen. Het was Fido die de toekomstige president zijn liefde voor het ongebondene gaf, maar de hond werd later gedood door een dronkaard, slechts een paar maanden nadat zijn baasje de kogel had gekregen in het Ford's Theatre. Overigens, Lincoln speelde een belangrijke rol in mijn morele opvoeding. Marilyn was bevriend met Lincolns biograaf Carl Sandburg. Die kwam een keer op bezoek in het appartement en toen pikte ik een flardje kennis op over de jonge Lincoln die de hele weg van Pigeon Creek naar Rockport liep om boeken te gaan lenen. Volgens het verhaal dat ik in me opnam via Sandburg, waren de favoriete boeken van de latere president *De fabels van Aesopus* en één ander boek, *Het leven van George Washington, met curieuze anekdoten, even eervol voor hemzelf als leerzaam voor zijn jonge landgenoten*.

we hadden veel over de kunstenaar gehoord, die zevenendertigjarige jazzfan genaamd Roy Lichtenstein. Zodra we binnen waren, kwam meneer Castelli op ons af om Marilyns hand te kussen. Hij had een uiterst Italiaanse neiging charmant te zijn en op mijn hoogte kon ik zien dat hij veel aandacht had besteed aan zijn schoenen, een paar fluwelen instappers die nog blaakten van schoenmakerstrots. Eigenaardig: de vloer bestond uit zwart-witte tegels en meneer Castelli liep alleen op de witte tegels. Ik vroeg me af of dat te maken had met vrijmetselarij of iets dergelijks. Hoe dan ook, ik streek neer op een van de zwarte en keek met plezier toe terwijl de galeriehouder met zijn beroemde gast praatte over het prachtige nieuwe werk. Sinds Duncan Grant had ik niemand meer zo welbespraakt horen vertellen over de vergankelijkheid van schoonheid. Maar in tegenstelling tot Duncan en in tegenstelling tot Vanessa Bell of de critici die het altijd over betekenis hadden, mocht meneer Castelli er graag op wijzen dat de schilderijen in zijn galerie geen enkele betekenis hadden. Ze waren betekenisloos. 'Het is een optische ervaring. Humor is het enige wat je erin kunt ontdekken.'

Hij was epigrammatisch aangelegd. Alles wat hij zei, was een snelle, brute waarheid, een scherpe stoot van inzicht. Na ieder woord haalde hij adem. Voor hen die verkeren in de kleurloze zones van het leven, zou het weleens een heel opwindende, maar merkwaardig uitputtende manier van praten kunnen zijn. Castelli strooide met zijn grootse uitspraken zoals een kind suiker op zijn cornflakes. 'Dit zijn posthistorische historieschilderijen', zei hij. 'Geen ideeën dan alleen in de dingen.' 'Visueel genie is ongekunsteld', zei hij. 'Lach en kleur zijn de enige antwoorden op het moderne leven.' We liepen verder de ruimte in, waar de doeken die hij besprak tegen de muren waren gezet in plaats van opgehangen.

'Dit zijn de Lichtensteins?' vroeg Marilyn.

'Ja', zei hij. 'Stripobjecten. Stripkarakters. Stripbetekenissen. Luchtigheid is de nieuwe diepgang.'

'Wow', zei ze.

'Dat klopt. Wow klopt. Wow is het nieuwe Waarom.'

Ik snuffelde aan de onderkant van een doek met de titel *Wasmachine, 1961*.

'Achteruit, Maf Schat', zei ze. 'Ga achteruit.' Het ene doek dat hing, was erg geel en blauw en vertoonde een spraakzame Mickey Mouse die aan het vissen was met Donald Duck. 'Maar het is allemaal zo anders ... zo anders dan wat je vroeger deed, Leo?' zei ze. Ze beet op haar lip en lachte om duidelijk te maken dat het niet als kritiek bedoeld was. Haar zware ademhaling was ook een strip.

'We zijn net haaien: we moeten blijven zwemmen, anders gaan we dood. Directheid is alles, lieverd. Alles. Roy is begonnen met kauwgumwikkels. Hij is zo schattig. Werkelijk schattig. Ze zijn echter dan de echte wikkels. Ik bedoel, hun echtheid is beter. Ik vind ze prachtig.'

'Zijn ze met de hand gedaan?'

'Ja', zei meneer Castelli. 'Maar Roy zou het fijner hebben gevonden als ze met een machine waren gemaakt. Het is zo, met die nieuwe jongens, dat ze niet echt geloven in de dood of die niet begrijpen. Het is niet zoals Picasso, die de dood ádemde, niet? Die weer was als Goya – die de dood uitstraalde, niet? Deze jongens begrijpen dat niet. Ze kennen alleen het leven. Alle popkunstenaars willen vlammen, vlammen, vlammen, weet je, en alles herhalen. Ze zitten zo vast in het leven dat ze gewoon geen tijd hebben voor de dood. Arme Pablo. Arme Pablissimo.'

'Mmm', zei ik. 'Misschien is het tijd om de dood eens te gaan onderzoeken. We zijn allemaal popkunstenaars zolang het licht nog aan is.'

De galerie had een donkerbruine lambrisering, en Marilyn vroeg zich af hoe het zou zijn geweest om hier een salon te bezoeken, misschien een tentoonstelling van Whistler of zo iemand, in de tijd dat de bezoekende dames pofmouwen en grote, prachtige hoeden droegen. 'Sommige mensen zeggen dat het antikunst is', vervolgde meneer Castelli. 'Ze zeggen dat het materiaal niet getransformeerd en de schilderijen niet gecomponeerd zijn, maar voor mij kunnen ze de pot op. Voor mij kunnen ze doodvallen.'

'Ik vind het wel grappig', zei ze. 'Maar is het niet wat koud?'

'Ach, Marilyn, baby – je klinkt al net als zíj. Sommige conservators vinden het fascistisch en militaristisch. Ze vinden het weerzinwekkend. Wat gaan ze nog meer zeggen, deze mannen van Mars of Harvard Square? Volgens mij moeten ze veel meer zien, veel meer kijken.'

'Vind je de schilderijen erg Amerikaans?' Ze draaide aan de tailleband van haar rok en beet op de poot van haar zonnebril, haar hoofd schuin. Meneer Castelli keek naar haar blauwe sjaal en vond die erg Kleinachtig.

'Ze zijn op en top fabrieksmatig. Strips zijn de enige politiek die we herkennen. Ze zijn anticontemplatief, antinuance, anti-ontsnappen-aan-de-tirannie-van-de-driehoek. Ze zijn anti-beweging-en-licht, anti-mysterie, anti-schilderkwaliteit, anti-zen en anti die briljante oude ideeën die iedereen begrijpt en zo node kan missen.'

Marilyns kersenrode grijns bloeide uit tot een lach. 'Dat is wel godvergeten veel anti om in één wasmachine te stoppen.'

'Het zal wel aanslaan', zei hij. 'Wegwerpbaarheid is de nieuwe permanentie.' Een colonne mieren marcheerde langs de kozijnrand van een prachtig schuifraam, pratend als de criticus Clement Greenberg. Ze bleven maar om het venster lopen, wisten niet te ontsnappen aan de tirannie van de rechthoek, het raam dat de drukte van New York omlijstte. De mieren spraken de naam Jasper Johns uit en zeiden iets over de invloed van die goeie ouwe Willem De Kooning. Ze marcheerden samen op en praatten op elkaar in, probeerden hun zegje te doen, verblind door licht, erop gebrand een theorie te vinden over het grenzeloze Amerikaanse vernuft.

Toen meneer Castelli en Marilyn uit de zaal terugkwamen, had hij zijn arm om haar heen en waren ze nog steeds aan het praten. Ik lag een poosje te maffen op een van de zwarte tegels terwijl hij haar een paar tekeningen liet zien. Ik had een akelige droom en werd met een schok wakker. 'Gossie, je bent heel aardig voor ons geweest, Leo. Was meneer Castelli niet aardig, Maf?' Ze keek naar me omlaag en ik hield mijn hoofd schuin. 'Ik heb een afspraak met mijn analytica', zei ze. 'Beter daar niet te laat te komen, anders gaat het in de papieren lopen.' Meneer Castelli lachte en kuste haar heel Europees, terwijl zij haar vermomming weer opzette. Buiten lichtte de zonneschijn wit op, en toen we op het trottoir stapten, zag ik een jonge, blonde man met een bleek gezicht langs ons de stoep op komen. Hij droeg een map, waarop 'Meer Popeye' stond. 'Wat een glamour overal', zei hij tegen degene die naast hem liep. 'Jee. Ik vind dat we hierna naar het Bergdorf Goodman moeten.' De man die sprak, droeg een vlinderdasje. Hij merkte Marilyn niet op. Hij had een ongezonde huid en rozerode ogen vol verbazing.

De zwarte man met de harmonica las een exemplaar van de gids voor zwarte automobilisten, *The Negro Motorist Green Book.** 'Ze zeggen dat ik me bevrijd moet voelen', zei hij. 'Hoe moet ik me nou bevrijd voelen als ik nog geeneens geen auto heb?' Dat leek me een vulgaire opmerking.

'Da's nog es een lawaaierige hond die u daar hebt, dame.'

'Ik sta paf', zei ik. 'Heb je niets beters om over na te denken?'

'Kom op, Maf', zei mijn baasje.

Ik blafte naar de man. 'Weet je dat er een revolutie aan de gang is, *brother*?' Ik snuffelde aan zijn schoenen en gromde terwijl ik me naar Marilyn draaide. 'Wat ik al dacht. Als hij niet zit te lezen in dat racistische autoboek, leest hij Oom Remus. Ik bedoel, dat is goddomme een belachelijk verzinsel van een mens om te bewijzen dat dieren minderwaardig zijn, of niet soms? Al dat gedoe van "Broertje Konijn die de kinderkens bij d'r oren pakte en hun liet neerzitten". De wijze, oude, zwarte brillemans die sprookjes vertelde aan het zoontje van juf Sally.'

'Jij ben een druk hondje. Knap lastig voor mij. Kom es hier, dan geef ik je een zoen op je leuke witte snoet. Ik ben d'r geen bot niet.'

'Maf!'

'Die hond zegt graag waar of 't op staat, juf.'

---

* Een niet geheel onomstreden publicatie, die voor het eerst verscheen in 1936. Het was een idee van een ondernemende New Yorkse reisagent genaamd Victor Green, die had ontdekt wat we in het begin van de jaren zestig 'een gat in de markt' gingen noemen. Het bevatte een lijst van restaurants, kappers, nachtclubs enzovoort die zich richtten op zwarte klanten. Het schijnt dat het heel nuttig was, in de tijd voordat er iets nuttigers kwam.

Marilyn wist zich geen raad met 's mans woorden. Ze vermoedde dat hij was weggelopen uit Bellevue, gek of halfgek. Ze zette me op haar schouder, en ik kefte naar de man terwijl we wegliepen. Sommige menselijke dingen kan ik niet, zoals mijn tong uitsteken.

Marilyn maakte Pinkers halsband losser en zette me weer op de grond. 'Stoute hond die je bent.'

'Trotski zei dat er geen reden is voor zelfgenoegzaamheid als de revolutie op uitbreken staat.'

'Hou op met keffen, Maf', zei ze. 'Rustig nou. Rustig. Gossie. Wat heb je vandaag?'

Een mens kan zijn dag hebben. Toch vergeten ze dat we allemaal dieren zijn. Geloof me, soortisme is even erg als racisme: het is afkomstig uit dezelfde ondoordringbare doornstruik der fantasieloosheid. Er zijn ontelbaar meer niet-menselijke dan menselijke dieren, en toch krijgen we successievelijk lagere plaatsen toebedeeld op Aristoteles' grote *scala naturae*, de grote keten van het bestaan. Maar ik zeg, althans, dat zei ik terwijl we naar Central Park liepen: laten we er niet van uitgaan dat de grote meerderheid der beesten altijd moet buigen voor de denkbeelden van de mens, die vaak dommer zijn dan wij ons kunnen voorstellen. We liepen het park in door het hek bij 79th Street, en mijn gedachten gingen uit naar het soort mensen dat beter was in dierlijk redeneren. Diegenen, in feite, die het grootste goed voor het grootste aantal wél zagen zitten. 'Misschien komt er een dag', schreef Jeremy Bentham in zijn *Principles of Morals and Legislation*, een boek dat ik kende via de oude lady Schrokop, 'dat de rest van de dierlijke schepping die rechten verkrijgt die haar slechts door de hand van de tirannie konden zijn onthouden. De Fransen hebben al ontdekt dat een zwarte huid geen reden is om een menselijk wezen weerloos over te laten aan de grillen van een beul. Misschien wordt op een dag erkend dat het aantal ledematen, de beharing van de huid of het uiteinde van het *os sacrum* al even ontoereikende redenen zijn om een wezen met gevoel aan hetzelfde lot over te laten. Een volwassen paard of hond is ontegenzeglijk zowel een rationeler als een socialer dier dan een kind van een dag oud.'

De honkbalspelers in Central Park waren luidruchtig. Marilyn werd bang voor speurneuzen en paparazzi, dus liepen we sneller dan anders en had ik geen tijd om rond de vuilnisbakken te snuffelen of de eenden aan de rand van Belvedere Lake op te jagen. Mijn vriendin bewoog haar lippen. 'Ik kijk graag naar passerende schepen.' Het was onmiskenbaar een dag om te wandelen en incognito te zijn. Ze leek een niet-aanwezig publiek toe te spreken. 'Ik ga jullie een verhaal vertellen ... nee, ik ga jullie een léúk verhaal vertellen. Een leuk verhaal. Ik ben van plan het op hem los te laten telkens wanneer hij me op de kast jaagt met zijn gelul over me veilig op het platteland houden.'

Ze probeerde onder het wandelen wat zinnen te leren, was bang dat ze ze vergat, merkte dat ze er ook ondersteboven van raakte en vroeg zich af waarom. Die middag moest ze een scène doen in de Actors Studio, de derde akte van *Anna Christie*, en terwijl we in het park liepen, bewogen haar lippen en schoten haar ogen vol. 'Ik wil jullie twee kerels wat zeggen. Jullie deden of 'k van een van jullie was. Maar 'k ben van niemand, snap je?'

Ik keek naar de bomen, waar een klein meisje met rode wanten een spar aan het slaan was. Haar vader leek de volmaakte man toen hij naar haar toe liep, heel knap, heel compleet, met zijn pak van Brooks Brothers, geborstelde hoed, regenjas over de arm en zijn handen en gezicht nog steeds geurend naar de aftershave van die ochtend. Onder dit alles school een weerloze ziel, een persoon waar niemand ooit iets van te zien kreeg of over sprak, een schim van begin vijftig die zich afvroeg of het kleine meisje het enige goede was dat hij ooit had gedaan.

Ineens begon het park over zijn eigen verleden te spreken, het lang vervlogen verleden van New York voordat het zo werd genoemd en voordat Central Park bestond of wij, het kabaal van de claxons of de sneeuwklokjes rond de bomen. We zaten op een bank, en de dag vervaagde en ging over in een visioen van een woud na de ijstijd en moerassen vol zwerfkeien die de natuur daarheen had meegenomen uit Maine. In de avondgloed zag ik wapiti's en elanden, mammoeten, mastodonten, de reuzenbever en de muskusos, de grote bruine beer die rechtop stond op een open plek en heuvelafwaarts keek naar de monding van de Hudson. In de grond onder de plek waar de bank nu was, bevonden zich zandlagen waarin stenen krabbers begraven lagen, de werktuigen van de eerste Amerikanen, mensen die de Beringstraat van Siberië naar Alaska waren overgestoken. 'Volgens mij zijn jullie allemaal Russen', zei ik midden in mijn droom tegen Marilyn. De kleurige veren die ooit gedragen waren door de Munsees en de Algonquin lagen diep in het zand verborgen, samen met hun wampumkralen en hun verkoolde botten. Ik kon het allemaal zien vanaf de bank waar we zaten: de hoge gebouwen verdwenen en ik zag tot aan de punt van Manhattan alleen hier en daar een boom en een vuurtje. Terwijl ik keek, zag ik het groeien en veranderen in de tijd, een schip dat het heuveltje bij Tubby Hook rondde en de haven in zeilde. De oesterschelpen en de oude kano's bevonden zich nu onder de grond, de oerolifanten waren allang dood en de elanden waren vertrokken. Zand en slib, landaanwinning en bladeren, tonnen asfalt: dat had weer alles bedekt waar ik nu aan dacht. Op een hoek van West Side Highway en Liberty Street vonden ze onder de grond de houten balken van een huis en op een kapotte tafel lagen tabakspijpen en Hollandse munten. Toen ze de munten schoonveegden, glinsterden ze in de zon. Mijn hoofd werd weer helder door die zilverschittering, en ik zag de open plek in Central Park voor ons. Het meisje met de rode wanten was weg en ook haar vader was weg. Dit was misschien wel de enige keer in mijn hele leven dat ik de kleur rood zag zoals die was.

Honden houden van parken. We brengen er ons halve leven in door, als we worden 'uitgelaten', al heb ik ontdekt dat de uitgelaten wezens vaker onze baasjes zijn, die de gelegenheid te baat nemen om hun geheimen te overpeinzen. Baasjes mogen graag denken dat een hond niets leuker vindt dan naar een stok springen of achter een tennisbal aan hollen. In werkelijkheid doen we niets liever dan bij een loeiend vuur liggen knauwen op een bot, naar gesprekken luisteren en denkbeelden in ons opnemen. Maar bij gebrek aan stimulerende gesprekken in de meeste Engelse en Amerikaanse huishoudens vinden we het niet erg te worden meegenomen naar een uitgestrekt veld met gelig gras, waar we kunnen samenkomen en discussiëren met andere winderige slaven van de charme. Het perfecte park moet gras hebben om in rond te snuffelen en een vijver waar je de arrogante ganzen kunt opjagen. Het moet een drinkfonteintje hebben en een behoorlijk assortiment aan oude bomen om tegen te pissen. Banken zijn een absolute voorwaarde, net zoals cafeetjes, waar een worst valt te verschalken of een koek te versieren voor de prijs van een smachtende blik.

Mijn top vijf:

1. Central Park, New York
2. Regent's Park, Londen
3. Botanic Gardens, Glasgow
4. The Royal Pavilion Gardens, Brighton
5. Jardin du Luxembourg, Parijs

Ik geef toe, mijn keuze heeft iets sentimenteels. Het zijn de plaatsen waar ik het gelukkigst ben geweest. Niet Parijs: ik ben nooit in Parijs geweest, maar Duncan Grant was er nooit niet, en zijn liefde is op mij overgegaan in weerwil van mijn onwetendheid. Hoe dan ook, geldt het niet voor schepselen, voor ieder van ons, dat we vaak daar het gelukkigst zijn waar we nooit zijn geweest?* Ik had ook Prospect Park in Brooklyn kunnen kiezen, maar ik ben daar een keer geschopt toen ik aan het wandelen was met Marilyn en haar vrienden, meneer en mevrouw Rostens. Ik zou Plaza Hidalgo in Mexico City hebben kunnen noemen, maar de gedachte eraan maakt me te triest, vanwege de Oude Man. Ik had Hyde Park in Londen kunnen kiezen, maar die ene keer dat we daar samen naartoe gingen, raakte Vanessa Bell over haar toeren, waar-

---

* En dat is misschien wel de allersentimenteelste bewering. Proust, bijvoorbeeld, construeerde een heel leven en een voortreffelijke roman uit dergelijke onzin. De verhalenvertellers onder ons zijn toegewijde slaven van het rijk van het verleden, van de heldere echo van het belletje dat de komst van Monsieur Swann aankondigde. We horen het nu, al weerklinkt de galm in het verre, lang voorbije verleden. Het is nooit helemaal een plaats waar we zijn geweest en altijd een plaats in onze verbeelding.

door ik versmachtend van dorst achterbleef. Het had dacht ik iets te maken met het drama van het vergeten, de herleving van het verleden, de resterende herinneringen of zoiets. Dat is althans wat Cyril Connolly zei met een Mandarijnengrijns. De rest van de avond zat Vanessa te kwelen over het laatste nummer van *Hyde Park Gate News* en het park zoals ze dat zag in haar jeugd, door een vensterruit en een rij schoorsteenpotten.

Marilyn las haar Russische roman, verschoof toen plotseling op de bank en keek naar me. 'Wat heb jij te vertellen, Sneeuwbal?'

'De roman is ons dagelijks brood', zei ik. 'Dat is Trotski's opvatting, niet de mijne. Hij hield van de ouderwetse *spiritus papyri*. Ik heb ook uit betrouwbare bron vernomen dat zijn lievelingsboek uit het Duits was vertaald, het boek dat *De avonturen van Simplicissimus* heet. Het geval was geschreven door een zekere Hans Jakob Christoffel von Grimmelshausen. Heel levendig. Heel scherp. Mijn fokker las het op de dag dat ik werd geboren.'

'Ik zou durven zweren dat je me de helft van de tijd verstaat. Oké, mannetje, ik denk dat het tijd is om aan te treden.'

We liepen over het pad, en ze moest lachen toen ik begon te dansen met een nabije schaduw, dit donkere verschijnsel op de grond, een echt personage met een eigen leven en vastbesloten niet van mijn zijde te wijken zolang we wandelden. Het veranderde van zijde, en ik vroeg me af of het iets te vertellen had, de vierpotige vriend die verkoos in de pas te lopen en geen woord te zeggen. Plato heeft heel wat op te helderen in deze wereld van honden, mensen en andere wrakken. De gemiddelde persoon negeert zijn schaduw, maar het zou weleens het beste aan hem kunnen zijn. Het zou weleens zijn ideale zelf kunnen zijn: daar maar niet helemaal daar en vol van werkelijkheid. Het asfaltpad op het hoogste punt van West Drive bevatte een heel recente herinnering aan sneeuw. Ik voelde de talmende kou en het gruis onder mijn poten. Er verscheen een grijze eekhoorn aan de voet van een boom met een halve boterham in zijn klauwtjes. 'Pindakaas', riep hij naar me met een grijns vol tanden. 'Het leven is verrukkelijk.'

We begaven ons naar Central Park West 135. Vanuit het appartement van de analytica leek de wereld daar beneden ongecompliceerd geel, een drukke wildernis waar planten kooldioxide sproeiden en talloze wezens hun zegje deden. De mensen waren in de minderheid, en vermoedelijk kwamen ze naar dit soort appartementen, hoog boven de insecten en het verkeer, om een plek te vinden waar ze kans maakten gehoord te worden. Dokter Marianne Kris stond al bij haar bureau. Ze droeg van die satijnen schoenen met hakjes die ooit populair waren onder oudere balletleraressen, en toen we binnenkwamen, gooide ze net iets in de prullenmand. In haar ogen lag die minzame, intelligente blik van lijdzaamheid die je associeert met het oude Europa, de onderzoekende schittering die je in verband brengt met de geordende straten van Wenen. Ze droeg haar grijze haar in een knot en mocht graag de losse strengen opnemen en achter haar oren duwen. Ze stond in de houding met gevouwen handen: Schuberts *Pianosonate voor vier handen* klonk uit een grammofoon die boven op een boekenkast stond.

We liepen over het vloerkleed en bleven even voor het raam staan. De mens was iets om trots op te zijn, nietwaar? Elk van de gebouwen was interessant op zichzelf, maar samen vormden ze een projectie van macht en maatschappelijke luister die overdag schitterde en 's nachts verlichte wegen opleverde. Hoge gebouwen kunnen niet door mieren of eekhoorns of honden worden gebouwd: ze symboliseren het hoogtepunt van menselijk streven, de top van menselijk meesterschap over de materialen van de wereld. Als ze er eenmaal staan, dan staan ze er, en alleen de mens kan ze afbreken. Marilyn vond het prettig zich op orde te brengen bij het venster voordat ze ging zitten. Ze gaf dokter Kris slechts een knikje en draaide zich weer naar het venster, de immense, veranderende wereld.

De dokter had zo haar gewoonten, en muziek draaien tussen de sessies door was daar een van. Als de patiënt ongeveer een minuut in de kamer was, liep ze uiterst tactvol, uiterst interessant, naar de boekenkast en zette de grammofoon uit. Dokter Kris was het tengere type dat alles heel precies deed. Was ze niet zo efficiënt, zo actief op haar eigen, bijzondere manier, dan had het kunnen lijken dat de wereld ieder moment haar schat aan sensitiviteit kon vernietigen, maar in feite was ze goed in het leven te midden van de grootheid van de wereld en zeer goed in het kiezen van haar rollen en het vinden van haar plaats. In de ogen van haar patiënten maakte de muziek daar deel van uit. Marilyn vond dat agressief. Als ze de kamer binnenkwam, had ze vaak het gevoel dat ze werd verzwolgen door de al te overheersende suggestie van iemand anders welbevinden die van de muziek uitging. Dokter Kris moet zich van dit effect bewust zijn geweest, maar toch draaide ze de muziek. Ze was zelfs heel strijdlustig als het aankwam op het gevecht tussen de ikken dat in de geruststellende omgeving van haar appartement plaatsvond. Ik sprong op het kussen van een vensternis en ging daar zitten. Die zag er mooi uit, de vensternis bedoel ik, bekleed met een opvallende grijs-witgestreepte wollen dhurrie, met op de vensterbank een vaas witte tulpen. 'Neem een stoel als je daar de voorkeur aan geeft, Marilyn', zei dokter Kris.

'Ik kan mijn gedachten er niet bij houden. Het is hopeloos. Ik heb geprobeerd wat zinnen voor Lee te leren. Ik kan niet nadenken.'

'Ga zitten.'

Marilyn nam haar zonnebril en haar pruik af en ging zitten in een prachtige stoel, het soort leunstoel dat je vroeger bij Charleston vond, een gigantisch geval van crèmekleurig katoen, kaal en versleten, overdekt met piepkleine, haast onzichtbare grijze roosjes. 'Vind je, Marilyn, dat je moet repeteren voor deze sessies?'

'Nee', zei ze. 'Niet repeteren. Maar ik moet wél kunnen nadenken, toch? Sommige mensen hebben dat wanneer de werkster komt: ze moeten eerst opruimen. Nou, zo voel ik me, denk ik, wanneer ik hierheen kom: ik moet mijn hoofd op orde krijgen.'

'Ben ik je publiek?'

'Nee, u bent mijn psychiater. U herkent me ook wel zonder dat ik make-up op heb.'

Wat de inrichting betrof, sprak uit de kamer een verhouding tussen verschoten en helder: de vloerkleden waren van buitengewone kwaliteit, met kleuren die honderd of meer jaar geleden misschien in slechts twee dorpen in het noorden van Afghanistan voorkwamen, maar het verschoten materiaal gaf de kamer een prettig filosofisch tintje. Alle onderdelen werkten op die wijze samen, om waardigheid te scheppen, te kalmeren, te amuseren, de toon te verdiepen, waardoor een heel rustig soort gesprek mogelijk wordt. De glazen boekenkasten, de rozenhouten bijzettafels waren in het interbellum uit Duitsland gekomen, en voor Marianne Kris gaven ze de verweerde schoonheid van de kamer een element van wijsheid en geleerdheid. Virginia Woolf zou zich thuis gevoeld hebben op zo'n plek: de beschilderde houten vogels en de tinnen speeltjes, de schepen-in-een-fles, de beschadigde spiegels. Ze spraken allemaal van de reis die iemand kan maken om zichzelf te worden. In veel opzichten was de kamer niet geschikt voor psychoanalyse, zozeer leek ze de verdiensten van één vrouw te ademen. Zelfs de lampenkappen waren tekenen van Mariannes bewustwording. De bloemen onderstreepten haar blijmoedigheid en de presse-papiers gaven voedsel aan haar honger naar genot en hard werken. Haar blik kon dwalen tussen deze dingen om te blijven hangen bij wat bestendig was, wat had overleefd. In de hoek stond een achttiende-eeuws bureau waarboven een blauw schilderijtje van Paul Klee hing.

Kris en haar beroemde echtgenoot waren ontsnapt aan iets wat ik niet kon begrijpen. Maar daar was ze, in helder daglicht, haar handen onder grafietvlekken en potloodslijpsel, midden in een omgeving die zij had geschapen. Ze pakte haar objecten op en legde ze neer met een geduld dat alles recht leek te doen: een glas water, een zilveren briefopener, een graslelie met ernaast een mandarijn op een bord. Alles in de kamer, en in de gevaarlijke wereld buiten de kamer, boog voor de gevoeligheid van dokter Kris, haar onwankelbare opvatting van de werkelijkheid, waardoor zelfs haar eigen psychologische verwarringen een soort zegen voor haar patiënten leken. Ze wist wie ze was, ze wist waar ze vandaan kwam, ze wist waar ze van hield, en ze leefde praktisch zoals ze had gehoopt. Ze zou deze zekerheden niet als zekerheden hebben ervaren, maar voor de mensen die in haar spreekkamer kwamen, had dokter Kris een uitgesproken talent om zichzelf strikt te beperken tot haar eigen wereld. Andere mensen, het merendeel van haar patiënten, waren er veel beter in om verschillende mensen te zijn, maar niemand kon zo goed zichzelf zijn als zij. Deze kamer was, laten we zeggen, het domein van haar subjectiviteit. Het soort plek waar je je gemakkelijk afwezig kon voelen tussen al die bewijzen van andermans aanwezigheid. Inderdaad, het was een geruststellende kamer, maar met de jaren en geleidelijk aan zou het een kamer kunnen worden die je aan het twijfelen bracht over de geruststellende dingen in je eigen leven.

Dokter Kris nam een potlood uit een oude stenen kruik en begon dat langzaam te slijpen, met een slijper uit een museum in het buitenland. Het precieuze van die handeling, hoe karakteristiek ook, ergerde Marilyn: het leek te wijzen op een overdaad aan zelfingenomenheid. In feite rouwde dokter Kris nog steeds om haar echtgenoot, die een paar jaar tevoren was overleden, maar Marilyn was gefixeerd op de manier waarop de psychoanalytica het leek te verwerken. Het was nooit bij haar opgekomen dat ze beiden in de overtuigingsbranche zaten. De dokter hield het potlood in haar vingers als iemand die een leven lang met potloden had doorgebracht, en die ze kon hanteren, sturen, scherp houden en laten doen wat zij wilde. 'Ik denk dat het niet echt mogelijk is Anna Christie te zijn,' zei Marilyn, 'zonder dat híj bovenkomt en als híj bovenkomt, moet ik ook over hem praten, wat moeilijk is, weet u? Lee zegt dat ik dat allemaal moet gebruiken en natuurlijk, ik doe mijn best, maar de helft van de tijd dat ik acteer, wil ik alleen maar gillen.'

'Ik moet het je vragen, Marilyn. Ervaar je je vader misschien als een bron van remmingen?'

'Eh, ik heb hem niet gekend. In het stuk wordt ze overheerst door haar vader. Hij wil haar zeggen met wie ze mag trouwen en wie een slechterik is.'

'Dus in het toneelstuk *Anna Christie* is de vader een bron van remmingen. Misschien zelfs van jaloezie.'

'Ik denk het wel. Het is van Eugene O'Neill.'

'Ja, ik ken het stuk. Ik heb het ooit met mijn man gezien in Londen.'

Marilyn haalde diep adem. 'Haar vader mag haar niet zeggen wat ze moet doen.'

'En je eigen vader ...'

'Die is dood, snapt u? Hij kan me er niet van weerhouden iets te doen. Hij kon me er ook niet van weerhouden met Arthur te trouwen.'

'Nee, maar het is interessant dat je de ene toneelschrijver noemt om de andere te begrijpen, niet?'

'Ik probeer niet Eugene O'Neill te begrijpen. En ik probeer ook niet Arthur Miller te begrijpen. Ik probeer Anna te begrijpen – of ik probeer te begrijpen waarom het zo verschrikkelijk voor me is om Anna te spelen.'

'Oké, Marilyn. Dit is goed. Omdat je vader niet meer leeft, kan hij nog best een bron van remmingen zijn. Dat kan best. En hij kan ook een bron van iets anders zijn, iets onaannemelijks, stel, voortdurende goedkeuring?'

'Ik heb altijd gedacht dat hij me wel zou mogen.'

'Wie?'

'Mijn vader. Als hij me had gekend. Ik denk dat hij me wel had gemogen.'

'O ja? Vertel eens.'

'Nou. Ik dacht dat hij me meer zou mogen dan anderen.

Niet om seksuele redenen. Dat hij zou weten dat ik slim was en alles, denk ik.'

'Je idealiseert je vader, niet? Je idealiseert hem als iemand die jou idealiseert.'

'Dat klopt. Daar zijn vaders toch voor?'

'Als jij dat zegt. Maar ik wil weten wat het stuk jou op dit moment zegt.'

'Het is een fantastisch stuk.'

'Waarom?'

'Omdat het me de mogelijkheid geeft een serieuze toneelspeelster te zijn.'

'Is dat je definitie van een fantastisch stuk? Is *Hamlet* daarom een beroemd toneelstuk, Marilyn?'

'Ja. Nou, voor een deel wel, denk ik. Ik zou dolgraag Ophelia spelen.'

'Maar terug naar de vader. In het stuk probeert je personage de onderdrukte seksuele gevoelens voor de vader over te dragen op de legitieme seksuele gevoelens voor een echtgenoot, klopt dat?'

'Ik denk van wel.'

'Dat is normaal, Marilyn. Dat doen we nu eenmaal. Onze echtgenoten nemen de plaats van onze vaders in.'

'Niet als we dat niet willen.'

'Nee?'

'Niet als we daar niet tegen kunnen, toch? In die film vorig jaar, u weet wel, die van Cukor. Daarin zongen we een liedje dat "My Heart Belongs to Daddy" heette.'

'Waarom zeg je "we" – "zongen we een liedje"? Jij was het toch die het liedje zong?'

'Ja. Ik zong het liedje.'

'Juist.'

'Nou, er waren drieëntwintig opnames nodig. Ik bleef maar huilen. Wat zegt u me daarvan? Ik heb mijn vader niet eens gekend.'

'Maar je wilt hem kennen.'

'Ik denk het.'

'En dat is een vorm van kennis, Marilyn. Een heel dwingende vorm van kennis. Verlangen. Ja. Verlangen is misschien wel de meest dwingende kennis die er is.'

'Mijn vader is dood, dokter.'

Mijn gedoemde maatje ergerde zich aan haar analytica. Ergerde zich meer dan ooit: soms fantaseerde ze tijdens deze sessies dat zij, Marilyn, de analytica was, die aan dokter Kris de vragen stelde die ze zichzelf niet stelde omdat ze daar te slim voor was. 'Ik weet dat uw zus Margarethe actrice was', wilde Marilyn tegen haar zeggen. 'Hebt u zich ooit voorgesteld dat uw vader meer om haar gaf dan om u?'

'Nee, Marilyn. Dat heb ik nooit overwogen.'

'Is dat omdat u met uw vader naar bed wilde of uw zus wilde doden?' Marilyn geloofde dat de wereld van haar psychiater bestond uit licht ontvlambaar materiaal. Ze vond het een geruststellend idee dat dokter Kris dezelfde soort problemen had als zij. Er was maar een vonkje nodig en alle geruststellende dingen van Mariannes leven zouden in vlammen opgaan.

'Dat heb ik nooit overwogen, Marilyn. Geen moment.'

Er waren verschillende oude klokken in de kamer van dokter Kris, maar geen ervan maakte geluid. Terwijl de stemmen moduleerden en aanzwollen, uitdaagden en stokten – de gebruikelijke bewegingen van de gesprekstherapie – bleven de objecten in de kamer in een staat van volmaakte onverschilligheid, terwijl de patiënten merkwaardigerwijze vaak het gevoel hadden dat ze werden geobserveerd. Op een zeker moment die dag draaide Marilyn zich om en knipte met haar vingers naar mij, en het was duidelijk dat ze geruststelling zocht. Ik sprong op haar schoot en dokter Kris gaf me een van haar geroutineerde blikken die altijd iets narcistisch hadden. Ze begon aan een kleine aria van herinneringen aan dokter Freud en haar plaats onder de psychoanalytische royalty te Wenen. De vader van deze dame, Oskar Rie, was kinderarts en een vriend van Freud, die de grote man ieder jaar met Kerstmis een doos donkere wijn stuurde. Ze was Marilyn dit aan het vertellen, niet voor de eerste maal, toen een piepklein spinnetje over de voorkant van het bureau kroop en mij die charmante E.B. White-blik toewierp, een zeer New Yorkse spin met zijn gladde poten en gevatheden. Hij had ook nog eens luie marihuanaogen, die kleine beatnikspin die daar voor me liep.

'Ach, lach er maar om', zei de spin. 'Hier doet ze weer aan tegenoverdracht. Luister maar naar haar: haar vader, haar vader, Freud, Freud. Ze hebben samen een boek over kinderen geschreven, wist je dat niet? Ach, hou d'r toch op, zeg. Haar vader bestudeerde kinderen, snappie? Zij schrijft over kinderpsychologie. Ga maar na.'

'En de muziek dan? De schilderijen? Die verdomde Latijnse vertaling van *Winnie the Pooh*?'

'Die ligt naast het bureau daar, op de vloer. Ja. Ik was daar vanmorgen. Al haar cliënten zien dat boek en zijn geïntimideerd.'

'Juist, ja.'

'Ik bedoel, jezus christus – *Winnie Ille Pu*? Wat moet je in godsnaam met die informatie?'

'Mijn meisje heeft zo haar problemen, maar ze gaat hier

altijd vandaan met tien nieuwe.'

'Waarom komt ze dan, joh?'

'Voor het gesprek. Ze praat graag met iemand die intelligent is. Maar vaak ergert ze zich dood.'

'Geen wonder. Ik zeg je. Je moet de act es zien die ze op sommigen van die kerels loslaat. De hele kamer is één groot toneel en deze vrouw, ze is slim, ze is aardig, maar ze klopt het hartstikke op, man. Bekijk de show maar, knul, die gaat enkel over haar. Ze bedoelt het goed, maar, sjonge, sommige mensen werken je gewoon op je zenuwen, snap je wat ik bedoel?'

'Ze heeft het over zichzelf. Is dat niet tegen de regels of zoiets?'

De spin rolde alleen met zijn acht ogen en hernam zijn gracieuze wandeling over een stel art-deco-inktpotten. 'Bekijk de show nou maar', zei hij.

'Mijn vriendin Anna Freud, mijn jeugdvriendin, die is nooit getrouwd. Misschien heeft mijn vriendin te veel genoten van haar vaders genie. Ik denk dat we ons allemaal lieten meeslepen door zijn eruditie. Ik was een van zijn patiënten.' Het feit is echter dat Marilyn hield van deze geleerdheid: het was intellectuele roddel en Marilyn vond het heerlijk om die te gebruiken bij meneer Strasberg. Wat bij de Actors Studio doorging voor psychoanalyse had vaak meer weg van roddel over analytici en schrijvers, en net als Marilyn voelden degenen die in Amerika waren geboren zich beter bij de gedachte dat voor hen dezelfde drama's bestonden als voor de briljante mensen van Europa. 'Mijn echtgenoot zou enorm geïnteresseerd zijn geweest in jouw probleempje met Anna Christie', zei ze.

'Laat je toch niet zo door haar bevoogden', zei ik, maar

mijn baasje gaf me alleen maar een tikje met haar zachte hand. 'Dat gaat veel te ver, weet je. Ieder woord wat ze zegt. Ik kan niet geloven dat je die vrouw betaalt om jezelf bloot te stellen aan haar eigendunk en haar muziek en haar goede smaak en haar verdomde presse-papiers! En tot overmaat van ramp probeert ze je nog pijnlijke herinneringen op te laten halen over de mannen in jouw leven door – wat denk je? – onophoudelijk en tot gekmakens toe over de fantastische mannen in háár leven te praten.'

'Hé, hou es op, Maf', zei Marilyn en ze gaf me weer een tikje. 'Hij is altijd een beetje gespannen in gesloten ruimtes.'

'Mijn vriendin Anna was gek op haar honden. Freud begreep maar al te goed wat een hond waard kon zijn in de behandelkamer. Hijzelf was verknocht aan zijn chowchows.' Dokter Kris stond op van haar bureau en trok haar vest glad. Ze liep naar de hoogste boekenkast en nam behoedzaam een boek van de middelste plank. 'Mijn man was conservator beeldende kunsten toen we trouwden', zei ze. 'In het Kunsthistorisches Museum in Wenen.'

'Ontwikkelde mannen.'

'Over wie heb je het?'

'Uw man. Ik neem aan dat hij een zeer ontwikkeld man was.'

'Ja, natuurlijk. Ik denk dat hij de eerste was die de interesses van de psychoanalyse laten we zeggen... paarde aan de instincten van de kunst.'

'Paarde?'

'Ja, dat floepte eruit.'

Er waren dagen dat de kritische aard van dokter Kris minder kritisch was dan zou kunnen. Patiënten vonden haar neurosen vaak onderhoudend en troostrijk tegelijk: was het niet fijn om een analytica te hebben wier handen nog meer beefden dan je eigen handen? In sessies met Marilyn gaf dokter Kris zich ongemerkt vaak bloot op manieren die Marilyn maar beter kon negeren. Ze werd een eenzame vrouw, begraven in haar verleden, die graag praatte over wat belangrijk was geweest en wat voorbij was. Je stelde je voor dat ze daarom klassieke muziek draaide tussen de sessies in, om zich terug te laten voeren naar het zelf dat het leven aankon, om het historische ego te voeden, wat haar weer terugbracht naar de voornaamste voordelen van het geconstrueerde leven. Marilyn luisterde soms naar haar alsof het een soort boetedoening was. Haar rok sneed in haar taille; ze kon niet stil blijven zitten. Ze herinnerde zich dat ze zich als kind ook vaak zo ongemakkelijk had gevoeld.

'Mijn man heeft jarenlang onderzoek gedaan naar de aard van de karikatuur en de gezichtsuitdrukking in de kunst en daarover gepubliceerd.' Marilyn keek omlaag naar mij op haar schoot en trok een van haar komische gezichten, dat waarbij haar prachtige lippen een volmaakt ronde o vormden. 'Beschouw jij jezelf als iemand die de kost verdient met gezichtsuitdrukkingen?'

'Jazeker. Maar ik wil mijn repertoire graag uitbreiden.'

'Ben je kwaad over mijn vraag?'

'Die was bot, dokter Kris. Maar laat maar zitten. Bot is prima. Ik denk dat ik aardig gewend ben aan botheid.'

'Dat is interessant. De karikatuur probeert een gelijkenis te ontdekken in deformatie. Heb je het gevoel dat de gezichten die je voor je werk moet trekken altijd seksuele gezichten zijn?'

'Alle gezichten zijn seksuele gezichten.'

'Oké. Laten we daar eens van uitgaan.'

'Dokter Kris, waarom laat u me het geval niet gewoon zien in het boek dat u vasthoudt. Ik weet dat u dat wilt en ik wil ook dat u dat doet.'

'Ik denk dat je vandaag kwaadheid ervaart, Marilyn.'

'En ik denk dat van u.' Ik likte haar hand en besnuffelde haar totdat ze me een klopje gaf. Ik keek een plank langs en stond versteld van de zelfverzekerdheid die daarvan afstraalde. Er stond een boeddha die lachte om de trieste wending die de geschiedenis had genomen. Ik vond het altijd moeilijk de boeddha serieus te nemen: zijn dikke, simpele gezicht dat altijd zo verrukt leek over het vooruitzicht op eeuwigheid.

Dokter Kris sloeg het boek open dat ze van de plank had genomen, ingebonden exemplaren van het *Journal of the American Psychoanalytic Association.* Het zag er zwaar uit en er staken heel wat papiertjes tussen de pagina's. Toen de dokter het boekwerk plat legde, zagen we de woorden 'Ernst Kris' staan en boven aan de pagina het jaar '1956'. Terwijl mijn baasje me aaide, kreeg ik een idee van wat zij op dat moment voelde: een zekerheid, en geen onplezierige zekerheid, maar een echt bevrijdende zekerheid dat de analytica probeerde haar onderuit te halen. Zo zat het. Marilyn had dokter Kris haar verhaal langgeleden verteld en de dokter had het heel knap omhooggehaald uit almaar diepere en diepere bronnen, Marilyn behandelend als een gekwetst kind. En nu was het proces van richting veranderd en moest Marilyn een reeks aanvallen op haar 'persoonlijke mythe' ondergaan. In feite wilde ze maar al te graag onderuitgehaald worden: die winter was ze aan het einde van haar oude zekerheden gekomen, en ze wilde nu boven alles vrij zijn van zichzelf. Door de maanden heen had ik een verandering in de kleuren van haar gedachten opgemerkt, alsof haar geest van seizoen was veranderd. Ze nam meer drugs en gedroeg zich alsof het misschien wel goed was zich te onttrekken aan de eisen en verwachtingen van het zichzelf zijn. Ze liet oude vrienden vallen en zocht een nieuwe rol: inderdaad ja, ze speelde dat ze een serieuze actrice was, de grootste rol van haar leven. En dat betekende dat ze de hele tijd vlak langs de rand van de gekte liep, haar werkelijkheid manipuleerde om tegemoet te komen aan de eisen van een verschrikkelijk, onkenbaar ideaal. Ik keek ernaar en ik zag de tranen en de kleine paniekaanvallen tegen bedtijd. Maar ik zag ook de nieuwe hardheid: de vastberadenheid die over haar kwam, alsof de dingen moesten veranderen of eindigen. 'De karikatuur is een geruststelling voor jezelf en voor anderen', zei dokter Kris. 'Maar ze kan ook een ontkenning of vervorming van de ware eigenheid inhouden. Misschien vertrouwt Anna Christie op mannen om haar te vertellen wie ze is. Misschien wil ze zelf iets zijn, niet slechts een dochter of een echtgenote, toch?'

'Mooi gezegd', zei Marilyn.

'Mensen. Ik bedoel vrouwen. Ik bedoel ook kinderen. Wij vertrouwen misschien wel vaak op mannen en haten ze vervolgens heel diep omdat we op hen vertrouwen.'

'Is dat Anna's probleem?'

'Misschien. Maar is het ook jóúw probleem?'

Ik keek naar Marilyn, die een beetje vooroverboog over het bureau en op die peinzende manier van haar ademhaalde. Zeg het, zei ik. Ik ben pas gelukkig als je het zegt. Kom op. Als je eigen lieve puppy eis ik dat je je stem verheft. Marilyn glimlachte. 'En misschien is het ook uw probleem, dokter Kris.'

Brave meid.

En wat deed de analytica, de dochter van de beroemde kinderarts Oskar Rie, de jeugdvriendin van Anna Freud en patiënte van niemand minder dan Freud zelf, wat was haar antwoord op het argument van mijn baasje? Ze schikte de potloden in haar pot en liep naar het venster, waar ze de houten jaloezieën bijstelde en een Indiaas kussen verlegde. Dokter Kris draaide zich om met een serene uitdrukking op haar gezicht en toen ze sprak, citeerde ze klaarblijkelijk uit het boek dat een paar meter verder open op haar bureau lag. 'Mijn uitgangspunt is een meer specifiek klinische ervaring', zei ze. Marilyn kneep me zonder veel te bewegen: dat doen mensen met hun dieren, ze knuffelen ze, ze knijpen ze, maar eigenlijk knuffelen ze dan zichzelf. 'Het betreft een kleine groep individuen,' vervolgde dokter Kris, 'wier biografische zelfbeeld bijzonder sterk is en alle perioden van hun leven omvat, vanaf hun vroegste jeugd. Hun persoonlijke geschiedenis is niet alleen, zoals je zou verwachten, een essentieel onderdeel van hun zelfbeeld, maar is ook een dierbaar bezit geworden waaraan de patiënt bijzonder verknocht is.' Marilyn stond op en zette mij op de leunstoel. Ze pakte de zwarte pruik en de zonnebril. Dokter Kris ging strijdlustig verder. 'Deze verknochtheid weerspiegelt het feit dat het autobiografische zelfbeeld opvolger is geworden van belangrijke vroege fantasieën, die het in stand houdt.'

'John Huston maakt een film over het leven van Freud', zei mijn baasje, terwijl ze haar jas aantrok. 'Hij wil mij als Cecily. Zij is gebaseerd op Anna O. Vindt u dat een goed idee?'

'Nee, dat vind ik niet', zei dokter Kris zonder aarzeling. 'Ik vind het in alle opzichten een heel verschrikkelijk idee.'

'Gossie', zei Marilyn. 'Wat kan ik daar nog op zeggen.'*

Inmiddels was dokter Kris terug bij haar bureau en staarde ze omlaag naar het boek. Ze keek op. 'Stoppen we vroeg?' zei ze.

'Ik denk van wel', zei Marilyn. 'Ik moet nog werken.'

'Oké, Marilyn.' Een moment later begon ze weer hardop voor te lezen uit haar boek. 'De levenswijze van de patiënt', zei ze, 'is misschien het best te beschouwen als een heropvoering van een deel van de onderdrukte fantasieën die een onderkomen hadden gevonden in hun autobiografische constructies.'

'Onderkomen is mooi', zei Marilyn.

In de hal, waar we wachtten op de lift, kwam er uit het park plotseling een verfrissende koude bries omhoog. Morgen zou het weer gaan sneeuwen. Ik wilde terug naar het New York van de jaren vóór de gebouwen, vóór de auto's en de moderne schilders en de dure psychologen, terug naar de tijd van de Nederlandse munten en dat ene schip in de haven. Marilyn mompelde een paar van haar zinnen, bette haar ogen en giechelde. Ze stopte me boven in haar jas, en we wachtten op de lift, terwijl achter ons in de kamer van de dokter de muziek alweer klonk.

---

* Na verschillende pogingen mijn baasje over te halen werd de rol uiteindelijk aanvaard door Susannah York. Jean-Paul Sartre, die het oorspronkelijke scenario had geschreven, had het liefst Marilyn gehad. Het lag niet op zijn weg en evenmin op die van Marilyn. Tot zo ver *Les Chemins de la liberté*.

8

Als avontuur het element van de schurk is, dan is beweging zijn zuurstof. Ik had gehold en gehobbeld en gerold en gebedeld, ik had die dag geblaft, ik had me de poten onder mijn lijf uit gerend achter daklozen aan en taxi's en heliumballonnen met daarop het woord ESSO. 's Middags vond ik nieuwe werkwoorden om me eigen te maken, net zoals de acteurs in 44th Street die door hun haar wreven en wensten dat ze Marlon Brando waren. Er spreekt veel voor acteurs: ze houden mensen een spiegel voor, al lukt dat maar weinigen echt goed. Ik heb een beeld van mevrouw Higgens in de keuken van Charleston, bezig blauwe grasklokjes in een gele vaas te schikken. Ik zie ze voor me telkens wanneer ik nadenk over het talent van een acteur: de blauwe grasklokjes waren heel reëel en vochtig van de dauw, maar het was alsof ze in dat huis wachtten op hun transformatie tot kunst, wat weken duurde. Tegen de tijd dat de verf droog was, waren de echte bloemen al verwelkt. Om iets blijvends te creëren moesten de jonge acteurs alles geven wat in hen zat.

In Amerika kon in die tijd de verheffing van het persoonlijke aandoen als een moment van historische proporties. In veel opzichten geldt dat ook voor mijn leven. Al die jonge acteurslui waren net als ik van elders gekomen, maar je hoorde hun stemmen Amerikaans worden, modern worden, terwijl ze zich in die jaren aansloten bij een nieuwe kijk op ruimte, seks, geld en kunst. Meneer Strasberg vulde de voormalige kerk aan 44th Street met herinneringen aan het Moskouse Kunst Theater. Alles leek zo persoonlijk voor meneer Strasberg, wiens ogen nog steeds volschoten van verdriet over zijn broer Zalmon, die stierf tijdens de griepepidemie van 1918. In de voormalige kerk aan 44th Street hoorde je de optimistische nieuwe stemmen zich door de vestibule worstelen, de zonen en dochters van elders. Ze hadden vaste grond gevonden en hun oorsprong bepaald. Ze waren Amerikanen. In deze en andere, soortgelijke gangen voelde ik de spanning van nieuwe stemmen die zich bij een grote traditie voegden. En ik moet zeggen dat ik het gevoel had deel uit te maken van die spanning.

Daar was de stem van Ismaël die een gewelddadige God aanriep, de stem van Walt Whitman die zichzelf en de eenzame weg bezong, Fitzgeralds stem die zoete waarheden kweelde naar de geest van die tijd, Gertrude Stein en Bugs Bunny, grappen uit de hoed halend, Mr. Ed, het sprekende paard, dat in 1961 op televisie verscheen en zijn sporen achterliet in de lange huifkarrenkaravaan van de Amerikaanse retoriek, Huck Finn en Stuart Little, Elvis Presley en Emily Dickinson, Holden Caulfield en Tweetie Pie, Sal Paradise en Neal Cassady, Daffy Duck en Harold Arlen en John Kennedy en Augie March. Geboren in Amerika. Met luide stem. Het was voor ons trotskisten nooit gemakkelijk te aanvaarden, maar het was Amerika, dat dierbare, prachtige, kinderlijke Amerika, dat het verhaal van de persoonlijke ambitie koppelde aan de mythe van een gemeenschappelijk bewustzijn, wat resulteerde in een lofzang, jazeker, op de toekomst, de spirit en het golvende land. Het had allemaal te maken met hoop. Miljarden schepselen sloten 's avonds de ogen, zich afvragend of de wereld er 's morgens nog zou zijn. De Koude Oorlog was magisch. Hij bracht ons in aanraking met de vitaliteit van alledag in een context van wederzijds verzekerde vernietiging. En sommigen van ons vonden daar hun stem, op het toppunt van de vernietiging. Ik besef dat ik de contouren en de vervorming ervan heb gezien en ik voeg nu mijn stem daaraan toe. Terwijl ik daar stond in die gang, realiseerde ik me dat een nieuw idee zich had weten binnen te wurmen in de Amerikaanse aard: het was onhomerisch, gaf onze reizen een nieuwe urgentie. De gedachte was: je kunt niet meer terug naar huis.

Meneer Strasberg kwam de repetitieruimte in. Daar was hij, de goeroe, de tovenaar, de schurftige oude tekenfilmkat. Hij was beducht voor zijn eigen vrouwelijkheid, en daarom sprak hij misschien vaak in verzen, maar in het geheim had hij Colette bestudeerd en probeerde hij zo veel mogelijk als een kat te denken. De studenten, opgewekt en ademloos van belofte, zaten in rijen en bekeken Strasbergs besnorde gezicht. Waar dacht hij aan in die seconden voor hij begon te spreken, vroegen ze zich af. Zal ik het u eens vertellen? Het kwam op me toegerold als een blinkend dubbeltje over de geboende vloerplanken. Hij dacht aan Kiki-la-Doucette, Colettes kat, die door de kamers met groene wanden van haar appartement in de rue de Courcelles zwierf en haar delicieuze viezigheid op het parket deponeerde. De sfeer in het Parijse appartement was verbitterd, zo herinnerde Lee zich.

Ongelukkig.* Als Lee een gevoel van intelligente sereniteit wilde bereiken, probeerde hij een beeld op te roepen van sneeuw, zoals die viel op de laatste dag van 1908 in Parijs. Hij herinnerde zich een brief van Colette waarin ze het had over sneeuw die viel 'als een sluier van chenille, poederig en vanilleachtig op de tong', en daaraan dacht hij toen hij keek naar de sterren die voor hem zaten in de Actors Studio. Een aardige heer die Kevin McCarthy heette, paste op mij. Ik zat op zijn schoot te kijken hoe meneer Strasberg de klas begon toe te spreken, diens ogen een ietsepietsje opgeslagen van verrukking, terwijl zijn laatste gedachte vergleed, de gedachte aan Colette buiten in de Parijse sneeuw met haar huisdieren, spelend, zoals ze schreef, 'als drie zottinnen in de verlaten straten'.

'Ik heb ook een stem', zei ik tegen Kevin. 'Hij wordt al maanden voller en beter.'

Ik beken dat ik een seconde later moest lachen. Zittend op de schoot van meneer McCarthy ving ik diens herinnering op aan iets wat mijn baasje tegen hem had gezegd. 'Lee heeft me geleerd te ademen als een acteur', had ze gezegd. 'Ik bedoel, er zijn ook nog andere dingen waar ademen goed voor is, althans dat zeggen ze.'

'Hou je vast, kereltje', zei Kevin.

Lee Strasberg sloeg zijn ogen neer van het plafond en vestigde ze direct op mij, dus rolde ik me op, en hij stak van wal.

---

* Meneer Strasberg dacht aan Natalie Barneys uitspraak dat Colette haar dieren koos om hun gelijkenis met haarzelf. Later gaf ze Kiki een hoofdrol in haar roman *Dialogues de bêtes*, volgens mij een meesterwerk in dit genre.

Want daar ligt onze glorie, beste spelers, beste vrienden:
Ons te spiegelen aan helderzienden.
Soms stokken we, dan weer zijn we iets vergeten,
Maar de hemel blijft de maat waar wij ons aan meten.
Wat we pogen te vangen is het mysterie van tijd,
Geloof enzovoort,
Het sublieme wijd en zijd.

Verbeelding is de god van allen,
Henry, Marilyn, Paul, is dat jullie opgevallen?
Laat vooraf niet merken wat je van een scène kent,
Kom gewoon alleen naar huis, alsof je wezen dansen bent,
Waar de gouden klokken van het moderne met luiden beginnen,
Uit een plek ergens diep van binnen.
De Methode, het systeem, dat is het helemaal:
Hard werken enzovoort,
Maar verwezenlijk je ideaal.

Op de Lower East Side als een zoekende ziel,
Verdeed ik ooit mijn tijd in de wereld van O'Neill.
De cafés, de dokken, de immigrantensfeer,
Het maakte ons hoeder van de geest van weleer.
Nu nog ben ik de geur van de pruikenmakerslijm indachtig,
Herinnering enzovoort,
Het maakt ons waarachtig.

Maak niet de stilte door applaus navrant.
Acteren is in 't openbaar persoonlijk zijn, want
De kunst van het ervaren is de kunst van het leven,
Niet Garbo, of een man of een vrouw weer te geven,
Maar volledig bewustzijn is de enige wens,
Voelen enzovoort,
Opnieuw de mens.

Ze konden met moeite een applaus bedwingen. Dit was Strasberg op zijn befaamde, sentimentele best, opgetogen en uitbundig, grote tranen blinkend in zijn verwoeste ogen. Hij kon als geen ander mensen ontroeren met louter de schaal en de kracht van persoonlijke emotie: hij had geen betere argumenten dan andere leraren, geen zuiverder teksten of origineler ideeën, maar hij bezat diepere gevoelsreserves en hij kon die in een oogwenk naar de oppervlakte halen met een voor de groep onweerstaanbaar charisma. Hij probeerde te overtuigen, niet met de subtiliteit van zijn exposé, maar met de omvang van zijn gevoelens, altijd de techniek van de sterke leider en de effectieve bullebak. Maar hoe liefdevol hij ook sprak over zijn acteurs en hun potentieel, het was altijd met iets van een slecht humeur. Zoals bij alle goden, en bij veel Amerikanen, verhulde zijn succesformule een verschrikkelijke woede bij de gedachte aan mislukking. De dag dat ze scènes uit *Anna Christie* opvoerden, was hij als een oude koning die zijn kroonjuwelen toonde. Meneer Strasberg was nog nooit zo gelukkig geweest zichzelf te zijn. Hij ging zitten.

Er staat een grote witte kast in de hoek van de hut. Op de kastdeur hangt een spiegel aan een spijker. In het midden staan een tafel en twee stoelen met rieten zitting. Bij de tafel staat eveneens een krakkemikkige, bruingeschilderde rotan schommelstoel. Er ligt een krant. In de verte klinkt het geluid van een stoomboottoeter. Burke kijkt over de tafel naar zijn rivaal Chris en zegt: 'We zullen nog weleens zien wie er uiteindelijk wint – jij of ik.' Dan kijkt Chris naar Anna en zegt: 'Jij blijft hier, Anna, hoor je me!' En op dat moment plaatste Marilyn plotseling Anna in het hier en nu: ze zat te friemelen aan de zoom van haar rok, haar ogen vulden zich met tranen en toen ze haar mond opende, verscheen er heel even een sliert speeksel. Ze zei niets. Haar bewustzijn leek gevangen tussen iets zeggen en het niet zeggen. Ze dacht aan een tijd jaren daarvoor op het strand van Santa Monica: er zat zout op haar lippen van het zwemmen en er zat zand op de arm van Tommy Zahn. Zijn arm was warm van de zon en hij rook zo jong en zo volmaakt als Californië. Hij zei: 'Norma Jeane. Hebben ze je moeder naar de inrichting gebracht?'

'Zeg, wat ben ik eigenlijk?' vraagt Anna.

Mat Burke: ''t Is niet wat je bent, 't is wat je vandaag gaat zijn – en dat is getrouwd met mij voor de avond valt. Schiet nou maar op met aankleden.' Een woordenvloed, en Marilyn dacht aan Jim Dougherty, die haar vertelde dat een fatsoenlijk meisje niet in een fabriek hoort te werken als haar man van huis is. Ze woonden op Catalina Island. Ze hoorde de zee en proefde het zout weer. Het zout smaakte naar koper, naar geld. Het kwam bij haar op dat ze altijd een prostituee was geweest. Burke: '... ze krijgt van nou af aan haar orders van mij, niet van jou.'

Anna lacht. 'Orders nog wel!'

Ze loopt om de tafel heen en onder het lopen strijkt ze over haar haar en verliest ze haar geduld. Marilyns stem was opgegaan in die van Anna: ze heeft het gevoel dat ze zindert met Anna en dat ze met Anna innerlijk verdriet heeft. Ze moet denken aan haar jeugdvriendinnetje Alice Tuttle, die zo veel beter dan alle anderen was voorbereid op het leven. Zij was te jong voor jongens. Dan verdwijnt het gezicht van het meisje. Marilyn herinnert zich een auto die Norma Jeane van inbeslagname wist te redden door naakt te poseren voor een kalender. Ze betaalden haar vijftig dollar. Tom Kelly nam de foto. Ze moest ook nog andere dingen doen, maar het stuur was warmer dan Tommy Zahns arm. De herinneringen komen langs in een paar seconden. Ze ziet Anna in de spiegel terwijl ze langs haar loopt: ze blijft staan om een haartje van haar tong te plukken. 'Val dood, allebei!' zegt Anna. 'Jullie zijn al net als de rest – jullie twee! God, ik lijk wel een meubelstuk! Wacht maar af! Ga zitten nu! Ga zitten en laat me even praten. Jullie hebben het helemaal verkeerd, snap je? Luister naar me!'

Ze wordt boos. Ze wil een stuk van de tafel afbreken. Ze moet denken aan *The Misfits*, en het zand aan de rand van de woestijn in Reno, de onmenselijkheid van dat oord en het verlies van de liefde. Het was Arthur: hij was getrouwd met zijn typemachine, niet met mij. En dat personage Roslyn. Wat was zij? Als hij me zo ziet, dan ben ik niet voor hem bestemd en hij niet voor mij. Een lekker stuk. Een slet. Toneelschrijvers zijn allemaal zakkenwassers die willen dat vrouwen verdrinken. Ze willen dat ze verdrinken, stikken en doodblijven. 'Ik ga jullie een leuk verhaal vertellen, dus opgelet', zegt Anna. 'Ik was van plan het op hem los te laten telkens wanneer hij me op de kast jaagt met zijn gelul over me veilig op het platteland houden.'

Ze sprak en schreeuwde, rukte aan zichzelf en hoonde de lucht. 'Ik wil jullie twee kerels wat zeggen. Jullie deden of 'k een van jullie was. Maar 'k ben van niemand, snap je?' En ze spreekt de tekst uit alsof ze altijd niets liever had gewild dan van iemand te zijn. Maar niet op die manier. Ze is allang vergeten dat ze haar teksten vergat: ze ontdekt iedere zin met de gedachte die erin leeft. Ze hangt over de tafel en kust op een bepaald moment zachtjes het hout.* Een van de pleeggezinnen had een goede tafel in de hal en de man kwam op een nacht naar haar kamer, en het is er allemaal, een deel van Anna's wens om te spreken. Ze herinnert zich een gekraak op de trap en opnieuw het zout. 'Ik kon er helemaal niks aan doen', roept Anna. 'Ik haatte 'm als de hel en hij wist 't. Maar hij was groot en sterk.' Ze wijst naar Burke. 'Net als jij.' Sommige mensen in het publiek begonnen te huilen: vraagt Anna om straf of verlossing van iets verschrikkelijks? 'Daarom ben ik weggelopen van de boerderij', zegt ze. 'Daarom ben ik ... verpleeghulp in St. Paul geworden.'

De man Kevin was gespannen: hij kneep me op het hoogtepunt van iedere zin en zijn spanning ging gelijk op met de spanning in het stuk. 'Als je ooit een echte vader zou zijn geweest ...' zegt Anna. Marilyn kruipt uit haar cocon. Het publiek kon dit delicate loskomen voelen, deze uiterst menselijke beweging, en het kon observeren hoe deze persoon, op zoek naar een persoon om te worden, Anna's povere schim volgde uit de bladzijde naar een vreemde, nieuwe, levende werkelijkheid. Er zijn maar enkele stoelen en rekwisieten, maar Anna lijkt de ruimte te vergroten en ons in de wijde wereld buiten ons te brengen. Voor wezens die van dat soort

* Ze dacht ook aan Garbo. Ze stelde zich voor dat haar vertolking van Anna een voetnoot bij Garbo was en een uitgestoken hand naar de verdwenen actrice.

dingen houden, was het een klein wonder, iets wat ik niet als vanzelfsprekend zou willen beschouwen tijdens dit verslag van mijn avonturen. Het is me opgevallen dat mensen zich omringen met materiële geneugten om hun angsten te verbergen, maar Marilyn dook midden in die angsten en zag het als haar taak uit te vinden wat voor soort persoon ze zou kunnen zijn. Ze speelde de rol. De meeste mensen komen daar nooit aan toe en leren zichzelf nooit kennen. De meeste mensen beelden zich in dat zichzelf zijn een volmaakt alibi is om niet iets beters te zijn.

De schuit en de haven waren vreselijk echt. Het was moeilijk niet te denken aan de boten die tegen de wind in voeren in de roman van Fitzgerald en ik glimlachte bij de herinnering aan de deining van die passage. Dat was de richting in de Amerikaanse literatuur waar mijn verbannen vriend Trotski het meest van genoot: precies daar ontdekte hij het vuur van de vrijheid en verbeeldde hij zich dat die vals was. (Trouwens, een van de dingen die alle literaire honden aardig vinden bij Trotski, is het idee dat de beste literatuurcriticus van het land een geboren wereldleider had kunnen zijn.) Marilyn had zichzelf overtroffen: haar Anna Christie kwam over als een bevrijde ziel, een persoon die nee zei tegen wijdverbreide onbeschaafdheid, en ja tegen idealisme. Ik keek de rij langs en zag meneer Strasberg huilen in zijn handen en het publiek de adem inhouden. Ze keek naar ons. 'Geloof je me', zei Anna, 'als ik zeg dat mijn liefde voor jou me ... gezuiverd heeft?'

Niemand van het publiek kende het verhaal dat Stanislavski altijd vertelde over de hond die naar zijn repetities kwam. De hond was gewend te slapen tijdens de sessies, maar precies op het moment dat het tijd was om te gaan, werd hij wakker en verscheen hij bij de deur. De Grote Russische Acteur zei dat dit kwam doordat de hond altijd reageerde op het moment dat de acteurs weer met hun normale stem gingen praten. In weerwil van al hun zoeken naar waarheid waren de spelers tijdens het acteren altijd iets anders dan zichzelf, en de hond kon de verandering horen.* Dit leek zo relevant voor mijn eigen interesses dat ik er nog lang over zat na te denken op de metalen stoel, en de groep roezemoesde rond in de studio om te feliciteren en te zoenen.

De gelukwensers stonden samengedromd in het kantoor van Strasberg, de beroemde figuren en de politieke types, Shelley Winters, Kim Stanley – 'geweldig, schat, het was verpletterend' – en een tiental anderen, met inbegrip van een alerte jonge infiltrant van de FBI. Marilyn zat op een chaise longue champagne te drinken: in de roes van haar triomf leunde ze bevallig en ontspannen achterover, glas in de hand, sigaret met rook kringelend naar het verkleurde plafond. Aan haar voeten gezeten realiseerde ik me tevreden hoeveel we leken op George Clairins schilderij van Sarah Bernhardt in het Musée de la Ville de Paris. Mevrouw Bernhardt rust op een fluwelen sofa, met haar wolfachtige barzoi op de vloer naast haar gelegen, en zowel de dame als de hond kijkt sereen voor zich uit, in het besef dat zij het zijn die het middelpunt vormen van de verwondering van de mensen.

---

* Ik hou van Stanislavski's hond, vooral omdat zijn gedrag indruist tegen dat vreselijk primitieve idee van de heer Pavlov over mijn soort. Telkens als ik denk aan de kwijlende dwazen van die geleerde, met hun machineachtige reflexen, schaam ik me. Russische honden uit die tijd zuchtten, net als hun bazen, onder een weinig benijdenswaardig juk. En Stanislavski's hond had de intuïtie van een kunstenaar.

Marilyns beroemdheid maakte mensen licht in hun hoofd. Na de les ontstond er een feestje aan de overkant van de straat en werden de acteurs luidruchtig in een buurtcafé. Meneer Strasberg kwam de tent binnenglippen, zijn handen opstekend als iemand die blij was te kunnen zeggen dat hij niets van cafés wist. Zijn vrouw Paula was er en zij friemelde aan haar portemonnee. 'Een scharrebier, boebi?' vroeg ze terwijl ze met een bundel dollars naar de barman wapperde.

'Dat is goed', zei hij lachend. 'Net als Prince Hal in de Boar's Head Tavern. Het is geen hoogverraad om scharrebier te drinken.'

'Alles staat in Shakespeare, hè?' zei een slim joch met een bolle kop, lelijk, met kwijl en bewondering voor het theater. Hij studeerde de hele dag en de halve nacht op Shakespeare en Ibsen in zijn armetierige appartementje aan MacDougal Street.

'Ach, de Bard', zei Strasberg. Hij deed graag vrolijk in een vrolijke situatie, maar de leraar ging al even prat op zijn kennis als op zijn passie. Hij had de gewoonte om zijn vergissingen af te doen als iets wat hem alleen maar interessanter en betrouwbaarder maakte, een Engelse pose die hij jaren tevoren had opgedaan. 'Misschien heb ik gewoon de Hendrik-stukken door elkaar gehaald', zei hij. 'Zo gaat dat met vermeende deskundigheid, jongeman.' De jongen knikte en nam een slokje bier. Hij bereidde een volgend salvo voor. De goeroe vermoedde zoiets, knipoogde en bewoog zich naar de hoofdtafel, waar Marilyn zat. Strasberg had het instinct tot zelfbehoud van de leider: hij verspilde zijn bon mots liever niet zomaar, aan één student. Strasbergs ijdelheid vereiste een select publiek om zijn inspiratie op los te laten.

De groep rond de tafel had het erover hoe de National

Broadcasting Corporation kort tevoren een acht minuten durende sketch van *The Art Carney Show* had verboden, omdat daarin de aanstaande president werd geparodieerd. 'Helemaal niets mag worden uitgesloten van humor of komedie', zei Paula. 'Het is absurd.'

'Kweenie', zei Paul, de acteur die Anna Christies vader had gespeeld. 'Niets is meer heilig als je de president en zijn vrouw op de hak gaat nemen. Sommige dingen zijn het gewoon waard om serieus bij te blijven.'

'Wow', zei Marilyn. 'Laat iemand hem kietelen.'

'Dat is gewoon hartstikke fout', zei Shelley Winters. 'Hartstikke fout, verdorie. Luister eens, Paul. Er is eigenlijk helemaal niets wat niet grappig is. Niets mag worden verboden alleen omdat het grappig is.'

'Komedie is beslist de, hm ... de moeilijkste theatervorm om goed te doen', zei Marilyn. Ze keek in de richting van meneer Strasberg.

'Dat klopt', zei hij. 'We hadden het daarnet over Shakespeare. Ik en die jongeman.' Hij knikte naar de knaap, als om te bevestigen dat hij een goede beslissing voor hen beiden had genomen. 'En Shakespeare wist dat komedie in de eerste plaats een verheffing van het tragische was om de dimensie van het waarachtig menselijke te bereiken.'

'Gatverderrie, Lee', zei Marilyn. 'Ik verzoek je dat tegen Billy Wilder te zeggen als hij me de volgende keer de benen onder mijn kont uit laat dansen en me over mijn ukelele laat struikelen.' De groep lachte, klonk erop en viel uiteen in nieuwe flarden van gesprekken, en toen bracht Marilyn ze weer bijeen door mij op de tafel te tillen.

'Aha', zei Strasberg. 'De hond zelf. Het is Krab zelf.'

'Wie?'

'Krab, de enige hond die een echte rol heeft in het hele oeuvre van Shakespeare. Een komische wending nog wel, in *Twee edellieden van Verona*. Hij is wel de grootste toneelsteler in de Engelse literatuur genoemd. Moet je zien hoe hij naar me keft. En hij richt zich tot jou en tot jou.'

'Niet zo gemeen, Lee.'

'Is niet gemeen. Het is een vrolijke hond. Kom, Krab, vertel ons wat beter is, vriendschap of liefde.'

'Niet zo gemeen tegen Marilyns hond, boebi', zei Paula aan de rand van de tafel. 'Hij is nerveus.'

'Nee, dat is niet zo. Ik ben niet nerveus, jij lóéder. Jij omgekeerde vleermuis.'

'Zie je die zachte snoet? Hij fronst', zei Strasberg, overgaand op zijn Shakespearestem. '"Ik geloof dat Krab, mijn hond, wel de hardvochtigste hond is van alle honden op Gods aardbodem: mijn moeder aan het schreien, mijn vader aan het jammeren, mijn zuster aan het grienen, onze meid aan 't janken, onze kat aan 't handenwringen, en heel ons huis in de grootste ontsteltenis, maar dat wreedaardige beest, het vergoot zelfs geen enkelen traan!"' Hij omvatte mijn kin. '"Hij is een steen, een echte keisteen, en er zit in hem niet meer medelijden dan in een hond: een jood zou geweend hebben, als hij ons afscheid gezien had."'

'Oi!' schreeuwde mevrouw Strasberg.

De jonge Shakespearekenner uit MacDougal Street stond op met zijn glas, plotseling stralend van acteurschap. '"Ik ben de hond",' citeerde hij, '"neen, de hond is zichzelf en ik ben de hond; – och, de hond, dat ben ik, en ik ben mijzelf: ja, ja, zoo is 't."' Strasberg zwaaide met zijn hand over de tafel en legde een vinger op mijn halsband.

'Nu, de hond vergiet al dien tijd door geen enkelen traan',

zei hij, 'en spreekt geen woord; maar ziet eens hoe ik het stof vastleg met mijn tranen.'

'Je bent wel heel devoot', zei Marilyn tegen de jonge shakespeariaan. Ze nam hem op, hardop denkend. 'Waarom lach je niet naar mijn stomme, blije ik?' De jongen werd lichtgrijs. Het licht van de kroonluchter was warm, een schijnwerper, en mijn poten voelden zacht op de kleverige tafel. Plotseling had ik het gevoel dat mijn ogen naar links en rechts moesten schieten om beschutting te zoeken voor het onweer aan de rand van de heide. Een hutje. Ik kon de koude windvlaag op mijn oogballen en het vocht in mijn botten voelen. 'Arme Maf die heeft 't koud', zei ik tegen hen, mijn publiek, mijn vrienden de acteurs in hun vrolijke stemming. Ik keerde me naar binnen. Diep naar binnen. Ik herinnerde me een vernedering die ik ooit onderging door toedoen van Evelyn Waugh en een croquetbal. Ik moet nog maar een heel kleine puppy zijn geweest en keutelde wat rond op het gazon van Bushey Lodge, waar meneer Connolly woonde. Jawel, ik was warempel aan het dartelen. Evelyn maakte een opmerking, een flauwe opmerking natuurlijk, over de lelijkheid van George Eliot, en toen ik hem probeerde te corrigeren volgens Latijnse beginselen, sloeg hij een croquetbal gevaarlijk hard over het gazon en die trof me midden op mijn babyvoorhoofd. Het voorval kwam bij me boven als een gevoelsherinnering. Ik gebruikte het om mijn voorstelling op de tafel achter in Jack's Bar uit te diepen. Ik denk dat de Method me in zijn greep had: ik rilde van de kou en vergat mezelf een seconde lang.

'Haal wat water voor het mormeltje', zei Strasberg. 'Hij wordt nog gek van al dit lawaai.'

'Ai', zei mevrouw Strasberg. 'Het lawaai van cafés laat je

niet onberoerd. Ongezonde oorden.'

'We hadden het over de komedie', zei Shelley. Een amusante New Yorkse uitgever die ik ooit ontmoette, zei dat Shelley Winters het soort vrouw was dat de homoseksueel in ons allemaal naar boven haalt. Ze leefde ongetwijfeld alsof ze zelf niet kwetsbaar was. Ik heb haar maar een paar keer ontmoet, maar ik zag wel dat ze mensen altijd hun vet wilde geven – hun karakter, zoals Mammie Duff, de moeder van mijn Schotse fokker, altijd zei – en je vermoedde wel dat haar getreiter meestal onbewust was of anders onder het verschrikkelijke hoofdje Ware Vriendschap viel. 'Hoe zit het met jou, Paul? Jij hebt sinds 1932 geen lachje meer op je gezicht gehad.'

'Dat klopt – komedie', zei Paul, haar negerend, maar ongetwijfeld gedoemd om naderhand over haar opmerkingen te gaan piekeren. 'Je moet de strategie van de grap doorgronden. Ik bedoel, Freud, nietwaar? In het begin van de komedie was het idee een heel stel acteurs op het toneel te laten rondspringen met grote, opgevulde penissen voor.'

'Vruchtbaarheid!' zei Strasberg.

'Was dat 't?' zei Marilyn. Ze keek weer als een kind en ze beet op haar lip.

'De Grieken speelden de komedies na drie dagen van tragedies', zei hij.

'Dat klopt', zei mevrouw Strasberg. 'Komedie was het aanhangsel. Toch? Wat vertier na zo veel gruwel.'

'Het aanhangsel', zei haar man. 'Heel goed, Paula. Heel goed, het aanhangsel.'

'Ik denk dat ik niet graag een lachertje wil zijn', zei Marilyn. 'Het is zo gemakkelijk om een lachertje te worden.' Ze sprak op fluistertoon.

'Jij hebt dat luchtige dat Garbo had als comédienne', zei Strasberg. Hij vond het leuk om Marilyn te vleien, omdat hij geloofde wat hij zei en omdat hij haar graag zo zichtbaar zag stralen tussen haar collega's. (Het streelde bovendien zijn ego om te zien hoezeer ze behoefte had aan zijn goedkeuring.) 'Het is altijd een zaak van intelligentie en instinct.'

'En intentie!' zei ik. 'George Orwell heeft gezegd dat elke grap een kleine revolutie is.'

'Als je het over komedie hebt,' zei mevrouw Strasberg, 'moet je niet vergeten dat je net zo hard voor de waarheden ervan moet vechten als voor elke andere waarheid op aarde. Honderdduizend mensen zijn naar de goelag verbannen omdat ze grappen vertelden. Dat wil ik alleen maar zeggen.'

'En Chroesjtsjov heeft ze vrijgelaten, toch? De komedianten, bedoel ik.'

'Inderdaad', zei mevrouw Strasberg. 'Hij liet ze vrij uit de gevangenis in dezelfde maand dat hij de tanks naar Hongarije stuurde.'

'Het zal altijd een geweldig beeld blijven', zei Shelley Winters. 'Het beeld van die stakende komedieschrijvers. Wij hebben na de oorlog een beetje campagne gevoerd voor Wallace, hè, Marilyn? We waren nog kinderen. En je zag die komedielui razen en tieren. Dat waren grote schrijvers.'

'Nou', zei Marilyn. 'Met een ervan heb ik nog gevreeën. Die vent die bij UPA werkte.'

'Die van de tekenfilms!'

'Knappe vent. Te veel echtgenotes.'

'Dit is Westkustgeklets', zei Strasberg tegen de jongen uit MacDougal Street.

'Kom op, Lee', zei Shelley Winters. 'Die lui hebben bij Disney destijds het werk neergelegd. Het waren stakers.'

'Socialisten', zei Marilyn.

'Het ging over stijl', zei ik. Ik sprong op schoot bij mijn baasje. 'Het was een onenigheid over stijl. Volgens die lui propageerde Disney het idee dat animatie de cinemawerkelijkheid moest nabootsen, een imitatie van het echte leven. Die jongens vonden dat de verkeerde esthetiek: zij wilden een romance tussen komedie en politiek, snap je, op het vlak van nieuw ontwerp, nieuw karakter, grafische vrijheid. United Productions of America stond model voor de manier waarop kunst en maatschappelijk bewustzijn de werkelijkheid konden verbeteren.'

'Hun tekenfilms hadden een boodschap', zei Shelley Winters.

'Nou en of', zei Marilyn. 'Een boodschap? Ze waren zo rood als wat.'

'Nou', zei Winters. 'Het Comité viel over ze heen, als een vleugelpiano.'

'Ik kan niet geloven dat we het hebben over tekenfilms', zei Lee Strasberg op zijn Oom-Wanjatoon.

'Ach, hou toch je kop, jij ouwe bok', zei ik. 'Als iets niet uit z'n ogen bloedt en op het voortoneel struikelt met een reusachtige zandloper denk jij dat het frivool is.' Marilyn zette me terug op tafel. Strasberg was zenuwachtig. Hij wist in wezen niets van komedie en hij dacht eigenlijk dat kunst in wezen hoger stond dan politiek. Hij vond altijd dat er om het woord 'volkscultuur' een zweem van buskruit hing.

'UPA was binnen een week zijn meest briljante werknemers kwijt', zei Shelley Winters. 'Iedereen met ook maar enige connectie met het communisme. Ze zijn helemaal opgehouden met maatschappelijk geëngageerd werk. Maar nu neemt iedereen hun stijl over.'

'Wow', zei Marilyn, terwijl haar gedachten afdreven. 'En het was zo'n aardige kerel.'

Er kwam een ober met een volgende ronde drank, en ik werd herinnerd aan een bepaalde, door mij betreurde Engelse gewoonte: de hogere standen die een radicale politiek voorstonden, terwijl hun bedienden hun thee serveerden. Marilyn keerde zich naar Paula toen het gesprek op Clifford Odets kwam. Ik nestelde me in een hoekje van Marilyns jas en viel in slaap. Ik weet niet voor hoelang, maar toen ik wakker werd, zag ik dat het grootste deel van de groep was vertrokken en dat Marilyn uitgelaten was. Het was het einde van een gesprek en Shelley Winters keek liefdevol naar Marilyn terwijl ze probeerde te helpen. 'Sommige acteurs zijn niemand,' zei Shelley, 'die bestaan helemaal niet. Zoals Laurence Olivier. Als persoon bestaat hij eigenlijk niet. Dat zegt zelfs zijn vrouw. Daarom is hij zo'n goed acteur. En ik zeg dit als groot compliment aan jou, schat – het grootste compliment van de wereld: je bent te veel een persoon om een groot actrice te zijn. Jij hebt existentie.'

'Dat is fijn, neem ik aan.'

'Ja, jij bent iemand. Ze heet Norma Jeane.'

'O.'

'Zij is een prachtig mens', zei Shelley Winters. 'Maar ze kan alleen zichzelf zijn. Dat is alles wat ik ... dat is wat ik probeer te zeggen.'

Ze waren, denk ik, allebei dronken. Even later zei mijn gedoemde maatje iets verbijsterends. Ze zei: 'Voor mij is de beste manier om mijzelf als persoon te vinden, mezelf bewijzen dat ik een actrice ben.'

'Maar je bent al een persoon, lieverd. Te veel persoon. Je zult altijd een ster zijn en altijd werk hebben. Ik ben je vriendin en wat ik zeg, is voor je eigen bestwil. Wat jij doet, is niet acteren – het is zijn. Je zou er trots op moeten wezen dat je te veel inhoud hebt om te doen wat zij doen.'

'Wie zijn zij?'

'Die lui.' Ze zweeg even. 'Garbo. Marlon. Daar zit niets in. Absoluut niets. Niente.'

Marilyn at haar soep en dacht aan meneer Strasberg, die het had gehad over komedie, maar zelf zelden lachte. De hele avond lang had hij aan tafel gezeten als een van Colettes stokoude katten, met zijn kin op zijn handpalm, zijn smalle, koude neusvleugels opengesperd door zijn heftige spinnen.

Buiten was het donker. We waren allebei weggedoken in Marilyns jas en het neon langs de straat was wazig blauw. Marilyn huilde toen Charlie verscheen. Ze had hem sinds de avond in de Copacabana een paar keer gezien, maar altijd in het voorbijgaan, een zwaaitje onderweg naar een limousine of een kushandje uit een of ander raam. Maar vanavond stond hij buiten bij de Actors Studio en kwam hij naar ons toe om te vragen of het goed met haar ging. 'Hallo, Charlie', zei ze. Ze was blij hem te zien. Ze had hoofdpijn toen ze over de stoep liep en ze had het gevoel dat ze de kluts kwijt was, de tranen enigszins weifelend.

'Laat me je helpen, Marilyn. Zal ik een taxi voor je roepen?'

'Zou je dat voor me willen doen, Charlie?' Hij rende weg, en een paar minuten later stopte er een gele taxi precies voor haar Ferragamo-schoenen. Charlie doemde achter de taxi op, het straatlicht spetterend over zijn gezicht. 'Het was een lange les vandaag, hè? Weet je zeker dat het goed met je is? Heb je niets nodig?'

Ze gaf een aai over zijn kin. 'Je bent een aardig joch, Charlie.'

'Hoe zit het met Staten Island?' vroeg hij. 'We hadden het erover op de avond van de première, weet je nog? Ik zei dat ik je Staten Island zou laten zien. We kunnen hotdogs eten.'

'Gossie', zei ze. 'Een veerboot.'

'Wat vind je d'r van?'

'Dat zou ik leuk vinden, Charlie.'

'Wat dacht je van maandag?'

'Maandag?'

'Ja. Maandag gaan we naar Staten Island.'

9

Ze hielden niet van honden bij Kenneth's, de kapsalon aan 54th Street. Niet dat ik dat erg vond: Kenneth was zo'n man met een grote strijksnor en een brein als een pecantaart, klef en stroperig. Kenneth verbeeldde zich altijd dat hij zo'n vier minuten verwijderd was van de wereldheerschappij, zoals hij daar stond in zijn geruite broek, de schaar in de aanslag om als een visarend in het haar van een woeste matrone te duiken. Gewoonlijk stond hij in diezelfde houding klaar om een nieuwe roddel de wereld in te kwelen, maar op de dag dat wij binnenkwamen, was hij heel humeurig. 'Zelfs voor jou, Marilon, schaat. Voor jou zelfs, mijn schaat Marilon, ik kan geen dieren in de salon hebben. De aanblik alleen al. Naar hem kijken alleen al, alsjeblieft!'

'Ach, toe nou, snoes. Vijf minuutjes maar. Je moet dit voor me uitkammen.'

'Marilon. Mijn hart breekt. Je belt me op en ik kom hierheen en we zijn nog niet eens open en je zegt tegen me: "honden".'

'Vijf minuten, ik beloof het.'

Waar het allemaal om ging, was Samson, wijlen de cairnterriërpuppy van de salon. Arme Samson. Hij had een aanvaring met een wasserijwagen en bleef erin. Kenneth draaide ons zijn rug toe, het soort klachten prevelend dat klinkt als gebeden. Marilyn ging zitten en ik bleef bij de voordeur, terwijl Kenneth met hatelijke blikken naar mij en tranen wegknipperend aan het werk ging. Het was een merkwaardig proces daar in de stoel: ze vroeg hem haar te ontmarilyniseren voor een dag van wat zij 'normaliteit' noemde. (Deze laatste periode in New York kende veel van dergelijke pogingen.) Ze had gewoon haar haar kunnen wassen in het appartement, maar dat was niet haar stijl van ontstijlen: ze wilde de rituele afbraak, de demontage van de heldin van de vorige avond. Aan de wand hing een foto van Samson met krulspelden in zijn bek. Naar verluidt was het een werkdier geweest met een voltijdsbaan bij Kenneth. Misschien had ik daarom meer van diens verdriet moeten voelen, maar menselijke gevoelens eisen een zeer zware tol van je natuurlijke empathie. Het hele ontmarilyniseringsproces kostte veel meer tijd dan ze had gezegd – er kwamen coldcream, wimpers en eindeloos getut met een Bloomingdale-sjaal aan te pas –, dus sloot ik mijn ogen en dacht aan andere werkende dieren. Mijn hoofd was vol van Trompette uit *Germinal*, dat zielige, hardwerkende Franse paard, dat zich op de tast voortbewoog in een cultuur waar duisternis heerste en alleen duisternis betekenis had.

Op de veerboot zagen we de Queen Elizabeth met bestemming Southampton passeren. Iets in de majesteit van het Cunard-schip, zijn twee grijze schoorsteenpijpen die over de Bay gleden, deed je vermoeden dat Europa een overtuigend antwoord moest zijn op de komedie die Amerika was. Maar nee. Het passeren van het schip onthulde een verschil van inzicht tussen Charlie en Marilyn. Ze hield mij in één hand en schermde met de andere haar ogen af. 'Ze gaan precies de verkeerde kant op', zei Charlie.

'Dat zou ik niet zeggen', zei ze. 'De fijne lui zitten over een uur met zilveren vorken aan tafel. Ze drinken dan koele wijn en denken aan de nachtegaal die zong op Berkeley Square.'

'Je hebt prachtige ideeën, Marilyn. Maar ze zijn wel belachelijk.'

'Tja, dat zeggen ze. Maar volgens mij zijn die mensen op weg naar een beetje cultuur, toch?'

'Volgens mij niet. Ze laten de cultuur achter zich. Het beste van Europa leeft nu hier.'

Marilyn dacht aan Yves Montand. Ze dacht aan mysterieus knappe, Franse films. Ze dacht altijd dat Europeanen de neus voor haar ophaalden en was geneigd ze daarom te waarderen. Maar Charlie dacht aan de joden: de grote vlucht, het wonder van het overleven. Charlie was een interessant nieuw type in die tijd. Hij had het zelfvertrouwen, de vitaliteit, de spirituele kracht van geletterde jonge Amerikaanse joden die waren grootgebracht met Bellow en het eerste boek van Philip Roth. Hij kon uit de twijfels van zijn ouders zekerheid toveren, hij kon met meisjes naar bed gaan, auto's besturen en nadenken over de toestand van zijn volk in een wegwerpcultuur. Charlie hunkerde. Charlie smachtte. Hij zoog geschiedenis en sensualiteit op en had het over de complexe gevaren voor de wereldvrede: jezus christus, Charlie kon in 1961 alles aan. Hij was redactieassistent bij een uitgeverij. Hij zei wat hij te zeggen had over het schip en Europa, maar het liefst trapte hij duizend overlevingsmythen over het veld van een verlicht stadion. Die goeie Charlie. Hij stoof iedere dag de lift van de Viking Press in met een exemplaar van *Partisan Review* in de zak van zijn windjack. Met robijnrode wangen en op alles voorbereid steeg hij op naar de tiende verdieping, beende langs de sexy meisjes met de geschiedenis achter zich en een piemel in zijn broek. Zijn donkere ogen straalden geluk en naïviteit uit als hij de gang afliep, zichzelf een knipoog gevend, mijmerend over de existentiële puurheid van een crimineel leven en de onnoemelijke mysteries van het orgasme. Hij had alle essays van Miller gelezen. Hij hield van jazz en films en was ontzet over het psychisch terrorisme van de Bom. Charlie was al een eind gevorderd in *Henderson the Rain King* en de oude vertrouwde stem daarin, die zegt: 'Ik wil, ik wil, ik wil ... eisen en tieren, chaos scheppen, begeren, begeren, en voortdurend teleurgesteld.' Op een dag in een ontbijttent probeerde hij met mijn baasje te praten over de symbolen van het boek. 'Oi', zei Marilyn. 'Praat me niet over symbolen. Zijn dat niet dingen die je tegen elkaar slaat?'

Charlie was vooral gek op de film. Zoals ik al vertelde, hadden hij en vijf vrienden het sinds twee jaar op zich genomen mijn maatje in Manhattan te schaduwen. Niet op een nare manier: het waren fans, en Marilyn had het gevoel dat ze op haar pasten wanneer ze aan de Oostkust was. Overigens had ze hem de laatste tijd niet vaak gezien: hij werd volwassen. Op de veerboot naar Staten Island voelde ze zich gestreeld om zomaar bij hem te zijn, zo intelligent en respectvol, zo fatsoenlijk, modern en levendig, de Charlies van de wereld. De boot leek vaart te minderen toen we Ellis Island passeerden, en ik moet bekennen dat ik een steek voelde bij de herinnering aan mijn quarantaine. Binnenkort zouden we weer naar Californië gaan. Wat was het intussen een prachtige dag met het zachte briesje en Charlie en zijn uitgebreide opvattingen over alles. Ellis Island verkeerde in een staat van verval met hoog gras rond de gebouwen en de ruiten gebroken. 'Zo veel talen werden daar ooit gesproken', zei Charlie. 'In die hallen en gangen. Zo veel. Maar ze zeiden allemaal hetzelfde, hè? *Laat me opnieuw beginnen.*'

'Dat denk ik ook', zei ze.

'Zoals Irving Howe een van de immigranten citerend zei: "Amerika lag op ieders lippen."'

Marilyn legde haar armen achter zich op de reling, en terwijl ze glimlachte, blies de wind in de punten van haar hoofddoek. Ze keek terug naar Manhattan. 'Het is een oord om in te verdwalen. Het is een oord waar je kunt verdwijnen', zei ze. 'En is dat niet wat iedereen uiteindelijk wil?' De boot voer verder en de woestenij van Ellis Island maakte al snel plaats voor de stenen striptekening van Vrijheid, met duizenden spreeuwen die boven het beeld cirkelden en een grijze, flexibele wolk om haar hoofd vormden. Vanaf het dek van de boot kon ik de vogels horen: ze waren absoluut niet aan het mompelen, ze waren in koor aan het spotten, de draak aan het steken met het menselijke idee van vrijheid. 'En dat noemen ze vrijheid?' Die gedachte was voor de spreeuwen reden tot zelfverheerlijking. Vogels praten altijd uit eigenliefde, hebben de pik op alles, pronken met andermans veren en prijzen de superioriteit van hun eigen ervaring hemelhoog. Ze beklaagden de mensen om zelf beter te lijken. Dat dacht ik toen de veerboot door het schuim gleed.

'Arthurs broer Kermit zei altijd dat hun familie naaimachines meezeulde toen ze weggingen uit Polen', zei Marilyn. 'Dat is geen fictie. Hun vader Isidore is een fantastische man. Als kind verscheen hij op Ellis Island met op zijn hoofd een korst ter grootte van een zilveren dollar.'

'Mijn ouwelui waren hetzelfde', zei Charlie. 'Kleding. Ze maakten jassen. Ze zijn alles kwijtgeraakt in de Depressie. Wat vind je daarvan? Als immigratie mijn ouwelui heeft geleerd kapitalist te zijn, dan heeft de Depressie ons geleerd links te zijn.'

Marilyn deed me aan de riem en ik liep om de trossen op het dek heen.

'Om het pure goede van Amerika te begrijpen moet je in je jeugd communist zijn geweest', zei Charlie. 'Je moet op zijn minst één keer hebben gevoeld dat het vergaren van rijkdom op een bepaald moment omslaat in agressie. Het vermoordt mensen.'

'Zo praat Arthur in zijn stukken. Maar voor het echte leven weet ik het niet. Ik had altijd het idee dat hij erg geïnteresseerd was in geld.'

'Zo is het nu eenmaal. Je verafschuwt het en houdt ervan. Je verafschuwt het dat je ervan houdt. Je houdt ervan dat je het verafschuwt.'

'Hé, vader', zei ik, terwijl ik zijn broekspijp likte. 'Blijf nou maar gewoon filmfan. Je weet niet half wat mensen willen. Jullie jongelui zouden een oorzaak nog niet herkennen als die pal onder je neus lag!'

'Oké, wijsneus', zei ze. 'Wat is nog meer het geval?'

'Kleren', zei hij. 'Je gooit wat overleversschuldgevoel tussen al die Amerikaanse vodden en je hebt een nationale literatuur.'

'Ha! Wat een lef', zei ik.

'Arthur las me altijd voor uit Bashevis Singer', zei Marilyn. 'Ik heb me bekeerd, weet je dat?'

'Tot Singer?'

'Tot de hele santekraam.'

'Mooi zo', zei Charlie. 'Nu zijn we quitte.' Ze lachte en verborg toen haar lach, bang dat ze herkend zou worden. 'Die dokken daar hebben verhalen te vertellen', vervolgde hij. 'We hebben allemaal verhalen te vertellen en het zijn nooit de verhalen die je familie wenste.'

'Zoveel is zeker.'

Ze keken naar de chemische fabrieken van New Jersey aan de overkant. De fotograaf Sam Shaw had haar ooit verteld dat ze alleen maar chloor en cyaankali fabriceerden. Mijn herinnering bezorgde me een vleugje amandelgeur en onheil, een herinnering aan iets wat ik had onthouden over Hitler, die zijn hond Blondi gif had gegeven. Plotseling was ik dankbaar voor Charlie en zijn generatie, de dingen die ze zouden kunnen doen om de wereld vooruit te helpen. Het tweetal praatte over Californië en Marilyns aanstaande reis naar Mexico voor haar scheiding. Ze had het gevoel dat Charlie altijd haar ontwikkeling testte, maar dat vond ze schattig voor iemand die in wezen nog zo groen was. 'Niemand van ons heeft zijn eigen naam', zei hij. 'Jij bent niet jij. Ik ben niet ik. Niemand in Amerika is wie hij is.'

'Hoe noemen je ouders je?'

'Gedaliah. De joden zijn mijn onbewuste', zei hij. 'Mijn ouders waren loonslaven. Ze hebben geschrobd en geboend en nu zeggen ze hooghartig niets te weten van de arbeidersklasse.'

'Gossie', zei ze.

'Ze verloochenen de arbeiders. Ze zeggen niets van dergelijke mensen te weten.'

'Tja', zei ze. 'Ik denk dat we ons allemaal ontwikkelen.'

'Dat klopt. We ontwikkelen ons allemaal. Ik zag een paar bladzijden van het nieuwe boek waar Bellow aan werkt.

Weet je wat een van de personages zegt? Hij zegt: "Soms verbeeldde hij zich dat hij een fabriek was die persoonlijke geschiedenis produceerde." Dat staat in zijn volgende boek, Marilyn. Serieus, dat ben ik. Daar ben ik aan het woord. Het is het verhaal van mijn hele leven.'

'O, Charlie', zei ze. 'Wat schattig. Je bent drieëntwintig jaar. Je kent het verhaal van je leven nog niet.' Ze dacht even na en liet me inzien dat gedachten verhalen zijn. Dat deed ze altijd. Ze liet me inzien dat ontmoetingen verhalen zijn en momenten kronieken. Het veer voer door de Bay, en de natuur leek ineens te ontwaken voor ons, voor hen, voor Charlie en Marilyn en hun gelach en hun vluchtige kameraadschap, waarbij het vlaggetje aan het einde van de boot wapperde in overbodige loyaliteit.

'Denk je echt dat met Kennedy alles anders wordt?' vroeg Charlie.

'Ik hoop het. Het zou mieters zijn, toch, om iemand te hebben die aan jouw kant staat?'

'Ja.'

'Het lijkt een natuurlijke verandering.'

'De natuur zou weleens een mentaliteit kunnen zijn', zei hij. 'Alles verandert. Verandering is voorbestemd. Als Kennedy zich niet had aangediend, hadden we hem misschien uitgevonden. Zoveel staat vast.'

'Dat is me nogal wat', zei ze. 'Het zal niet makkelijk zijn om de hoop van mensen waar te maken, op die manier, denk je niet? Zo veel hoop?' Ze keek over het water en moest denken aan Anna Christie.

'Ik weet het niet', zei Charlie. 'Wij produceren hoop. Zo gaat dat daar gewoon.'

Hij gebaarde in de richting van New Jersey.

'Wat een komedie', zei ze.

'Mensen willen niets liever', zei Charlie, weer met een glimlach. 'Hopen en geloven. Dat is gewoon wat mensen het liefst willen in Linoleumville.' Charlie haalde een pakje Twinkies tevoorschijn. Brave kerel. Hij gaf me er twee achter elkaar. Brave kerel. In weerwil van al zijn denken en citeren wilde Charlie gewoon dat meer meisjes hem zouden zoenen. Hij aaide me even met plaatsvervangende genegenheid. 'In *Henderson*', zei hij haast weemoedig, 'zegt het personage dat je met een Engelse hond zou kunnen discussiëren.'

'Ik ben niet Engels', zei ik. 'Ik ben Schots. Een voorouder van mij heeft het gezicht van zijn dode baasje bij Culloden gelikt.'

Nationaliteiten. Hou toch op. Ik moest een eekhoorn in Battery Park uitleggen dat honden geen vertaling van de ene in de andere taal nodig hebben – dat is gewoon het zoveelste menselijke probleem en kennelijk ook een probleem voor Manhattanse eekhoorns. We horen expressie heel duidelijk, alsof die werd gespeeld op een stel prachtige trommels. Het lukte me niet goed de eekhoorn uit te leggen dat trommelen een inheemse Amerikaanse traditie was.

Een week later reisde ze naar Mexico om van Arthur te scheiden. Oorspronkelijk zou Victor de portier op me passen, maar toen kreeg zijn vrouw verhoging en was hij gedwongen die week thee te zetten in Queens. Daarop zei May Reis, Marilyns secretaresse, dat zij wel op 444 wilde blijven, maar Marilyn had haar nodig tijdens de reis: ze had zowel haar professionele loyaliteit nodig als haar loyaal afkeurende blik, dus uiteindelijk zetten we gedrieën koers naar het zuiden in een extreem hotsend vliegtuig. Toen we aan boord gingen, aaide de navigator mijn kin: ik was mezelf gaan beschouwen als een van die donzige maatjes, die charmante vertebraten die vaak elegante personen chaperonneren over de hele wereldbol. Zoals Leoncico, de gele hond die toebehoorde aan Vasco Núñez de Balboa en aan diens zijde snuffelde toen hij de Landengte van Panama ontdekte. Leoncico's stemgeluid had eenzelfde achtergrond als het mijne, al vertelt de geschiedenis niet of er iets Schots in zijn stamboom zat. Zijn moraal was toleranter dan die van zijn baas. De hond beschermde hem tegen alles behalve diens eigen kwaadaardigheid. (Karakteristiek probleem, moet ik zeggen.) Hij klom zelfs samen met Balboa in een ton om te ontkomen aan de vijanden van zijn baas. De chaperon van Maud Gonne heette grappig genoeg Chaperon, een grijs zijdeaapje vol Keltische folklore en Helleense rijmen, merendeels gedichten over de onmacht van de menselijke hartstocht.* Helaas, de kleine primaat was niet voorbestemd om samen met zijn baasje te dartelen door de jaren van haar nationale weduwschap. Gonne nam hem mee op een spionagereis naar Sint-Petersburg, waar de kou al snel een einde aan zijn leven maakte. Over zijdeaapjes als maatje gesproken, daar was ook nog die arme Mitz, 'dat vreselijke aapje' zoals Vanessa Bell het dier noemde dat Virginia en Leonard Woolf vergezelde op hun reis door Duitsland in 1935. Volgens Vanessa was de opkomst van de nazi's niets vergeleken bij de toenemende macht van Mitz, die de beide Woolfs ziek van ouderlijke angst maakte. Vanessa vertelde altijd graag hoe jaloers haar zuster was geweest op het concentratievermogen van het beestje. 'Hij gedroeg zich altijd alsof

* Zijdeaapjes staan bekend om hun nationalisme. Juffrouw Gonne had in dat opzicht geen aanmoediging nodig, maar het beest maakte haar erger.

de wereld een vraag was', zei Virginia.

Aan deze wezens moest ik denken toen het vliegtuig over Hanover in Pennsylvania ronkte, en de gedachte aan hen bleef maar groeien en keffen in mijn slaap, terwijl we over de Blue Ridge Mountains en de Sinks of Gandy in West Virginia vlogen. We zaten in de grote blikken vogel, met achterlating van een streep boven de Cumberland River in zuidoostelijk Kentucky. Ik zag de wereld daar beneden in mijn slaap, de open velden, de boerderijen en de gezichten aan de boerentafels in de tjilpende schemer van de avond. We vlogen over Memphis in Tennessee en het DeGray Lake in Arkansas. Ik bedacht dat ik misschien wel navigator kon worden als ik groot was. Hoe dan ook, al snel vlogen we boven kilometers leegte, eenzame huizen in het niets, en toen bulderden we boven Franklin en Hopkins, een plaats genaamd Rains. Mijn reis eindigde op Dallas Love Field.

Ik was verrukt over de daaropvolgende chaos en de uitkomst ervan. Een van de redenen waarom ik van Trotski hou, is dat zijn schelmenrol hem zo goed afging, zoals hij over de wereld reisde op zoek naar een plek om te wonen en te werken, andere mensen en nieuwe vijanden ontmoette in Turkije, Frankrijk, Noorwegen en Mexico. In Dallas weigerden de autoriteiten me een plaats in het vliegtuig naar Mexico. Verkeerde papieren, geen toestemming, quarantainekwesties, wat een toestand. (Ik moest denken aan Noël Cowards eerste aanvaring met de Amerikaanse douane. 'Zeg, lammetje, wie heeft je geschapen?' zei hij tegen de humeurige beambte, en de hel brak los.) May Reis probeerde de Mexicaanse ambassadeur te bellen, maar toen zei een behulpzame dame van de luchtvaartmaatschappij dat ze een paar hondenoppassers kende. Mijn baasje en May gingen slechts voor één dag naar

Mexico om de scheiding te regelen. Ik was verdrietig, maar ik wist dat ik over niet al te lange tijd mijn kans zou krijgen om naar Mexico te gaan: het stond geschreven.* Terwijl we zaten te wachten op de komst van de hondenoppassers, wist ik een emmer schoonmaakmiddel omver te gooien in de lounge van het vliegveld. Marilyn hing somber aan de bar met May en een martini. De televisie was streperig en wazig, maar vertoonde beelden van precies datgene wat haar die dag bezighield: de inauguratie van senator Kennedy als de vijfendertigste president van de Verenigde Staten.

De Russische roman lag op de bar. Ze vijlde haar nagels en ze keek en dronk, precies als ieder ander blank meisje in Amerika. Een zakenman in een pak raapte een sigarettenpeukje van de barvloer en rookte dat op. De mensen op de televisie droegen dikke jassen. Je zag de witte wolken van Kennedy's adem toen hij sprak. 'De mens houdt in zijn sterfelijke handen de macht om een einde te maken aan alle vormen van menselijke armoede en alle vormen van menselijk leven', zei hij. Marilyn hield haar glas een paar centimeter van haar lippen en zag de zakenman bukken om een volgende peuk van de grond te rapen. Ze begon nerveus te raken en glimlachte vervolgens hoogst volmaakt. 'Weet je, May,' zei ze, 'ik denk dat ik best op straat zou kunnen leven. Als zwerver, bedoel ik. Denk jij ook niet dat ik ... je weet wel, inventief zou zijn?'

---

* Iedere hond moet minstens één keer voor hij sterft naar Mexico gaan. Dat schijnt de plek te zijn waar wij ons het meest thuis voelen. Dat hoorde ik van een van de Duffs in de vroegste dagen van mijn puppyschap, en ik ben het nooit vergeten. Niet iedere hond weet er te komen, maar het is ons droomplan. Het is ons Mekka, ons Nooitgedachtland, ons Xanadu.

'Ik denk dat je het verschrikkelijk zou vinden, Marilyn.' Maar ik vond het een fantastisch idee dat Marilyn het bijltje erbij neer zou gooien en alle luxe zou afwijzen. Voordat we uiteengingen, zag ik dat laatste beeld voor me, van een in bont gehulde Marilyn als Diogenes van Sinope, die alle gemakken afwijst terwijl de straathonden vol bewondering toekijken.

Raymond en Arlene waren de twee jeugdige hondenoppassers, een stel enorme druiloren die twee, mooi en brutaal, liefhebbers van bier en truien en vrijen in auto's. Raymond hield de *Dallas Morning News* omhoog toen we weer naar buiten liepen. 'Dit is sodeju te gek', zei hij. 'Deze hond is te gek. Dit baantje.' Hij keek even op van de krant.

'Zag je die dame d'r gezicht?' vroeg Arlene.

'Ik zag d'r de andere kant op kijken. Die ouwe dame dee alles. Denk je dat ze iemand was?'

''k Denk van wel', zei Arlene. ''k Denk dat ze echt iemand was. D'r jas die hing zo over d'r schouders, alsof dat ze iemand was.' Raymond richtte zich weer op zijn krant, en ik moest in de pas lopen met Arlene terwijl ze in stilte voortliep en kauwgum kauwde. 'Kwamen wij maar es iemand tegen', zei ze.

'New Ross, Ierland', las Raymond. 'De inwoners van dit kustdorpje waar de voorouders van John F. Kennedy ooit woonden, hebben afgelopen vrijdagavond gedanst op de Charles Street Pier om de inauguratie van hun uitverkoren zoon te vieren.'

'Da's gaaf', zei ze.

'Van diezelfde Charles Street Pier', vervolgde hij, 'voer president Kennedy's overgrootvader af om in de nieuwe wereld zijn geluk te beproeven. Vrijdagavond waren er vreugdevuren, een fakkeloptocht, liedjes en horlepiepen.' Hij keek op. 'Wat is horlepiepen?' vroeg hij.

'Een dans. Dansen. Van die Ieren die allemaal samen dansen.'

'... en volop eten en drinken. En op het moment van de eigenlijke inauguratie werd door Kennedy's achterachterachterneef, James Kennedy uit Dunganstown, de Amerikaanse vlag gehesen samen met de Ierse driekleur.'

Ze zette me neer op de achterbank van de auto, naast een generator en een berg lege flessen. Ik likte aan een etiket van Lone Star en knabbelde toen aan een kaartje van de Jefferson Drive-In voor een film die *The House of Usher* heette. Ik mocht Raymond en Arlene meteen, wat uiterst promiscue van me was, gegeven het feit dat ik alleen maar op doorreis was. Maar de regel voor ons schelmen is dat een bandiet altijd van bandieten houdt. Ze reden de snelweg op, eropuit om de boel op stelten te zetten, mijn verfomfaaide honden, mijn vrienden, gedreven door *l'esprit humain*. Ik weet zeker dat ze amper hun eigen naam konden spellen, maar dat kan heel charmant zijn op een middag, als de zon hoog staat en de wereld van jou is. Het bleek dat de jongelui heel blij waren een extraatje te verdienen, met dank aan Arlenes oom Arnold, die een bureau dreef dat problemen van mensen oploste. Twee dagen tevoren hadden ze twee gigantische zakken ijs afgeleverd bij een begrafenisondernemer in Duncanville. De vorige avond waren het bekertjes: zeventig papieren bekertjes voor een feest bij een arts thuis in Lake Highlands. Maar wat de jongelui voornamelijk deden, was stelen: ze waren schaamteloze en door de wol geverfde dieven. Kennelijk was alle bier gestolen, en als ze stopten bij benzinestations of drugstores, kwamen ze meestal terug met tijdelijk bruikbare spullen. Arlene was bijzonder briljant in het verdienen van de non-kost: plastic zonnebrillen en barbecuegereedschap, het soort dingen waarom ze moest gniffelen voordat ze ze op de achterbank wierp.

'Waf!'

'Sorry, hondebeesje. Da was niezo handig van mij, hè? Neem me nie kwalek.'

We reden naar het zuiden en kwamen bij een stad genaamd DeSoto, helemaal niet groot, waar het geluid van koeienbellen in de verte wedijverde met de automotor, en ze deden me aan de riem en stapten uit om te zien wat er te stelen viel. Terwijl ik op hen wachtte, keek ik omhoog en zag een paar gympen aan de draad tussen twee telefoonpalen bungelen. Uit Judah's Jot-em-Down Store smeerde Raymond 'm grijnzend met een vishengel en een doos kaarsen, en uit Mrs Gallagher's Grocery aan de overkant van de straat jatte Arlene twee tijdschriften en een flesje paarse nagellak. De achterbak van de wagen lag vol gestolen waar, maar ze hadden ook een zak Scamp, en ze stortten de hondenkoekjes buiten op de parkeerplaats in een bakje voor me. Arlene had het lef om terug te gaan naar Mrs Gallagher's en wat water voor de hond te vragen. 'Mmmmm', zei ik. 'Alle bezit is diefstal en lang leve de jeugd.'

Ik zal die avond in Texas nooit vergeten. Eerst ontmoetten ze al die tieners: Joyce, die schaamteloos was, Margie, die hersenloos was, Scott, die hersenloos en geil was, Hintze, die geil en geleerd was en Eddie Kimble, die min of meer psychotisch was. Toen Raymond voor de deur stopte, kwamen ze allemaal uit het huis van Kimble getript, sommigen in een bermuda en anderen in gloednieuwe spijkerbroeken, de jongens met kartonnetjes bier en kannen met een of ander

druivensapbrouwsel. Kimble was niet gerust over zijn deel.
'Sodeju, dit hier is heel wat anders', zei Hintze. Hij zat op de achterbank aan de kan te lurken.

'Neu-uh.'

'Ach, hou je kop, Kimble. Jouw beurt komt heus wel. Dit is 't spul waar 'k op ga passen.'

'Hebbie het over dat beesje?' zei Margie.

'Neu-uh, dat niet, juffie Rouwdouwer. Ik zit op te scheppen over dit vuurwater hier. Heeft Kimble gemaakt.'

'Geef hier, Hintze!'

Het meisje Margie wreef me rond de oren en nam me op haar schoot. 'Hé, Arlene. Moet je dit kereltje zien. Heb je 'm al de hele dag?'

'De hele dag. De hele nacht', zei Raymond. Hij dacht graag dat hij de pappie van de groep was.

'Mooi niet, man.'

'Wat?'

'Geef het vuurwater es door.'

'Wat?'

'Arlene, dat beesje hier is net een mug in een plensbui. Kunnen we 'm niet ergens afzetten?'

'Hij is al ergens afgezet. Bij ons', zei Raymond met een blik in de achteruitkijkspiegel.

'Hij is van plan om je hand d'r af te bijten', zei Kimble. Hij stak een sigaret op en keek opzij met zijn gezwollen ogen, keek met een totaal verwilderde blik naar Margie en mij. 'Het is 'n opgefokte hond, dat zeg ik, en jij, meisje, bent vanavond een babysitter van-lik-me-reet. Je kunt dit kippetje maar beter ver weg houden van die vliegende schotels! Deze schobbejak gaat retebang zijn.'

'Maak me meer zorgen over jou', zei ze.

'Ja, hier d'r mee, jij maniak', zei Arlene. Ze draaide aan de radioknop, en iedereen lachte om niets en nam grote, scherpe slokken, terwijl de damp in de auto zo dicht werd dat je hem van de ramen kon likken. Het was donker buiten en de cicaden viep-viepten. Hun losse gespreksflodders vlogen door de auto van de raampjes tot de kunstleren zittingen, waarbij de jongelui dingen zeiden en weer terugnamen, met hun vingers knipten op de maat, sigarettenrook uitspuwden en zich gegeneerd voelden over niets in het bijzonder, terwijl Raymond het raampje opendraaide en er talloze kleine geuren ontsnapten naar de bomen en de verlichte huizen en de stem van Eddie Cochran achter ons op de weg naar Cedar Hill neerkwam.

Boven de stad flikkerden de televisieantennes als vuurvliegjes. De Texaanse hemel leek heel vredig, maar ook somber. Mensen spraken en het geluid dat ze maakten, werd gepolijst door nog meer insectenlawaai. Samen vormden ze een blije klank in het grasrijke amfitheater van de heuvel. Dit was, zeiden ze, het hoogste punt in de staat tussen de Red River en de Golf van Mexico, en de hoogte, de vuurvliegjes, de cicaden, het opflikkeren van sigarettenaanstekers en de plotselinge glans van overhellende bierflesjes en van vocht in de ogen van misschien wel honderd jonge mensen gaven de avond iets van een grote Azteekse avond uit lang vervlogen tijden. Dat dacht ik toen ik ze zo zag turen en spieden daarboven aan de rand van Cedar Hill State Park: ze keken naar de hemel in de volle vaart van hun jeugd en in het vooruitzicht van de veranderingen die hun jeugd teweeg zou brengen, maar het gebaar was oud, het instinct omhoog te kijken was oud en de hoop op iets ontzagwekkends was nog ouder. Ze zaten met z'n allen op het gras, en ik vond ze leuk en scharrelde tussen de gympen op zoek naar iets eetbaars.

Joyce vertelde Hintze dat ze er ooit een had gezien vanaf de top van de achtbaan bij het Schaeffer Carnival. Hij was lang als een sigaar en beslist geen weerballon of iets dergelijks. Hintze probeerde me een reepje gedroogd rundvlees uit zijn zak te voeren, maar ik liet het op het gras liggen, en hij fronste. 'Mijn honden zouden het hele land afstropen om wat van dat prachtspul te bemachtigen', zei hij. 'Hei, Raymo. Wat is dat voor 'n rijkeluishond die je daar bij je hebt? Die kwibus wil zelfs geen droogvlees eten.'

'Ie is braaf', zei Raymond. 'Ie is een van die New Yorkse honden.'

'Zo'n zakendame d'r mormel', zei Arlene. 'En wat een leuk kereltje, toch wel, ondanks z'n smerige ouwe halsband.'

'We denken dat z'n baasje iemand is. Toch, Arlene?'

'En of. Een dame uit New York. Zo'n mens uit New York met een zonnebril op.'

'Nou, zo makkelijk heb je nog nooit tien piek verdiend, man', zei Kimble, die nu met omhooggerichte blik het laatste restje uit de kan slurpte.

'We gaan geen tien piek krijgen', zei Arlene. 'Oom Arnold schuift d'r vijf als we geluk hebben.' Ik liep over hun knieën en dook onder de rookpluimen door. 'Lief mormeltje', zei Arlene, met een zoen op mijn neus, terwijl de geur van een tiental kampvuren op de bries omhoogsteeg.

'Felien', zei ik.

Iets in Arlene snakte naar rijm en ritme, misschien haar bruine ogen, het in haar nerveuze lach besloten gevoel dat het leven nooit gemakkelijk kon zijn. Ze wilde van alles het hoogtepunt. Ze streelde over mijn rug en ik voelde een lichte hunkering in haar handen, de behoefte aan poëtische pieken in liefde en verbondenheid. Ze keek naar Raymond, en hij blies vier volmaakte kringetjes de lucht in om vervolgens naar haar te knipogen, in staat te knipogen zonder last van twijfels te hebben. Ik had het gevoel dat hier een verhaal achter zat, een verhaal over deze meisjes die Cedar Hill nooit zouden verlaten. Ze waren mijn tegenpolen. Ze zouden nooit weggaan en dit ijskoude feit voelde als een van de lessen die de avondbries leerde.

'Mijn paps heeft d'r een hele hoop gezien', zei Margie. 'Vliegende schotels die door de lucht vlogen als eenden in formatie. Hij heeft ze boven de Carswell Air Force Base gezien. Dat is de waarheid. De zuivere waarheid.'

'Klopt verdomme', zei Hintze. 'Elmo Dillon zag d'r een landen midden op z'n mammies grasveld. Ik bedoel een of ander raar geval.' Hij ging rechtop zitten. 'Het landt daar midden in de tuin. Elmo zegt dat z'n moeder is gestorven. Niet die avond, maar honderd dagen later, en dat ze in honderd talen wauwelde en zich bedonderd voelde en dat soort toestanden.'

Door de ufo-jacht keken alle jongelui op de heuvel dezelfde kant op. Ze keken omhoog en wezen naar sterren en vallende brokstukken. Velen van hen hadden de armen ineengehaakt, anderen zaten alleen, met telescopen die ze met Kerst gekregen hadden, gericht op een oneindig aantal ogen dat in hun verbeelding naar hen terugkeek vanuit de blauwzwarte hemel.

'Bedonderd klopt', zei Eddie Kimble. ''t Is allemaal bedotterij, beste vriend. Weet je wat ik denk? Ik denk dat we 'm hier moeten peren en een hele nieuwe mand biertjes moeten vinden.'

'We blijven', zei Raymond.

'Denk je dat we in de gaten worden gehouden?' vroeg Arlene. Na een seconde draaide Raymond zich om en de uitdrukking op zijn gezicht zei haar dat ze een van de grote vragen had gesteld. Hij knikte. Ja, inderdaad. Hij knikte als iemand die gebukt ging onder de wijsheid van eeuwen.

'Beslist, man', zei hij. Raymond vroeg zich af of hij vóór de zomer nog een baan als kruideniersbediende zou kunnen vinden. Het leek dé avond om het te vragen. Misschien konden ze even langsgaan op de weg terug naar de stad. Misschien kon hij meer karweitjes doen voor Arnold of een baan bij een bar zoeken in Fort Worth. Als barman kreeg je veel fooien. Komende zomer ging hij bij het Korps Mariniers: de luchtmachtbasis in Corpus Christi. Hij was nog nooit ergens geweest. Misschien zou hij nog eens ergens komen en hun er alles over vertellen. Ergens ver weg.*

Die rothemel zat vol geheimen. Ik herinner me dat mijn cipier bij de Griffith Park-quarantaine zei dat er daarboven meer dan vijfduizend brokken astroschroot zweefden, onderdelen van kapotte motoren en afgestoten brandstofcilinders, het blinkende puin van onze strijd om de kosmos te veroveren. De jongelui voelden zich geïnfiltreerd en bespioneerd, maar daarboven raakte de zuurstof van de Amerikaanse ruimteapen op en reisden de astrohonden van de USSR in totale eenzaamheid door het zonnestelsel. Buitenaardse rassen zouden op deze dorstige honden stuiten en ze meenemen voor ondervraging – vertel ons zo veel mogelijk, zouden ze zeggen, over de vreemde wezens die de wanden van grotten

---

* Jaren nadat Marilyn was overleden zag ik een foto van Raymonds gezicht op televisie. Het was in een reportage op de late avond over soldaten die in Vietnam waren gesneuveld.

beschilderen en hun medeschepselen de grenzeloze duisternis van de ruimte insturen. Ik vraag me af of de Russische honden evenveel met Plutarchus hebben als ik. Ik zie hoe de verloren Laika haar muil opent en de vlag van de komedie op de terra firma van Mars plant. 'Neem nou een aap', zou ze misschien zeggen. 'Omdat die niet bezit kan bewaken als een hond, of vracht kan dragen als een paard, of land kan ploegen als vee, zijn mishandeling, hoon en spot zijn deel.' Posidonius maakt in *De fragmenten* precies dezelfde opmerking over apen. De voorkeur voor apen boven honden in het nationale ruimteprogramma is misschien een eerste voorzichtige verklaring van wat Billy Wilder het komische karakter van de Amerikaanse werkelijkheid noemde.

Hintze kwam de heuvel op met hotdogs. 'De bovenste twee zijn van mij, dus blijf d'r met je tengels van af', zei hij.

'Sjonge, Hintze. Waanzinnige berg mosterd.'

'We zeggen *moutarde* in Frankrijk, beste Raymond.'

'Ja. Krijg de klere, Hintze.

'Kom op, jongens. We smeren 'm hier', zei Kimble, terwijl hij een sigarettenpeuk de heuvel af knipte. 'D'r gaat zich hier niks meer vertonen. Geen schotels. En verdomme ook geen ufo's. We gaan de stad in. Dit is een sof.' Terwijl Kimble sprak, hield ik mijn ogen omhooggericht en geloofde dat er iets zou verschijnen. Ze vonden raketten allemaal leuk, maar begrepen geen van allen dat ze door raketten een bedreigde soort waren geworden. Ik wilde er een zien, gewoon voor het avontuur.

'Nee, 't is geen sof', zei Raymond. 'Zo krijg je ze te zien. Je moet blijven kijken.'

'Dat klopt. Je moet blijven kijken', zei Arlene. 'D'r is alenig niks daar als je niet blijft kijken.' Ze lag achterover in het gras met haar ogen gefixeerd op de hemel en haar handen gekruist op haar borst. Ik legde mijn hoofd op haar schoot en keek, terwijl de vuurvliegjes boven ons flikkerden, naar een wijdopen Texaanse hemel waar niets gebeurde.

10

Vita Sackville-West sprak ooit haar bewondering uit voor een Frans wandtapijt met een voorstelling van Odysseus die op de stoep van zijn huis wordt opgewacht door zijn hond Argos. Ik zie de bruine kleur van de tunica van de zwerver voor me en de uitdrukking in zijn ogen wanneer de hond hem herkent. Ik had het gevoel dat ik beide rollen speelde. Het was het jaar van een liedje dat 'A Sleeping Bee' heette: we hoorden het op een avond toen we een kroeg in Greenwich Village passeerden, en de muziek stemde ons droevig en hoopvol tegelijk. Marilyn voelde zich in die tijd niet goed, om precies te zijn: ze zat in de put en was een gevaar voor zichzelf, ziek van depressie. Ik pretendeer niet ooit echt te hebben begrepen wat mijn baasje scheelde. Het was iets typisch menselijks, die last van het zelfbewustzijn die je dag vergalt. Sinds het voorbij was met Arthur, had ze denk ik het gevoel dat ze misschien wel voor altijd alleen zou blijven. Ze had het gevoel dat ze in alles zou mislukken en uiteindelijk net als haar moeder krankzinnig zou worden. Er waren perioden dat Marilyn wekenlang in haar slaapkamer zat en alleen maar naar de muur staarde, zonder zich ooit te wassen en aan te kleden. Op een dag zei ze tegen haar hulp dat de betrouwbaarste dingen in haar leven haar kamerjas en haar sokken waren. Ik had nauwelijks het gevoel dat ik enig verschil maakte: de zorgen wentelden maar rond in haar hoofd zoals de platen die ze draaide als het donker was geworden.

Op aanraden van dokter Kris werd ze opgenomen in de psychiatrische kliniek Payne Whitney, een complete ramp – die kliniek leek op haar moeders inrichting –, maar ik hield de wacht nadat ze was overgebracht naar een privékamer in het Columbia University Presbyterian Medical Center. Ik vond het heerlijk om haar bewaker te zijn, maar veel bracht ik er niet van terecht. Vóór die tijd had ze wekenlang met gesloten gordijnen op haar slaapkamer aan East 57th Street doorgebracht. Ze huilde alleen maar. En tijdens die lange dagen en nachten sloeg haar sombere stemming op mij over. Het is niet altijd gemakkelijk om je labiele evenwicht te bewaren. Dus toen ik naast het bed in het Columbia-ziekenhuis zat, leek ik niet zozeer op Argos als wel op Garryowen, die aftandse hond in de roman van Joyce die wacht op wat uit de hemel komt vallen om te drinken. Ik zat daar niet bepaald de verzen en balladen van oude Keltische barden te citeren, maar het was me droef te moede, zoveel is zeker. Ik was als de oude bullenbijter die gromt naar de verpleegsters.

Marilyn lag te dromen over haar vader. Ze lag in het keurig opgemaakte bed en ze kon er niets aan doen dat ze haar triestheid op mij overbracht. *'Geef es een pootje! Geef een pootje, hondje! Braaf lief hondje! Geef een pootje hier! Geef een pootje!'* Dat waren inderdaad de Ierse verpleegsters en dan non-stop. Het treurige gefleem bleef weken rondtollen in mijn hoofd. 'Al wie geïnteresseerd is in de verspreiding van de menselijke cultuur onder de lagere dieren (en hun naam is legioen), moet zorgen dat hij aanwezig is bij de werkelijk prachtige demonstratie van cynantropie door de befaamde oude Ierse rode setter-wolfshond voorheen bekend onder het PSEUDONIEM Garryowen.' Dat was James Joyce in zijn boek, geliefd, bewonderd en niet echt gelezen door mijn baasje en in dezelfde mate niet geliefd en grotendeels ongelezen door de zus van mijn vroegere baasje, Virginia Woolf, die zei dat de schrijver tekeerging als een student die aan zijn puisten krabt. Zo bitter, die Virginia, althans dat werd gesuggereerd in de keuken van Charleston, een huis waar haar herinnering lag, zwaar als de stenen in haar zakken, zei Grace altijd.

Marilyn ging rechtop in bed zitten, haar huid strak, haar ogen helder, en ze keek naar het raam om te zien hoe de sneeuw smolt op straat. Mensen hebben mensen nodig, en ze kwamen en gingen, journalisten, bevriende acteurs en op een dag kwam dokter Kris in een prachtig grijs vest. Ze had rozen meegenomen. 'Het spijt me, Marilyn. Ik heb iets vreselijks gedaan. Die instelling was verkeerd voor jou en dat weet ik nu.' De winterkou leek op dat moment in Marilyn te blijven hangen, want haar ogen, die ze van het raam afwendde, stonden onverzoenlijk.

'Dokter Kris', zei ze. 'U zult uw man wel heel erg missen, niet?'

'Vanwaar deze vraag?'

'Ja. U moet hem heel erg missen. En uw vader ook, denk ik. Mist u uw vader?'

'Marilyn.'

'Dag, Marianne.' De therapeute bleef even bij het bed staan, bevroren, met stomheid geslagen. Maar al direct zette dokter Kris de positieve punten van haar zelfmedelijden op een rij. Ze perste haar lippen op elkaar en maakte inwendig een notitie over individuen die terminaal denken. Het gezicht van haar zus schoot door haar hoofd, maar ze zette het van zich af en voelde zich sterker tegen de tijd dat ze bij de deur was en die achter zich sloot.

In etappes wist ik op het bed te komen door eerst op een stoel te springen en vervolgens over de dekens te trippelen en op haar te hoppen, waarbij Marilyns vingers me verwelkomden. Wekenlang zat ze rechtop in de kussens Freuds *Verzamelde brieven* te lezen. Alles wat ze dacht en aanraakte, mij incluis, was besmet door het gezanik van de ouwe kerel, alsof het boek een teken van troost was voor wie zich ongelukkig voelde en met zichzelf in conflict was. We voelen ons beter wanneer we weten dat lijden zowel algemeen als normaal is: niet alleen algemeen maar ook intellectueel aanvaardbaar, iets wat een schepsel ook niet minder interessant maakt, hoeveel pijn het ook lijdt. In dat opzicht was het boek Marilyn een aantal weken tot troost, en ik pikte wat taal en een paar slechte stijlfiguren op. Natuurlijk lijken we allemaal een beetje te veel op onszelf, en ik vatte tijdens haar lectuur van Freuds brieven een diepe belangstelling op voor mijn eigen soort. De zaken die me het meest intrigeerden, hadden niet te maken met de doodsdrift, wat dat ook moge zijn, of de vroege neiging tot kontaanbidding, bij hondachtigen maar al te goed bekend, maar hadden voornamelijk te maken met Freuds liefdevolle verdwazing als het aankwam op de activiteiten van zijn favoriete chowchow Jo-Fi.

In het appartement aan de Berggasse 19 was Freud zich gaan storen aan de smeulende wrok van zijn vrouw. Martha bezat al de kardinale deugden, maar een essentieel deel van haar had te lijden onder Freuds toewijding aan zijn werk. Ze kon geen kopje afwassen zonder het te zien als een daad van zelfopoffering, wat na een aantal jaren tamelijk vermoeiend wordt. Freud probeerde zich haar capaciteiten, haar tederheid, haar vroegere schoonheid voor de geest te halen, in te zien hoeveel van haarzelf ze moest hebben onderdrukt om met zo'n man te kunnen samenleven en van hem te houden. Maar in de loop van de tijd was ze heimelijk verslaafd geraakt aan religie en ontleende ze steeds minder van de oude trots of troost aan haar mans bezigheden. Haar zwijgen voorspelde niet veel goeds. Soms ging hij in een staat van verwarring van kamer naar kamer en natuurlijk gaf hij zijn eigen moeder de schuld, wat een voor de hand liggende uitgangspositie is voor een man die een zondebok zoekt. Martha had trouwens geen ongelijk: de man was niet alleen een harde werker, maar ook een balsemer, een museumconservator, en die studeerkamer was de grote graftombe van hun leven. Over geen van deze dingen zei hij veel, maar je las het verhaal tussen de regels van de brieven, onder de ongezegde dingen.

Voor Freud nam trouwe kameraadschap in die tijd de vorm aan van Jo-Fi, die zijn instincten leek te delen. De hond lag op het kleed of op een kussen in zijn behandelkamer, vanwaar ze Freud altijd aanwijzingen over de mentale toestand van zijn patiënten gaf. Iedere oude man heeft behoefte aan de steun van een handlanger – of een leugen om bestwil, zoals Ibsen verkoos – en voor Freud was dat toevallig een donzige chowchow met tedere en autonome gevoelens. 'Ik mis haar nu haast evenzeer als mijn sigaar', schreef hij in een van zijn geleerde zwijmelarijen. 'Het is een charmant wezen, met zulke interessante vrouwelijke eigenschappen ... wild, impulsief en toch niet zo volgzaam als honden vaak zijn.'

Wat een verhaal had Jo-Fi kunnen vertellen, als ze zich ertoe had kunnen zetten een biografie in elkaar te draaien. De hond was een intuïtief genie in de kamer, dat met haar gedrag precies de mate van psychische angst van een patiënt aangaf. Na vijftig minuten begon de hond te geeuwen en zich uit te rekken: als ze een horloge had gedragen, zou ze erop hebben gewezen, zo zag ze erop toe dat de oude man niet te veel van zijn krachten vergde. Natuurlijk besloot Martha dat ze Jo-Fi niet mocht. Ze had zo haar redenen. Toen Freud voor een medische behandeling naar Berlijn ging, deed ze de hond in een kennel, en Freud schreef roerende kleine epistels, in feite heel mooi, om te vragen of er wel iemand naar de veronachtzaamde hond toe ging. En eenmaal terug tussen de antieke beelden in zijn studeerkamer wendde Freud zich tot Jo-Fi om troost te zoeken voor zijn pijnlijke kaak. Ze mocht van hem liggen op een gerafelde deken naast een witte kom water die op de vloer stond bij een vitrine met Egyptische goden. Hij voelde zich niet goed en de hond wist dat. 'Het is alsof ze alles begreep.'*

Marilyn las de *Brieven* bij een vaas met gele rozen die naast haar op het nachtkastje stond. Is het, wat het levensverhaal van mensen betreft, niet vreemd dat we hen zelden meemaken op momenten dat ze rustig zitten te lezen? Freud schreef aan zijn vriendin Marie Bonaparte over 'de onvoorwaarde-

---

* Kafka zei: 'Alle kennis – het totaal van alle vragen en antwoorden – ligt in de hond besloten.' Dit is natuurlijk een typisch kafkaëske overdrijving. Ik ben bang dat het deel is van de charme van het Praagse genie om de zachtmoedige altijd te overwaarderen. Ik vraag me af of, als Kafka en dokter Freud enige tijd met elkaar hadden doorgebracht, ze zouden hebben geprobeerd elkaar honden af te vangen.

lijke genegenheid, dat gevoel van grenzeloze affiniteit, van onbetwiste solidariteit' dat hij voor de hond koesterde. Ik neem aan dat het madame Bonaparte was die het psychoanalytische huisfeest uitvond, waarbij patiënten en dokters samen lunchten en fluisterden in de tuin, terwijl obers toastjes met foie gras aandroegen. En ik neem aan dat Freud eenzaam was in zijn eigen leven, eenzaam te midden van de keurig gestoffeerde wereld van zijn huiselijke verplichtingen. De hond reageerde op een persoonlijk appel. Dat is vaak het geval. Prinses Bonaparte schreef een boek over haar eigen lieve chowchow Topsy, en Freud leek het te waarderen zoals hij zijn beelden, zijn voorwerpen afkomstig van grafroof, zijn ondergangssymbolen waardeerde. De man had een ongewone appetijt voor hongerige zelven en het verhaal van Topsy leek gefundenes Fressen voor hem. Het geval zorgde voor nieuwe mogelijkheden en nieuwe banden. Met zijn dochter Anna besteedde hij verschillende weken aan de vertaling van *Topsy*. Hij begon eraan voor zijn plezier, misschien, en uiteindelijk werd het zijn meest persoonlijke werk.

Niemand in Freuds familie heeft ooit begrepen hoe hij Spaans had geleerd. Het verhaal heeft te maken met zijn oudste schoolvriend, de dappere Silberstein, die heel wat genegenheid bij Freud opriep, vooral toen de dokter aan zijn oude dag begon. Silberstein schreef een brief waarin hij Freud aansprak met een naam die hij had gebruikt toen ze boezemvrienden waren: Cipión, de naam van de tweede hond in Cervantes' prachtige vertelling *El Coloquio de los Perros*, 'Het gesprek van de honden'. De twee jongens hadden de namen Cipión en Berganza aangenomen, de honden die een filosofische dialoog aangaan terwijl ze voor de deur van een beroemd gasthuis liggen. Voor Cervantes was het een eerste schot in de strijd om de roman,* maar voor Freud was het iets veel intiemers en beperkters, een verhaal dat hem herinnerde aan de broederlijke liefde en genegenheid die hem gelukkig hadden gemaakt in zijn jonge jaren. De jongens leerden voldoende Spaans om te kunnen spreken als de honden. *'Tu fidel Cipión, perro en el Hospital de Sevilla'* was de zin waarmee de jonge Freud die geestige brieven eindigde. Hij en zijn vriend vormden de Academia Cartellane, een geheim jongens- en hondengenootschap, een deel van Freuds leven dat verloren was gegaan in het verleden en begraven lag onder de eisen van de volwassenheid. Silberstein werd een oude wijze bankier. En Freud bleef hem zien als de amigo uit zijn jeugd, het leven dat voor hen lag nog onbekend. In Spaanse woorden zou altijd nostalgie schuilgaan. Hij fluisterde ze Jo-Fi in het oor. Hij sprak ze ook uit tegen Anna, de dochter die hij 'hondje' noemde.

Op haar laatste dag in Columbia-Presbyterian was Marilyn urenlang aan de telefoon, en toen kwam haar vriend Ralph

---

* Ik moet zeggen dat dit het begin van een grote traditie vormde, een conventie van stijl en inhoud, waarbij dieren over mensen spreken. Natuurlijk is de traditie ouder dan Cervantes, maar hij maakte haar tot een hoeksteen van de zogenaamde prozafictie. De conventie is misschien gekomen en gegaan, voornamelijk gegaan, maar intussen heeft ze een plaats verdiend in de annalen van lering en vermaak. Voor George Orwell was het de strategie van een realist. Voor mevrouw Woolf was het een manier om zich te amuseren met haar drang tot dichten, te spotten met het beschrijfbare. Zij zouden naar anderen hebben verwezen: Swift, natuurlijk. Maar het zijn de Russen die het trouwst bleken aan de grote traditie: Tsjechov met zijn keeshondje in Jalta dat opmerkt hoe de schoonheid van de vrouw de haat van de man wekt, Gogol met zijn op straat kwebbelende hondjes en Tolstoj die een van zijn verhalen weet te vertellen vanuit het gezichtspunt van een niet al te vriendelijk paard, 'Ellenstok'.

Roberts haar halen om haar naar huis te brengen. Hij was vergezeld van een bijdehand jong publiciteitsmeisje van Arthur Jacobs' kantoor dat Pat heette en het prille van een pas afgestudeerde had. Kennelijk hadden zich buiten wat persjongens verzameld, maar Marilyn zag er gezond uit en ze was klaar voor de vragen en de flitslichten. Ze nam een camel overjas van het bed, en ik bleef nog even in de kamer toen zij naar buiten liepen. Een veld van licht viel door het koude raam. Marilyn had Freuds *Brieven* op het nachtkastje laten liggen.

Ze vergaten me een volle vijf minuten lang. Ik stak de gang over en ging in een kamer aan de overkant op een afgehaald bed liggen. Er waren bedwantsen. Ik zag ze en nam direct aan dat het kleine Karamazovs waren. Ik weet niet of het de omgeving in het algemeen was, of de toestand van de mensen bij wie ze in de buurt waren geweest, maar de bedwantsen hadden een typisch Russische mentaliteit, zoals ze leken te twijfelen aan de betrouwbaarheid van alles. 'We geven toe dat het onze tijd is', zei een van de wantsen triestig. 'Russische waarden, indien we al kunnen spreken van zoiets vaags en bourgeois als waarden, gelden in Amerika en elders als een wezenskenmerk van wat we de grote dualiteit en contradictie van de eeuw zouden kunnen noemen.' Hij doelde op de Koude Oorlog. 'De Amerikanen benijden ons. Ze zijn gefascineerd door de Russische literatuur.'

'En wat heeft dat met jullie te maken?' (Sorry dat ik zo rationeel was, maar tijdens deze bezoeken bracht ik heel wat tijd door tussen heel rationele jonge artsen. En het waren paranoïde tijden: ik dacht dat het spionnen waren.)

'We zijn opgegroeid in ziekenhuizen. In logementen. In tehuizen. In goedkope hotels en huurkazernes. Onze ziel is Russisch.'

'Maar jullie zijn toch Amerikanen?'

'Nee', zei een piepklein stemmetje. 'We zijn bedwantsen.'

Ik was blij terug te zijn op Sutton Place. 'Jij ben stouter als stout!' zei Vincent de portier, terwijl hij me op een haast lenteachtige dag uitliet. 'Jeminee, wat ben jij gegroeid, zeg. Jij ben een hele dikke kleine puppy.' Vince leek alle oude dames in de buurt te kennen en wist niet alleen hun naam – juffrouw Olsen, mevrouw Taymor – maar ook die van hun honden, al die Lucky's, Butches en Maximiliaan Schoenberg de Derdes. 'En hoe gaat 't met uw Claudius vandaag?' vroeg hij dan terwijl hij bleef staan. 'Zo rijp als een nectarine van een week, zou ik zeggen. Zo kwiek als een zak stinkdieren, zou ik zeggen.'

'Waarom praat je zo?' vroeg ik. 'Waarom praat je als een naïeve zwarte uit een roman, een of andere pappie van de katoenvelden?'

'Ha, Maf Schat. Jij ben wel vrólijk vandaag.'

'Ach, hou toch op. Hoor je me? Heb je ooit naar je stem geluisterd, Vince?'

'Een vrolijke frans en zo is het!'

Vince zei ooit iets wat Grace Higgens altijd zei tegen meneer en mevrouw op Charleston, en mevrouw Duff op de boerderij in Schotland zei het ook altijd. Hij zei: 'Vraag 't me niet. Ik heb gewoon een hondenbaan.' Bij dat soort praat gromde ik van verbijstering. In die jaren hing je politieke overtuiging samen met jouw idee van het individu tegenover de staatsmacht. Het werd allemaal ietwat hysterisch, zoals dat gaat bij mensen, op een literair feestje waar ik later die dag met Marilyn was. De algemene obsessie destijds was totalitarisme, en om de een of andere reden – ik weet het niet, mijn persoonlijke opvoeding, leven en opvattingen van de gemiddelde hond – lokaliseerde ik de strijd tussen het individu en de staat altijd in de keukens en op de achtertrap, in de hallen, huizen en appartementen waar wij woonden. En ook in de straten waar wij liepen. Maar de arbeiders waren het daar niet altijd mee eens. Ze praatten niet alsof ze het ermee eens waren. Zoals Trotski ooit zei over enige toevallige slachtoffers: ze hadden de neiging de termijn van hun eigen gevangenschap te verlengen.

Toch wist Vincent haarfijn wat alledaagse komedie was. Hij was een vurig bewonderaar van de geschriften en tekeningen van James Thurber, een meneer van de *New Yorker* die honden (en mensen) heel wat beter begreep dan de meeste honden (en de meeste mensen). Thurber was zo diep in Vincents geest doorgedrongen dat deze portier Thurber-achtige gedachten had en mensen zag als verontrustende schepselen en honden als zoekende beesten. Toen we terugkwamen van onze wandeling moesten we nog een uur wachten voordat Marilyn naar de hal beneden kwam. Marilyn was in alles te laat: het was haar credo, haar privilege, haar stijl en haar wraak.* Vince was een deskundige op het gebied van andermans te laat komen. Hij gaf me een schoteltje water en ging toen in zijn grote stoel zitten bladeren in een bibliotheekboek, een verhaal met de titel: 'Uitgestorven dieren van Bermuda'.

* Ik heb nooit begrepen waarom mensen zo moeilijk deden over haar te laat komen. Toen Gladys Deacon, de toekomstige hertogin van Marlborough, anderhalf uur te laat kwam op een afspraak met de toneelschrijver Jean Giraudoux, was dat volgens hem 'de minimumtijd om te wachten op iemand die zo mooi was als zij'.

Er was een of andere demonstratie in de Upper East Side, dus moest de auto vijftien blokken de stad in rijden, dwars doorsteken en terugrijden in de richting van het Plaza Hotel. Het had een simpele reis moeten zijn, maar geen reis is ooit simpel. Hoe dan ook, het was een heerlijke avond, zo'n frisse aprilavond waarop mannen van dertig zich plotseling realiseren dat ze een ring voor hun vriendin moeten gaan kopen. Op een gegeven moment kwamen we vast te zitten in verkeer dat probeerde Fifth Avenue op te rijden, en plotseling vroeg Marilyn de chauffeur te stoppen. Ze viste een kwartje uit haar portemonnee, stapte uit de auto – mijn baasje in een jurk van chiffon en een nertsmantel – en vroeg de eerste de beste man die ze zag om iets voor haar te doen. De man nam zijn hoed af toen ze op hem toe stapte. De chauffeur draaide het raampje omlaag. De man verkeerde in een staat van wat ze ongeloof noemen. 'Verrek', zei hij. 'Bent u wie ik denk dat u bent?'

'Ik denk het wel', zei Marilyn. 'En u?'

'Verrek', zei hij weer. En toen zei hij: 'Ik ben William Ebert. Ik weet niet waarom ik u dat vertel.'

'Zou u me een plezier willen doen?' vroeg ze. 'Zou u iets voor me kunnen doen? Ik moet deze auto weer in.' Ze stak het kwartje naar voren en hij nam het meteen aan. 'Zou u het Plaza Hotel kunnen bellen? De Oak Room. En gewoon zeggen dat Marilyn wat later komt, maar al wel onderweg is. We proberen haast te maken. De boodschap is voor Carson McCullers. Zou u dat voor me kunnen doen?'

'Tuurlijk', zei de kerel. 'Verrek. Zeg die naam nog eens.' Hij zette zijn aktetas op de grond, trok een pen uit zijn borstzak en schreef het op en vervolgens overhandigde hij de pen en het stukje papier aan Marilyn.

'Wilt u schrijven "Voor Jenny"?'

'Is dat uw vriendin?'

'Als het aan mij ligt wel', zei hij. 'Ze heet Jennifer.' Marilyn trok het voorpand van haar jas om zich heen nadat ze haar naam had geschreven en pen en papier had teruggegeven. Mensen begonnen stil te houden en te wijzen.

'Heeft die meid even geluk', zei Marilyn, terwijl ze naar de auto terugliep en hem een van haar karakteristieke kushandjes gaf. De auto's claxonneerden. De man schreeuwde naar haar toen ze naast mij instapte.

'De Oak Room, toch?'

'Dank je wel, William', zei ze.

'Ik doe het. Ik doe het nu meteen', zei hij.

Bij de New York Public Library zag ik twee vlinders rond de kop van een stenen leeuw fladderen. Ze daalden neer op zijn neusbrug om vervolgens boven de treden te dansen en tot stilstand te komen op een boompje aan de straatrand. Het vrouwtje was bruin en het mannetje blauw, verlegen over zijn oranje chevrons. Ik stak mijn kop omhoog naar het open raampje en luisterde naar ze. De avond ging over in een amoureuze schemering, maar ik kon de vlinders nog duidelijk zien en ze spraken als Nabokov. 'Doorschijnende vriend, ik ben zeeziek van verlangen. Ik aanbid je hemelsblauwe vleugels en je nietige adem, het ballet van je bewegingen in de melancholische lucht.'

'Kom', zei de andere. 'Laten we gaan gluren bij de heggen.'

'Dan vinden we een prieel in bloemenvuur.'

'Morgen. Ja.'

'Er zijn peppels, appels ...'

'Een zondag in suburbia.'

'Ja.'

'Er zijn kleine huizen. Vochtige tuinen.'

'Laten we erheen gaan.'

Ze stegen op, en de blauwe kreeg mij in het oog toen ze pal boven mijn hoofd voorbijvlogen. 'Zorg voor haar, *mon brave*', zei hij.

'Doe ik', zei ik. 'Ik zal het proberen.'

En daarmee dwarrelden de vlinders boven de taxi's om te verdwijnen tegen de achtergrond van de zilveren gebouwenmassa. Tot zover niks aan de hand: de blauwtjes gingen op in de hemel boven Manhattan.

Het laatste stukje van de reis was saai. Marilyn wierp een blik in haar Russische roman, legde die tussen ons in op de bank en haalde haar spiegeltje tevoorschijn om haar lippenstift bij te werken en een tipje crème te wrijven in de huid rond haar piekerogen, zoals ik haar blauwe, zorgelijke ogen noemde. Dus gebruikte ik mijn tijd in het verkeer om na te denken over mijn Top Tien Honden Aller Tijden. De lijst verandert van week tot week al naar gelang de eigenschap die mijn grootste aandacht heeft – was trouw de deugd van de week, of was het slimheid, moed, atletisch talent of mijn oude favoriet: pure goedheid?

GREYFRIARS BOBBY

Een skyeterriër uit Edinburg. Zijn baasje was nachtwaker, en toen hem iets overkwam – nou ja, hij stierf – ging Bobby veertien jaar lang naar zijn graf bij de Greyfriars Kerk. Bobby was een soort heilige, heus waar. En heiligheid is het soort roem dat je moet hebben.

LASSIE

Een briljante collie. 'Greenall Bridge ligt op het platteland van Yorkshire, en van alle plekken op de wereld is hier de hond het meest koning.' Aldus Eric Knight, de schrijver die Lassie als eerste ontdekte in zijn hoofd. Vervolgens werd ze ontdekt door de lui van MGM. Pal was de ster die haar speelde. Pal maakte het personage echt en de rol maakte Pal echt. Dat gebeurt bij subliem acteerwerk. Soms wist Lassie niet meer wie ze was. Geen wonder, want ze werd altijd gespeeld door mannetjeshonden.

JO-FI

Een chowchow uit Parijs die de wereld heeft veranderd. Wist Freuds patiënten op hun gemak te stellen bij Freud en onderwijl ook Freud op zijn gemak te stellen bij Freud, een veel moeilijker taak.

SNOOPY

Een heel wijze beagle. In zijn hart een romancier. Zo een die het creatieve deel in de creatie stopt – een fantastische lezer van Tolstoj. Het schijnt dat hij de eerste twee jaar van zijn leven niet veel heeft gezegd, wat hem heel menselijk maakt.

LAIKA

Een dappere Russische ziel. Laika leefde als zwerver in de straten van Moskou, een zwerver zoals wij allen, en werd in november 1957 met de *Spoetnik 2* de ruimte ingeschoten. Ze is nooit teruggekomen, maar ze kwam te weten wat haar baasjes nooit te weten konden komen. Haar capsule des doods draaide 2570 maal om de aarde voordat ze verbrandde tijdens de terugkeer in de dampkring. Ik denk dat haar memoires een meesterwerk zouden hebben opgeleverd dat zich kon meten met *David Copperfield.*

FLUSH

Londense spaniëls waren zelden zo verstandig Robert Browning te bijten. Deze wel, en hij behoedde Virginia Woolf voor krankzinnigheid tijdens een psychisch bijzonder zware periode. Flush laat ons bovendien zien hoe je moet leven op verschillende ervaringsniveaus tegelijk, wat een geschenk is voor de kunst en een geschenk voor het gezond verstand.

LADY

Een Amerikaanse cockerspaniël, het meisje van mijn dromen. Ze komt voor in een prachtige marxistische fantasie van Disney met de titel *Lady en de vagebond.* Ze speelde altijd de rol van object van de liefde, maar ik keek daardoorheen en waardeerde de zeldzame gaven van dit allervolmaakste lid van de hondenfamilie. Had ze mij maar ontmoet, dan zou alles anders zijn gelopen.

BALTO

Een Siberische husky. Hij weerlegde op superieure wijze het idee dat dienstbaarheid gepaard gaat met domheid – en daarmee stak hij de draak met de neiging van mensen om zich verheven te voelen boven andere mensen en andere dieren – door een grote afstand af te leggen om enkele mensen te redden van de difterie. Zijn standbeeld staat in Central Park om de passerende vreemdelingen eraan te herinneren dat hun honden vermoedelijk attenter zijn dan zijzelf. Sommigen zeggen dat Togo, een andere hond, het meeste loopwerk heeft verricht en dat Balto gewoon alle roem kreeg. Ik verkoos te geloven wat ik wilde geloven, wat het voorrecht van de hond is.

PELLÉAS

Een formidabele hond – een buldog – in bezit van Maurice Maeterlinck – een formidabele Belg. Zijn baasje was een held van de meer eenvoudige magie, die schoonheid en waarheid schiep uit een fundamenteel geloof in de mogelijkheid van het bewustzijn. Pelléas vormde de inspiratiebron voor heel wat liefdevol, onvergetelijk proza van de hand van de oude man, die de wijsheid van Californië begreep. Pelléas is de grote en eeuwige muze, met een prominent voorhoofd zoals dat van Socrates of Verlaine. 'Zijn intelligente ogen openden zich om naar de wereld te kijken,' schreef Maeterlinck, 'om de mensheid lief te hebben, en sloten zich dan weer voor de wrede geheimen van de dood.'

BISOU

Bisou, een cairnterriër die woonde in Montmartre, stond aan de wieg van de moderne schilderkunst. Op een zonnige dag werd ze geschilderd door Renoir, terwijl ze speelde met een model dat een gele, met klaprozen versierde hoed droeg. De mensen rond Bisou stelden zich voor dat ze een stille getuige was, als ze al getuige was: in feite was ze het schepsel dat in haar tijd het meest in zich opnam en volgens de berichten een spreekster die zich kon meten met Oscar Wilde.

II

In de Oak Room van het Plaza Hotel probeerden de obers hun liefde voor mijn baasje en hun afkeer van mij te verhullen, wat mijn vertrouwen in de werkende klasse kortstondig schokte. Maar na een poosje zagen ze het licht en gaven me een bordje met restjes, dat ze naast me op de muurbank zetten. De meisjes dronken Dom Pérignon. Het was slechts een borreltje onder elkaar, om even te ontspannen voordat ze samen vertrokken naar een literair feestje ergens in het noorden van de stad. 'Voordrankjes', zo noemde Marilyn het.

'Goeie genade, als hij niet de colt .45 van Monroeville, Alabama is,' zei mevrouw McCullers, 'zoals-ie in Europa ronddolt met die aardige dames en hun rijke echtgenoten. Babe Paley en Gloria Vanderbilt en Carol Marcus en jullie allemaal. Hij bespeelt jullie allemaal zoals een brulkikker de zomervijver. Jullie moeten het in de gaten houden. Jullie moeten z'n tong in de gaten houden als je van plan bent de wintermaanden te halen.'

'O, we kennen Trumans tong wel', zei Marilyn in haar glas. 'Hij is gemeen.'

'Erger nog. Hij zou z'n moeder verzuipen voor tien minuten met een prinses. Niet eens een prinses, een armzalige hertogin. Een hofdame. God mag het weten, de rottige nicht van een hofdame.'

'Ach, Carson. Ben je niet alleen maar een ietsepietsie jaloers? Ik bedoel, hij is toch een giller? Maar hij is een leuke giller en leuke gillers zijn zeldzaam.'

'Waarom zou ik jaloers zijn, schat? Hij heeft al die teksten gepikt van mij en Bill Faulkner.'*

'Ik hoor dat hij het hartstikke goed doet op een plezierjacht', zei Marilyn.

'Aap me niet na', zei mevrouw McCullers. 'Ik spring nog liever van boord dan dat ik op een jacht ga zitten. Neem van mij aan: Truman heeft zowat iedereen afgemaakt die ooit aardig tegen hem is geweest, verdomd als 't niet waar is.'

'Heeft hij jouw werk gepikt?'

'Ja, schat. Hij heeft dat flikkerromannetje van mij en Bill Faulkner en Eudora Welty gepikt. De rest heeft-ie van Tennessee Williams.'

'En hoe zit het dan met *Breakfast at Tiffany's*?'

'Dat heeft hij van jou gepikt, schat.'

'Dat zeggen ze, ja.'

'Ja. Dat heeft-ie van jou gepikt. En van Carol Marcus en Slim Keith. Dat was het verhaal dat-ie pikte, en de houding die heeft-ie op dezelfde manier gepikt. De stijl, nou, lieverd, de stijl heeft-ie gepikt van mij en Christopher Isherwood, pal onder onze neus vandaan.'

'Hemel.'

'Op de keper beschouwd is Truman echt niet meer dan

---

* Dit was een lichte zelfoverschatting van Carson. De heer Capote had in feite veel meer gestolen van Colette en Jane Bowles.

een boerenlul van een nicht die zich laat inpakken door de chic. Hij is een tippelaar die er gewoon op wacht dat-ie wordt opgepikt door een verwend nest dat toevallig voorbijkomt op zoek naar iets om mee te dollen.'

'Nou, niemand zegt toch dat-ie Proust is.'

'De volgende keer dat je 'm tegenkomt, dan smeer je 'm, schat, hoor je me? Hij zal je achter je rug om vervloeken tot sint-juttemis.'

'Carson, Carson. Kom zeg.'

'Wacht maar af of ik ongelijk heb, schat. Dat mietje heeft z'n mammie laten stikken. Hij heeft Katherine Ann Porter en Newton Arvin laten stikken. Weet je wat hij zei over Greta Garbo? Hij zei dat-ie toevallig in d'r appartement was en dat ze d'r een Picasso heeft hangen, maar Truman zegt dat ze zo stom is dat ze de Picasso ondersteboven heeft gehangen.'

Marilyn gierde het uit. Ik sprong overeind bij dat uitbundige gelach en zij sloeg haar hand voor haar mond. 'Lieve help', zei ze. 'Hij is absoluut de gemeenste man die ooit heeft geleefd.'

'Aap me niet na. En-ie is geen man. Maak je daarover maar niks wijs. Wat ben je toch naïef als het om mannen gaat.'

Carson had een stok aan de rug van haar stoel gehangen en haar gezicht was bleek. Ze was pas vierenveertig, tien jaar ouder dan Marilyn, maar uit haar gezicht en manier van doen zou je afleiden dat ze veel ouder was. Lillian Hellman zei dat Carson zich wentelde in haar ziekte – typisch iets voor Lillian Hellman om te zeggen – maar niemand, zelfs Carson niet, kon ontkennen dat ze zich voortdurend van haar 'makke' bewust was. Ze begreep zelfs dat ze die soms gebruikte om anderen voor haar karretje te spannen, dat een 'last' of 'lastpost' zijn vaak een nette manier was om ervoor te zorgen dat je niet werd vergeten. Want een groot deel van de tijd in de Oak Room had Carson het over haar polsoperatie, en over een tweede operatie, die in juli op het programma stond, en verder was er nog haar roman. 'Jemig. Dat is pas iets om opgewonden van te raken', zei Marilyn. 'Weet je al hoe hij gaat heten?'

'*Klok zonder wijzers.*'

'Da's mooi, hè? Heb je dat van Truman gepikt?'

'Nee, schat. Van Faulkner.'

Maar wat de meisjes echt gemeen hadden, waren hun dokters: ze waren allebei in behandeling geweest bij psychoanalytici die kinderpsycholoog waren. Marilyn lachte sexy naar de ober, en die schonk het restje champagne in hun glazen. 'Dokter Kris heeft me in het Payne Whitney gestopt', zei Marilyn. 'Het was afgrijselijk, Carson. Echt afschuwelijk. Ken je de Gevaarlijke Verdieping? Daar hebben ze me achter slot en grendel gezet. Alsof ik gek was. Mijn moeder is in massa's van dat soort plekken geweest. Ik kan haar niet helpen en zij kan mij niet helpen.'

'Dan staan jullie quitte, schat.' Marilyn dronk het hele glas champagne in één keer leeg. 'Maar Paine Whitney', zei Carson. 'Dat is vreselijk, schat. Met mij hebben ze het ook gedaan, in 1948. Zo lang gaan ze al zo om met arme zenuwlijers.' Carson huiverde, waardoor de pony op haar voorhoofd sidderde. Ze pakte nog een sigaret, haar handen trillend om een gouden aansteker met krassen erop.

'Carson, leef je alleen?'

'Ik leef met de mensen die ik schep, schat', zei ze. Ze zei het niet op een hoogdravende manier, maar heel eenvoudig, alsof ze haar vriendin gewoon een belangrijk feit toevertrouwde.

'De vader van mijn psychoanalytica was een hoge pief in Wenen', zei Marilyn. 'Een vriend van Freud. En haar man was een hoge pief in de kunstpsychologie. Ze verklaarde me voor gek dat ik bij Arthur wegging.'

'Heeft ze je daarom in het gekkenhuis laten opnemen, liefje?'

'Misschien wel. Ik bedoel, ik weet best dat ik hulp nodig had. Misschien een heleboel hulp. Het heeft geen zin te ontkennen dat ik … tja … dat ik verdrietig ben geweest, Carson. Ik had niet gedacht dat ik zo verdrietig … zo … je weet wel, wanhopig kon zijn.'

'Neem de tijd, kind.'

'Ja. Ik ben heel erg down geweest. Te down om de wereld aan te kunnen, denk ik. Dan werd ik wakker en dacht dat alles … nou, gewoon … stof was.'

'Dat is dan het einde, liefje. Of het begin.' Marilyn huiverde en praatte door.

'Hoe dan ook. Ik denk dat de psychiater kwaad op me was, dat ze me daar zo in heeft gestopt.'

Ze praatten erover door, waarbij Carson zo nu en dan rilde en haar sigaret boven de asbak hield, haar bevende vingers geel verkleurd. Marilyn vond het heerlijk om met Carson te praten, want soms kwam er pardoes tijdens hun samenzijn, na de roddel en de plagerij, een moment dat alles op zijn plaats viel, dat alles wat voor hen allebei ertoe deed een uitweg vond in een praatje over boeken. Zoals u weet was Marilyn al maanden dezelfde roman aan het lezen, *De gebroeders Karamazov*, en zij meende dat Carson als enige zou begrijpen hoe ze er met haar over moest praten en ook hoe ze háár erover kon laten praten. Marilyn tilde me op haar schoot, een teken van haar nervositeit. 'Ken je dat artikel van Freud, dat over Dostojevski en vadermoord?'

Mensen verliezen vaak hun accent wanneer ze over boeken praten. Het was me bij anderen opgevallen, maar bij Carson was het onmiskenbaar. 'Natuurlijk', zei ze. '"Er zijn vier facetten te onderscheiden in de rijke persoonlijkheid van Dostojevski: de kunstenaar, de neuroticus, de moralist en de zondaar."'

'Ken je het?'

'Ik ben bang van wel', zei Carson. 'En sommige vrienden van me zouden dat helemaal niet gek vinden.'

Marilyn kuchte zachtjes. 'Nou, volgens Lee zou ik een geweldige Groesjenjka zijn.'

'Hij heeft gelijk, liefje.'

'Bedankt, Carson. Fijn dat je dat zegt.'

'Ga door, schat.'

'Nou, ik ben de roman aan het lezen. Het is veel leeswerk. Voor mij althans wel.'

'Ach, voor iedereen.'

'En ik probeer erachter te komen waarom een meisje bij een man wil zijn die zijn vader wilde vermoorden. Ik bedoel: je vader vermoorden ...'

'We vermoorden allemaal onze vader, schat. Dat doen we nu eenmaal. En als we geluk hebben, vinden we iemand om hem te vervangen.'

'Sommige mensen houden van hun vader', zei Marilyn. 'Sommige mensen houden hun hele leven lang van hun vader.'

'Houden van, vermoorden. Het is allemaal één pot nat.'

'O, Carson, ik kan vandaag niet met je praten. Zelfs voor mij is dat gewoon te verdorven. Ik zeg geen woord meer.'

'Verdorven, liefje? Daar geven ze me prijzen voor.'

De ober zette nog een bordje olijven op de tafel, en Carson at ze gewoon op, stuk voor stuk, tot het bordje een kerkhof van prikkers en pitten was. Ik rook een paar heerlijke dingen die uit de keuken kwamen, maar ik bleef daar gewoon zitten, ben ik bang, grommend naar sommige starende voorbijkomers. Enkele vrouwen droegen baljurken, grote ballonnen van tule, en andere liepen in gele of paarse broekpakken van Jax. Marilyn vond van Carson wat ze vaak vond van de Strasbergs, wat ze vroeger ook altijd vond van Arthur. Ze hield van hun gedachten. Ze hield van hun gedachten zoals mensen van haar gezicht hielden. Carson begon te praten alsof Freuds essay over Dostojevski en de vallende ziekte eigenlijk een verhandeling over haar eigen problemen was. Marilyn plantte haar hand onder haar kin en luisterde. De ik-cultus is soms een heel vermakelijke ziekte.

'Groesjenjka is een geval apart', zei Carson. 'Weet je dat de schrijver de mentaliteit van een misdadiger had? Alle goede schrijvers hebben dat, liefje. We worden gekweld door schuldgevoel over de dingen die we doen in onze dromen. Niet alleen in dromen. Het heet dat die arme Dostojevski jaren tevoren misschien een jong meisje heeft aangerand. Hij was de koning der neuroten, die lieve man. Schreef wel een prachtig boek, mijn god, en beestachtig ook, gewoon beestachtig. Die man kon zich alles voorstellen.'

Marilyn liet haar stem dalen. 'Groesjenjka is voor mannen een andere manier om met hun neurose om te gaan, niet?'

'Door haar te neuken? Nou en of, liefje.' Marilyn haalde een boek tevoorschijn en liet een bladzijde zien, een onderstreping.

'Hij schrijft dat de eerste dokters copulatie "de kleine epilepsie" noemden.'

'*Le petit mal.* Verdomd waar. Groesjenjka heeft echte hartstochten. Ze is authentiek, god nog an toe. Ze is onschuldig. En die mannen proberen hun neurose op iedere mogelijke manier te onderdrukken. Niet dat ze het er zelf beter op maakt. Ze denkt dat ze een slok water is, terwijl ze eigenlijk een droogte is.'

'Gossie', zei Marilyn. 'Lee zou dat prachtig vinden.'

'Maar vergeet niet dat wij ook een vader hadden, liefje. Net als Groesjenjka en de kleine Ophelia. De meisjes hebben ook een vader en ze hebben een moeder, god sta ons bij. God sta iedereen bij.'

'Ik heb mijn vader nooit gekend', zei Marilyn.

'Tja, kind', zei Carson, terwijl ze de laatste olijfpit op het bordje legde. 'Dat je je vader nooit gekend hebt, brengt zo zijn problemen mee, maar het betekent in ieder geval dat je hem nooit zult verliezen.' Marilyn vroeg de rekening, en de meisjes begonnen hun spullen bijeen te rapen. Voor hen allebei zou het uur in de Oak Room het beste deel van de avond zijn. Maar nu moesten ze naar de andere kant van de stad: ze waren al laat voor een cocktailparty, al zei Carson dat die literaire feestjes pas op gang kwamen als de mensen langer bleven hangen dan de bedoeling was.

Het feest vond plaats in het huis van Alfred Kazin aan Riverside Drive, een appartement met stapels boeken op het fornuis, bergen ijs in het bad, tapenade op de toastjes, de Engelsen bijeengekropen in de gang en de beatniks op de brandtrap. Ik moet u zeggen dat het geen aangewezen plek was voor borrelpraat. Carson zat in een grote leunstoel bij de platenspeler en vroeg algauw om het geluid zachter te zetten, en Marilyn, stralend van de champagne, werd door onzichtbare handen van kamer naar kamer gevoerd. Meneer Kazin hield niet van honden, dat was duidelijk, maar Carson komt uit het Zuiden, waar honden gerekend worden tot de inspiratiebronnen van de hoge cultuur, en ik werd algauw getolereerd. (Niet lang na onze aankomst viel me op dat bijna iedereen leek te discussiëren over het laatste nummer van *Partisan Review*.) Meneer Kazin had een innige, sentimentele band met Carson: hij was geïmponeerd door haar manier van doen en haar talent, haar jongetjesgezicht dat hem nerveus maakte. In haar nabijheid verzon hij altijd heimelijk plannetjes om haar te complimenteren. Ze zei niet veel terug, maar spoog eenvoudigweg een beetje tabak uit en bekeek hem met haar achterdochtige ogen. 'Mary McCarthy noemt je in het aprilnummer', zei hij. 'Ze zegt dat jij en Jean Stafford in onze tijd de fakkeldragers van de gevoelsliteratuur zijn.' Telkens als meneer Kazin een idee ging lanceren, vernauwden zijn ogen zich. 'Je weet hoe het is met Mary. Ze wil alles in hapklare brokken. Ze verbeeldt zich dat de nieuwe club, zij, de jonge Updike, te vergelijken zijn met mimespelers, acteurs, waarbij heel veel zorg wordt besteed aan de techniek van de imitatie. Zo wil ze het hebben.'

'Nou', zei Carson. 'Ik ben ervan overtuigd dat Mary verdomde goed weet waar ze het over heeft.'

'Ze laat zich gemakkelijk imponeren door haar eigen oordelen', zei hij.

'Ik weet het niet,' zei Carson, 'maar volgens mij is dat het voorrecht van de criticus.'

Ik moest denken aan meneer Connolly en raakte even opgewonden bij het idee dat hij er was. (Hij was er niet.) Op datzelfde moment kwam een man die Marius Bewley heette nogal homoseksueel aangetrippeld. Hij was met een man die een pijp rookte alsof hij een cello bespeelde, waarbij Bewleys grote vollemaansgezicht opdoemde door de damp heen. Bewley wierp een blik op zijn vriend. 'Ik heb een bruyèrepijp nog nooit zo probaat zien werken', zei hij. Carson grinnikte en accepteerde gretig een martini aangereikt door gevoelige vingers.

'Marius, we bespraken net Mary's stuk over personages in fictie.'

'O ja. Al dat sissende jargon. Mary veronderstelt dat komische personages per definitie echt zijn, terwijl serieuze mensen zoals ik verzinsels zijn. Lieverds, ik ben niet minder echt dan Leopold Bloom. Ik mag dan een afkeer hebben van goedkope zeep en de scherpe lucht van urine, maar ik ben echt. Raak me maar aan als je wilt.'

'Verdomd als 't niet waar is', zei Carson. 'Je bent even echt als Edith Sitwell.' Ze lachte, ze kuchte, tot er twee grauwe vlekken op haar wangen verschenen. Ze vond Bewley de smaakmaker van de literatuur.

'Ik ben even echt als Jay Gatsby, lieverd. En veel serieuzer dan *Dame* Edith. Wil je weten wat Randall over Mary McCarthy zei? Hij zei: "Verscheurde dieren worden bij zonsondergang van die glimlach verwijderd."'

'Ha! Dat is het leukste wat ik in taiden heb gehoord', zei Carson. 'In taiden.'

'Ze bedoelt "tijden"', zei meneer Kazin.

'Besta ik objectief niet?' zei meneer Bewley.

'Je staat in de vik, zus.'

'Ze bedoelt "fik"', zei meneer Kazin.

'Ik heb haar broer ontmoet', zei ik. 'Hij heet Kevin. Ik heb in de Actors Studio op zijn schoot gezeten.'

'Moet je dat witte hondje nou eens zien.' Meneer Bewley zuchtte en schudde zijn hoofd. 'Ach, om weer jong en onschuldig te zijn.' Meneer Kazin tilde me op en bracht me door de menigte naar de keuken, waar heel vriendelijk een schoteltje water ter beschikking werd gesteld. Ik stond op het aanrecht op de afdruipplaat. Naast me stond, leunend tegen het fornuis, een zekere doctor Annan van King's College, Cambridge, tegen een dichter te praten over de getuigenis die de doctor kortgeleden in het *Lady Chatterly*-proces had afgelegd. 'Dwight MacDonald schreef erover in *Partisan Review*', zei hij. Er kwam een hand tussen ons in die een fles vermout pakte.

'Dat heb ik inderdaad gedaan', zei meneer MacDonald, zijn manchet doornat omdat die in mijn schoteltje had gehangen. 'Hallo, Noel. Dat was een heel geanimeerd optreden in Rechtbank Nummer Een.'

'Ach, je doet je best', zei doctor Annan. 'Zeg, ken je mijn vriend ...'

'Frank O'Hara', zei de dichter, en hij stak houterig zijn hand uit.

'Jazeker', zei MacDonald. 'Ik heb het stuk van Kenneth Koch over je gelezen in het laatste nummer.'

'Het was een lief artikel', zei O'Hara verlegen. Een dichter op de brandtrap maakte O'Hara aan het lachen toen hij hem 'een filister' en 'een schoonheid' noemde. Ik keek om bij het geluid van de kraakstem. De man droeg een baard en had meer weg van een leeuw dan van een kat, een grote dichter van de rimboe met zijn dikke bril en sacrale gefluister. Het was Allen Ginsberg. Hij dronk wijn uit een kan en offreerde 'onthullingen' aan mensen die naar zijn lange gedicht vroegen, een geval dat ik vast mooi zou vinden, met de titel 'Schreeuw'. Hij vond het leven opwindend en had zijn eigen luidruchtige publiek, andere dichters, een dronkaard van Times Square met een gebutst gezicht. Het laatste wat ik op de brandtrap zag, was Ginsberg die kritiek leverde op de Columbia University en het gezicht van een jonge man in zijn handen nam, het zoende en met intens genoegen zei: 'Vertrouwen is een intieme samenzwering. *Sjanti. Sjanti.* Vertrouwen is de reet van Mae West.'

'Staat dat in je gedicht?' vroeg de jonge man.

'Neu', zei de dichter. 'Het is alleen voor jou.'

'Lief?' zei MacDonald tegen O'Hara. 'Hij zei dat je de beste nog levende schrijver over New York bent.'

'Dat is heel lief', zei O'Hara.

Ik liet mijn kop rusten en overzag de ruimte. Waarom zien critici er altijd uit als ongelukkige konijnen, dacht ik.

Kazin kietelde me onder de kin en zette me op de vloer. Het was geweldig om zomaar tussen de schoenen te lopen: er waren veterschoenen en hakken, sandalen en exclusieve laarzen, sommige als de prachtige tekeningen die ik kortgeleden in de tijdschriften had gezien. Ik volgde het spoor van Chanel No. 5 in de hoop Marilyn te vinden. Ik passeerde een groot aantal mensen, die soms elkaars hand aanraakten en allemaal een glas omklemden, de ogen van de jongste nu en dan blikkerend van de angst. Ik passeerde een stel, keek omhoog en zag een man die Jacob heette en een poging deed vriendelijk te zijn tegen een bloedserieus meisje. 'Een goed tijdschrift, Susan – het was toch Susan? – draait niet alleen om wat het opneemt maar ook om wat het afwijst.'

'Ach,' zei ze, deze Susan, 'de natuurlijke tirannie van de literaire selectie. Geweldig vind ik dat.' Haar ogen leken donker te worden van opwinding. 'Ik schrijf iets over de komedie van de dodelijke ernst, niet zozeer een essay als wel een reeks notities. Een cascade van *pensées*.'

'En wat blijkt eruit, uit die notities?'

'Dat de wereld een esthetisch verschijnsel is. Het gaat over een gevoeligheid, het idee dat er goede smaak en slechte smaak is.'

'Dus het gaat over Oscar Wilde?'

'Oscar, ja. Maar ook over tiffanylampen. De romans van Ronald Firbank. Schoedsacks *King Kong*.'

'Dus het gaat over onschuld?'

'Misschien', zei ze, dit in haar oren knopend. 'Maar ook over ernst, een ernst die tekortschiet. Het gaat ook over extravagantie, empathie en de sublimering van het personage. Het leven als theater.'

'Dus het gaat over homoseksuelen?'

'Niet alle joden zijn progressief en niet alle homo's zijn artistiek.'

'De meeste wel, als ze goed zijn in wat ze doen. Goed in wie ze zijn.'

'Dat is erg grappig.'

'Dank je, jongedame. Geef de asbak eens. Kun je me nog een voorbeeld geven van wat je bedoelt?'

'Het gezicht van Garbo. *The Wings of the Dove*. De retoriek van De Gaulle. Restaurant Brown Derby aan Sunset Boulevard.'

'Dat zijn vier voorbeelden.'

'Ik denk dat ik te veel martini's heb gedronken', zei ze.

'Brown Derby vind je aan Wilshire', zei ik.

'Jaag die hond eens weg', zei Susan. 'Ik vertrouw honden niet, met hun gesnuffel.'

Een halve kamer verder hield ik stil bij de enkels van een vrouw met een aantal gaten in haar kousen. Ze was heel luidruchtig en droeg een paar reptiellederen schoenen van

François Pinet. Ik had meteen in de gaten dat het Lillian Hellman was. Ze rookte een lange sigaret en liet een glas wodka aan haar zijde bungelen, zodat er spatten op mijn neus vielen. Ik likte de plas drank bij haar voeten op en ging toen onder een nest bijzettafeltjes zitten om af te luisteren. Ze fulmineerde feller tegen de redactie van het tijdschrift dan tegen Stalin, en algauw wilde ik haar bijten. De vrouw was dolverliefd op zichzelf, wat al erg genoeg was, maar ze had ook een hekel aan Marilyn vanwege Arthur – ze wachtte op een kans om iets hatelijks te zeggen – en het was duidelijk dat ze zichzelf beschouwde als de grootste held die voor de Commissie was verschenen.* In de tijd die ik onder de bijzettafeltjes doorbracht, wist ze over iedereen die ze noemde iets gemeens te zeggen. Eerst was het Marilyn. 'Zo vulgair, je wilt het niet geloven. Ze zeggen dat ze Clark Gable de dood in heeft gejaagd omdat ze bij *The Misfits* altijd te laat was.' Daarna was het tijdschrift aan de beurt. 'Laat me niet lachen. *Partisan Review* is het huisorgaan van de progressieve lafheid van de natie.'

'Waarom ben je dan hier?' vroeg een schilder met een aardig gezicht die Robert Motherwell heette.

'Ik hou ervan om de beest uit te hangen met mijn vijanden, schat.'

---

* Lillian Hellman verscheen in 1950 voor de Commissie voor Onamerikaanse Activiteiten van het Huis van Afgevaardigden. Ze verzon haar leven, wat redelijk is, maar ze verzon ook een goede zin die ze bij het verhoor zou hebben uitgesproken: 'Ik kan en wil mijn geweten niet op de maat van de mode van dit jaar snijden.' Een dergelijke uitspraak is absoluut niet gedaan, behalve door Lillian op feestjes. Arthur Miller verscheen voor de Commissie in 1957. Marilyn was met hem meegegaan naar de hoorzitting in Washington.

Daarna was Norman Mailer aan de beurt. 'Hij is al jaren op zoek naar iemand om te naaien. En Adele was al jaren op zoek naar iemand om háár te naaien. Het was een volmaakt stel. Existentiële held, me reet. Norman kan zich nog niet uit een kussensloop vechten. Zijn carrière is voorbij.'

'Dat is cru', zei meneer Podhoretz, die aan kwam sluipen. 'Norman is oprecht.'

'Oprecht, me hoela', zei ze.

'Moet jij eens luisteren, Lillian. Probeer nou voor één keer eens grootmoedig te zijn. Norman zit in moeilijkheden en hij is goed voor je geweest.'

'Goed voor mij, me hoela.'

'Nee. Hij was goed voor jou en hij was goed voor Dash toen die ziek was. Je moest je schamen om zo te praten.'

'Ik ben niet meer uit geweest sinds Dash is gestorven.'

'Tja', zei hij. 'Laat ik het daar maar aan toeschrijven dan. Weet je wat Degas over Whistler zei? Hij zei dat hij zich gedroeg alsof hij geen talent had.'

'Dat is gewoon het ergste wat je over een kunstenaar kunt zeggen'

'Nou, Lillian. Denk er maar eens over na.'

'Hang jij de zedenmeester maar uit', zei ze. 'Ik zou je geloven, Norman, als het tijdschrift *Commentary* ooit opstaat en één keer iets moedigs zegt voor het ter ziele gaat. Waarom ga je niet gewoon weer die potrokers lastigvallen?'

'Mensen veranderen, Lillian.'

'Jij niet, Norman. Jij zult de wonden die mensen zichzelf toebrengen voor ze blijven likken tot de dag des oordeels.'

Vervolgens begon ze een discussie over de Koude Oorlog met een vriendelijk mannetje genaamd F.W. Dupee. Mevrouw Hellman geloofde dat het allemaal was verzonnen door de CIA om het Russische volk arm en het Amerikaanse volk dom te houden. 'We hebben geen nationale stijl', zei ze. 'De regering van dit land zou geen cent overhebben voor wat jullie soort "de hoge cultuur" noemt.'

'Dat is niet waar', zei Dupee. 'De regering stelt een groot belang in de hoge cultuur. Zelfs de rotte elementen van de regering geven erom. Iedereen in deze stad kan ervan uitgaan dat politiek en hoge cultuur alles met elkaar te maken hebben.'

'Kul', zei ze. 'Mocht je willen.' Stephen Spender, een kat sluipend tussen katten, schuurde langs haar en ze wierp hem een gemene blik achterna, als een harpoen in zijn rug. 'We maken een periode door waarin de Amerikaanse regering zich niet echt bewust is van het intellectuele leven.'

'Ik vrees dat je je vergist', zei Dupee. 'De oorlog tussen kapitalisme en socialisme die nu woedt, is in wezen een ontologisch dispuut. Het is een debat over de manier waarop mensen kunnen leven in de maatschappij. Wij plaatsen dat dispuut in de cultuur, en dat is de Amerikaanse manier van doen.'

'Je droomt, schat.'

'Dit is een nieuw tijdperk voor Amerika', zei een van de redactieassistenten, die Jane heette.

'Breng me nog een wodka-stinger, schat', zei mevrouw Hellman met een ziedend gezicht. Ze draaide zich om. 'Jullie zijn allemaal rottige trotskisten, door gekte gedreven. Het spijt me te moeten zeggen dat kameraad Trotski een verrader is. Ik was blij dat ik tegen zijn aanvraag voor asiel in Amerika was.'

Alles werd zwart voor mijn ogen en ik schoot van onder de tafeltjes vandaan om mijn tanden in haar in nylon gestoken enkel te zetten. Ze gilde het uit en de mensen weken van haar weg. 'Help! Ik word aangevallen! Ooo. Ik word aangevallen!' zei ze. Ik hield niet lang vast, en meneer Kazin was er in een oogwenk en tilde me op. 'Is dat de hond van mevrouw Miller?' schreeuwde ze.

'Maak je niet druk, Lillian.'

'Druk? Godverdomme. De hond heeft me gebeten omdat ik de waarheid zeg. Ik stap naar de rechter.'

'Maak je niet druk, zei ik.' Hij onderzocht haar enkel. 'Er zijn geen wonden en er is niks meer aan de hand. Maak je niet druk, Lillian. Zelfs geen schrammetje. Dit is een fantastisch feest en het is maar een klein hondje. Warm, hierbinnen, voor een hond. Ann! Kan iemand een raam openzetten?'

Toen meneer Kazin me terugzette op de vloer, kreeg ik klopjes van een aantal vriendinnen van hem. Veel *Partisan Review*-echtgenotes waren in feite weduwe: hun mannen hielden zich alleen maar met elkaar bezig, en de meeste vrouwen werden niet voorgesteld en bij de deur achtergelaten, waar ze probeerden geen geërgerd gezicht te trekken. Natuurlijk waren er uitzonderingen onder deze vrouwen, maar niet veel. Het gebied rondom de Columbia University en Riverside Drive vormde een gemeenschap – een eigen wereld van ongedwongen omgangsvormen die Kazin verfoeide – en het waren de vrouwen die de serviezen huurden, de patronen uitwisselden en de kinderkleren doorgaven. Het merendeel van deze vrouwen had niets te maken met de 'gisse vrouwen': ze vreesden hun tong en hun onafhankelijkheid en waren blij dat zij niet zo waren. Ik kuierde die gang met mooie schoenen uit en bevond me algauw tussen de gaatjesschoenen. Een jonge man had een vrouw klemgezet tegen de toiletdeur: ze deelden een sigaret en een liefde voor Samuel

Beckett. 'Hellmans stuk gaat over consumentenverdwazing', zei hij. 'Het had net zijn laatste uitvoering in het Hudson. Tja, het gaat over de gewelddadigheid van het kopen, maar zij is verdomme de grootste koper van allemaal. Zij is de enige stalinist in de wereldgeschiedenis die een ... je weet wel, heeft opgetreden in een advertentiespot voor nertsmantels.'

'God. Ze is nogal fel, niet?' zei het meisje. 'Gemene Ouwe Meid.'

Mijn kop draaide en ik zette twee stappen door het woud van benen. Ted Solotaroff stond te praten tegen een gevoelige jonge man met een gekwelde blik. Eerst dacht ik dat het Charlie was, de leider van de Monroe Zes, want dit was het soort feestje waar Charlie binnen kon glippen als jong redactielid van de Viking Press. Hij had dezelfde gevoeligheid en in zichzelf gekeerdheid als Charlie, dezelfde interesses, maar hij was veel kleiner van stuk en vond dingen niet grappig. Hij had het over een verhaal van Isaac Rosenfeld dat 'Red Wolf' heette. 'Ergens vind ik het echt jammer', zei de jonge vent. 'Hij zou nooit Saul Bellow worden. Ik bedoel, het waren vrienden en alles. Ze dachten allebei dat ze Bellow zouden worden, maar alleen Bellow maakt daar kans op.'

'En zelfs dat is niet zeker', zei Solotaroff. 'Het is niet makkelijk. Heb je Sauls Afrikaroman gelezen?'

'Geweldige kost.'

'Nou en of. Hoe dan ook, dat verhaal van Rosenfeld. Verhalen verteld door een hond, niet? Nou, daar doet-ie Kafka. Hij komt maar niet over Kafka heen.'

'Ach, zo kan-ie wel weer, lui', zei ik.

Het parfumspoor volgend vond ik Marilyn in de slaapkamer geleund tegen een witte boekenkast. Ze stond met Lionel Trilling en diens vrouw Diana te praten, terwijl Irving

Howe naar hen op zat te kijken vanaf de armleuning van een stoel met William Morris-bekleding. Mijn baasje had die mooie, vreemde onderwaterblik in haar ogen en luisterde vol aandacht. Ik stond in het schaduwblok van de deur, toen het bij me opkwam dat dit een toneelstuk was, en met een zekere smaak in mijn mond, een smaak van Hellman, zag ik mijzelf als de schrijver. Zoals Cicero zei: 'Eer bevordert de kunsten.'

TRILLING *draagt een elegant sportjasje en een zwarte stropdas, en hij houdt een pijp haaks op zijn gedachten.* DIANA *draagt een nachtblauwe jurk met een jasje over het bovenstuk, een broche op haar borst gepind als om haar waardigheid te garanderen. Haar lippen zijn grijs gevlekt, maar ik denk dat dit gewoon het rood is zoals een hond dat ziet.* MENEER HOWE *draagt een lichte broek, een paar soepele schoenen, een katoenen jasje met in het borstzakje een paar potloden. De kamer ademt sterk de sfeer van de ondergaande zon. Uit een andere kamer komt het geluid van Dizzy Gillespie.*

TRILLING [*behoedzaam, nobel, ongenaakbaar*]: Laten we het de romance van de cultuur noemen.

DIANA: Nee, Lionel.

TRILLING: Nee?

DIANA: Ik kan gewoon niet geloven dat we genoeg reden hebben om kunst als een narcoticum te gaan zien.

TRILLING: Je kunt beter de nadruk leggen op het idee dat geen enkel kunstwerk ooit te scheiden is van zijn uitwerking. *De gebroeders Karamazov* is niet een soort narcoticum, maar voor de gevoelige lezer kan het boek wel degelijk een homeopathisch karakter hebben. Het is de functie van de tragedie om ons voor te bereiden, ons, als menselijke wezens, zelfs als maatschappij, te harden voor wat we misschien wel ervaren als de pijn van het leven.

DIANA: Dus kunst is eenvoudigweg een vlucht?

TRILLING [*geduldig*]: Nee. Een confrontatie.

MENEER HOWE [*vrolijk*]: Precies het tegendeel van een vlucht. Precies het tegendeel!

TRILLING: In de komedie vinden we werkelijkheid, vinden we de essentie van de mens als levend wezen.

MENEER HOWE: Maar al te waar!

DIANA [*tegen* MARILYN]: Meneer Kazin denkt dat Dostojevski de grootste criticus van onze beschaving is.

MENEER HOWE [*heel verlegen*]: Is dat zo?

DIANA: Bedoel je: is dat het geval? Ik zou zeggen dat het te verdedigen is, ja. Laten we eens zien wat Lionel zegt.

TRILLING [*naar* MARILYN *kijkend*]: In de verhandeling van Freud die je een paar minuten geleden noemde, 'Dostojevski en vadermoord', zegt Freud dat de psychoanalyse niet echt vat op de kunstenaar kan krijgen. Toch begrijpt hij dat Dostojevski een wel heel groot schrijver is en een profeet van de hoge cultuur, in staat de krachten op te roepen die niet alleen in de mens werken, maar ook in de beschaving zelf. Maar je bent geïnteresseerd in Groesjenjka, en ik moet zeggen dat ik denk dat daar het genie van de schrijver werkelijk tot uiting komt, in de mengeling van tragedie en komedie waarvan zijn weergave van de secundaire personages in dat indrukwekkende werk doortrokken is.

MARILYN: Vind je haar grappig?

TRILLING: Alles wat echt leeft, is grappig.

MARILYN: Heus?

DIANA: Chroesjtsjov is grappig? Leopold en Loeb? Adolf...

TRILLING: Chroesjtsjov is niet ongrappig.

MARILYN: Hij kwam naar de studio. Wanneer was het, vorig jaar, het jaar daarvoor? Ze hadden gegeten in de kantine bij Fox. Ik vond hem heel grappig. Lijp. Ik bedoel vreemd, maar ik mocht hem wel. Hij zei ooit tegen Nixon dat alle winkeliers dieven zijn. Nixon groeide op in een winkel, of zoiets.

TRILLING: Zo zie je maar.

[*Terwijl* DIANA *naar het raam kijkt, friemelt* MENEER HOWE *met de potloden in zijn borstzakje.* DIANA *nipt aan haar martini. Ze ziet eruit alsof ze op de binnenkant van haar wangen bijt.*]

MENEER HOWE: Ja. Dostojevski en Dickens zijn schrijvers die ons de komedie van het realisme tonen, de tragedie van het intellectuele leven, de wonderen van de psychologie. Allebei zijn ze profeten en hun religie is de menselijkheid.

DIANA [*glimlachend*]: Heel mooi, Irving. Heel erg mooi.

MENEER HOWE: Het werk zit vol zotternij.

MARILYN [*haast gekwetst*]: Maar *De gebroeders Karamazov* is beslist heel serieus.

MENEER HOWE: Het is ook serieus.

TRILLING: Niets is zo serieus als komedie.

DIANA: Ga door, Irving.

MENEER HOWE: De roman is door en door politiek. In de wereld van Dostojevski wordt niemand ontzien, maar bestaat ook een opperste troost: niemand wordt uitgesloten. Net als Dickens bevolkt hij zijn boek met echte mensen. Dickens zet een reeks gebeurtenissen in gang: de schelm wordt gekenschetst door zijn energie en zijn stem, en hij gaat van avontuur naar avontuur, waarbij iedere serie voorvallen hem in aanraking brengt met een nieuw stel personages. Via Fielding heeft de schelmenroman de grootste invloed op Dickens uitgeoefend. Een roman moet niet alleen de wereld openbaren, maar moet ook een wereld zijn. Toon me een goede roman en ik toon je een concentratie van energie. Zelfs deze hond hier zou een roman kunnen schrijven en die zou ik morgen lezen. Het zou ongetwijfeld een geplagieerde compilatie zijn van de werken van oude Spaanse meesters. Oude Britse meesters. Het zij zo. Kom maar op ermee. We kunnen er meer van gebruiken. Waar blijven tegenwoordig de komische romans? Het is de hartslag van de vorm. Zo zou de samenleving kunnen worden onderzocht, en onze onderzoeken zouden, God bewaar me, zelfs weleens onderhoudend kunnen blijken. Dat is mijn argument.

DIANA: Nou, het is geen al te best argument.

MARILYN: Ik vind het fraai.

DIANA: Fraai?

MARILYN: Tuurlijk. Ik vind het fraai.

DIANA: Ik kan je niet volgen, Irving. Beweer je dat het goed zou zijn voor onze ... onze nationale literatuur als werken zouden worden geconcipieerd door arbeiders en bedienden, en door ... door honden?'

MENEER HOWE: *De gebroeders Karamazov* is in feite het verhaal van huisbedienden. Alle grote verhalen gaan over de bedienden.

TRILLING: Dat is ongehoord.

MENEER HOWE: Ik bedoel, zelfs *Koning Lear* – dat is het verhaal van de Nar. En *De gebroeders K.* is het verhaal van Smerdjakov.

[*Ik kefte van opwinding en betrok mezelf in het stuk*]

DIANA: Ach, kijk eens. Het is de held van de dag.

Irving Howe was tenminste flexibel en open in zijn absurditeit. (Misschien wel te open: ik denk dat hij te dicht bij mij stond, gevoelig was voor mijn propaganda, de stijl van mijn ervaring, mijn wil tot macht.) Meneer Trilling daarentegen was een raadsel van een veel minder goedaardige soort. Trillings immense onverstoorbaarheid had iets sinisters. Mensen leken ontzag te hebben voor zijn behoedzaamheid, zijn geduldige oordeelsvermogen, zijn minzame onwil te veel te zeggen of te weinig te denken voor hij iets zei. Zijn manier van doen verhulde angst, net zoals zijn geloof in de cultuur dat deed: daarbuiten in de wereld was het een en al rotzooi en onzekerheid. Meneer Trilling wist dat, en het was zijn opzet om zijn verdediging onneembaar te maken. Zelfs zijn vrouw kon zijn koele bloed niet sneller laten stromen, al weet God dat ze haar uiterste best deed. Het leek dat Diana deelde in haar mans waardigheid, maar in feite ondermijnde ze die door op subtiele wijze zijn zelfbeeld aan te tasten, terwijl ze zich voordeed als de hoedster ervan. (Niet dat vrouwen verplicht zijn de talenten van hun echtgenoot te beschermen, maar Diana wilde dat en ze was zich niet bewust van de vijandigheid die dat in haar wekte.) Er was iets aan de hand met mevrouw Trilling, waardoor ze andere mensen die eigenschappen ontzegde waarvan ze wist dat ze ze zelf miste: het was louter een overlevingsritueel. Ze moest zich superieur voelen om zich levend te voelen, meer niet. Intussen was Lionel idolaat van zijn eigen morele onderscheidingsvermogen, zijn lichaam een instrument van serene beweging, een machine die haar inspanningen en zwakheden verhulde. Hem trof geen enkele blaam dan alleen de behoefte vrij van blaam te zijn. Dit alles werd duidelijk terwijl meneer en mevrouw Trilling om elkaar heen cirkelden met hun superalerte conversatie, de omstanders belonend met hun aandacht, intussen duidelijk makend dat hun huwelijk alle sociale omgang was die ze zich maar konden wensen. Voor mevrouw Trilling zelf gaf alles wat ze wist over haar echtgenoot haar de vrijheid om zowel aan hem te twijfelen als hem te verdedigen, en ze wist dat hij meneer Howe pas kortgeleden vergiffenis had geschonken voor het artikel over het intellect en macht dat deze in 1954 had geschreven. Een fundamenteel menselijk conflict was gekristalliseerd in haar huwelijk met Lionel, maar ze vond zichzelf haast gelukkig, wat voor haar zelf prima voldeed. Ze keek neer op haar schoenen: blauw met hak, een nuffig strikje op de neus. Meneer Trilling bedacht intussen hoe goed – relatief goed, bijna goed – zijn vrouw zich door het feestje heen sloeg, gegeven Kazins niet vergeten kritiek op haar psychoanalytische benadering van D.H. Lawrence. Marilyn zei bij zichzelf hoe ongelooflijk intelligent deze mensen waren en hoe stellig ze leken over alles. 'Ik ben bang dat we juffrouw Monroe volledig in beslag hebben genomen', zei Diana toen meneer Kazin de kamer binnenkwam met in zijn kielzog een stralende en welgedane Edmund Wilson, die in een zakdoek snoof en een glas whisky in de hand had.

'Op dit moment zegt Lillian tegen Carson dat ze niets van het Zuiden weet', zei Alfred. 'Ze zegt dat Carson nooit in New Orleans is geweest.'

'De botsing der giganten', zei Wilson als een gewichtige, bezige hommel.

'Ik weet niet of je juffrouw Monroe kent', zei Diana, die graag goede sier maakte.

'Dag, mevrouw.'

Marilyn stak haar hand uit. 'Heel prettig kennis met u te

maken.' Wilson klopte op zijn buik en keek naar Lionel. Het was als de ontmoeting tussen Maria en Elizabeth in *Maria Stuart*: beiden bogen haast onzichtbaar en Wilson hoestte. Schiller zelf zou gehoest kunnen hebben bij de keelprikkelende sensatie die Wilson door zijn lichaam voelde gaan toen hij zijn whisky achteroversloeg en begon te praten. Zoals mensen vaak doen als er honden in de buurt zijn, gebruikten ze mij als excuus voor een praatje over koetjes en kalfjes, en je zag meteen dat geen van beide mannen gemaakt was voor zo'n praatje. 'Toen Henry James oud en moe was,' zei Wilson, 'zag je hem door de High Street in Rye lopen met zijn hond Maximilian achter zich aan trippelend.'

'Ach, ja', zei Trilling. 'De hond die de subtielere gevoelens kan belichamen. Ik dacht dat Maximilian de oud geworden opvolger van Tosca was. Edel schreef dat Maximilian iets van het gezag van James leek te hebben.' Lionel keek rond alsof het allemaal vanzelf kwam. 'Is Leon hier?'

'Ik weet het niet', zei Wilson. Toen zweeg hij even. 'Hoe gaat het met de Tempel?'

'Van Geleerdheid? Vervelend en voorspoedig tegelijk. We geven een cursus.'

'Mooie boeken?'

'Jazeker. Ons doel is het oude, verloren geloof in de werking en kracht van de rationaliteit te herstellen. We vertrouwen erop dat orde, decorum en gezond verstand ons erdoorheen helpen.' Iedereen grinnikte behalve Marilyn.

'En je doet ook Freud, alleen al om voeling te houden met de menselijke zwakheid?'

'Natuurlijk: *Het onbehagen in de cultuur*.'

'Geluksvogels, die studenten. Ik begrijp dat alle kleine goden acte de présence zullen geven.'

'Ja, Edmund. We durven niet te verwachten, althans niet in het eerste semester, dat we Arnolds "volheid van spirituele perfectie" zullen bereiken, maar we zullen ons best doen met de kleine talenten die ons ter beschikking staan.' Wilson wankelde. Hij wierp een snelle blik op meneer Kazin.

'Het zal niet aanslaan, Alfie!' zei hij.

'Edmund.' De oude man wendde zich weer tot professor Trilling en zijn ogen vernauwden zich.

'Is de cursus in enigerlei opzicht Amerikaans?'

'In alle opzichten.'

'Echt?'

'Ja. In alle opzichten Amerikaans. Het is de Amerikaanse spirit die ons drijft, Edmund. We zijn Amerikanen die jonge Amerikanen leren hoe ze moeten lezen.'

Irving Howe schudde zijn hoofd.

'Nee, Irving. Ze zullen niet gaan demonstreren', zei Trilling. Alfred Kazin schudde zijn hoofd. Trilling wendde zich tot hem. 'Nee, Alfie. Ze gaan geen aanleiding zoeken om kwaad te worden. Ze zullen proberen te begrijpen wat de plaats van moreel gezag is in de moderne literatuur. Ze zullen leren hoe ze moeten lezen en als ze dat lukt, zullen ze leren hoe ze moeten leven. We gaan ons bezighouden met Diderot.'

Wilson nam nog een teug uit zijn glas. 'Het is niet Amerikaans, Lionel. Het is Engels. Het is Frans. Het is Duits. En het is meer Engels dan wat ook.' Meneer Howe deed een stap terug, achter de bank, als om zich te distantiëren van alles wat klonk als patriottisme.

Terwijl ze overgingen op een kalme discussie – kalm aan de oppervlakte, heftig daaronder –, trilden mijn oren en hoorde ik alle stemmen op het feest. Het klonk als het oude

Europa ingedikt tot zijn moderne sap, de zonen en dochters van immigranten die het nieuwe Amerika voor zichzelf opeisten. Carson was Lula Carson Smith, Marilyn was Norma Jeane Baker, meneer Trilling was Lionel Mordecai, zoals onze oude vriend Lee Strasberg Israel Strassberg was. Ze waren als kinderen in de kleine tuin van Amerika, bedacht op iets nieuws in zichzelf en opgewonden dat ze in een omgeving waren die zich gemakkelijk naar hun wensen kon plooien, waarbij ieder van hen voortdurend investeerde in een portie vergeten. Marilyn keek over haar glas heen en vond dat ze allemaal leken op de mensen in Arthurs toneelstukken, alleen aardiger, beter geëquipeerd om het ver te brengen, met meer spirit. Uiteindelijk was ze blij dat dat deel van haar leven voorbij was. Toch zou ze altijd wel blijven proberen te achterhalen waardoor stellen slaagden en waardoor stellen mislukten. Vanavond had ze een nieuw en simpel idee: de stellen die als stel overleven, lijken niet vast te lopen in wederzijdse provocaties met negatieve opmerkingen. De waarheid daarvan was zeer ontroerend. Ik heb sommige mensen, nog niet lang getrouwd, op grote schaal zinloze, om niet te zeggen hatelijke, onherstelbare uitspraken horen doen. Maar niet meneer en mevrouw Trilling. Hun ruzies waren stil. Jamesiaans. Ze bewaarden hun hatelijke uitspraken voor andere mensen, en zelfs dan nog werden die verpakt in doekjes van de fijnste kant en geparfumeerd met een vleugje goede manieren. Maar het werkte niet altijd. Zoals gewoonlijk begaf Diana het als eerste.

'Frankrijk? Engeland? Dat is mooi, uit de mond van de schrijver van *Axel's Castle*. Weet je, Edmund, volgens mij is al jouw werk over Amerikaanse veldslagen je naar het hoofd gestegen. Ben je gek aan het worden? Of is het de drank?' Dit was Diana op haar minst beheerst, en Lionel probeerde haar de mond te snoeren met een enkel woord en een hoofdknikje.

'Diana', zei hij.

'Zeg, Lionel', zei Wilson. 'Mevrouw Trilling heeft ongetwijfeld een punt. Dat heeft ze meestal. Ze heeft trouwens gewoon gelijk. Ik heb genoeg whisky gedronken om de geconfedereerde vaartuigen die bij Gwynn's Island zijn gezonken weer vlot te krijgen.' Wilson leek plotseling onvast op zijn benen te staan en hij trapte op mijn staart. Ik piepte, maar niemand merkte het. 'Werk, werk', voegde hij er nog aan toe. 'Het ontneemt je de lust je onder de mensen te begeven.'

'K-kom op, Edmund', zei Kazin. (De oude gewoonten kwamen weer boven.) Wilson keek naar hem met breedkakige minachting en het medelijden dat hij reserveerde voor immigranten die te veel fiducie hadden in Amerikaanse idealen en beloften. De opinies van meneer Kazin, dacht Wilson, hadden iets van het oude Brooklyn, van het radicale en joodse Brownsville, net zoals zijn drang om altijd het juiste antwoord paraat te hebben een element van het City College had. Wilson leegde zijn glas en het ijs tinkelde tegen zijn tanden. Professor Trilling was terug bij zichzelf, daar waar andermans wangedrag slechts een bevestiging was van zijn eigen zekerheid over de manier waarop hij zich moest gedragen. Toch vroeg hij zich af of hij meneer Kazin terecht van Columbia had geweerd of alleen omdat hij vond dat één jood genoeg was.

'Jullie begrijpen mij niet', zei Wilson. 'Soms ben ik ongrijpbaar voor mijn eigen gedachten. Wat ik bedoelde, is dat ik het erg jammer vind dat Britse waarden automatisch op bijval kunnen rekenen.'

'Misschien is dat het geval op *la plage des intellectuels*. Misschien in Wellfleet', zei Irving Howe. 'Daar zit Stephen

Spender. Hij denkt voortdurend aan Engelsen die echt groots waren.'

'Stephen, ja', zei Wilson. 'Als zo veel Engelsen weet hij niet waar hij heen gaat, maar hij weet wel altijd de snelste weg om er te komen.' Lionel keek naar Diana en wees op zijn horloge. Marilyn dacht dat ze de mensen verveeld moest hebben, maar ze voelde een heerlijk koel briesje van het raam komen. 'Helaas zijn de Britten de blinde leidslieden der blinden', zei Wilson met zijn ogen bijna gesloten, 'en daarom heel weerzinwekkend. Al die tweederangs schilders, wetenschappers, met hun hoge, geknepen stemmetjes. Weerzinwekkend.'

Hier boog Wilson zich voorover en zette zijn lege glas op de vloer. Hij deed het heel langzaam, terwijl de mensen om hem heen plaatsmaakten. 'Trek je niks van mij aan, ik ben maar een burger van de leugen', zei ik. Hij negeerde mij toen hij worstelend met het glas zijn gewicht naar zijn hak bracht. Het is nog niet te laat, zei ik bij mezelf, er is nog tijd, en toen sprong ik naar voren en beet uit alle macht in de vingers van zijn bungelende hand. 'Aiii!' zei hij uiterst welsprekend. 'De klotehond heeft me te pakken!'

'Die zit', zei ik. 'Nationalistische smeerlap. Ik zal je leren, ellendeling! Ik zal je leren te spugen op mijn volk.'

'Ai, ai', zei hij. 'Het valse loeder.' Hij was zijn roze worstvingers aan het inspecteren. Hij zweeg en had zijn ogen weer gesloten. 'Ai. De onverbiddelijke verschijningsvorm van het tactiele', zei hij.

'Maf! Ik weet niet wat ik moet zeggen', zei Marilyn, terwijl ze me optilde en naar haar gastheer en gastvrouw keek. 'Hij is gewoonlijk zo, eh, betrouwbaar en heel anders.'

'Maakt u zich maar geen zorgen', zei mevrouw Trilling bij de deur. 'Leuk u te hebben ontmoet. Uw hondje heeft een fenomenale kritische smaak. We moeten een post op de faculteit voor hem vinden.'

Toen we die avond op 444 kwamen, bleek uit het gedrag van mijn baasje dat ik helemaal uit de gratie was. Ik probeerde haar aandacht te trekken, het goed te maken, maar ze was verzonken in gedachten, spijtgevoelens, zich ongetwijfeld voornemend me voortaan minder vaak mee te nemen. Ze ging op een koperen krukje voor de toilettafel zitten en trok haar valse wimpers een voor een los. Lena de huishoudster was kleren aan het strijken om die vervolgens in twee reusachtige koffers te leggen. 'Lena, zou je zo lief willen zijn om Maf uit te laten in het park?' zei Marilyn. 'Hij is heel ondeugend geweest. Ik ben hem zat.' Marilyn beet op haar lip en pakte een grijs notitieboekje dat ze vaak bij zich had als ze met meneer Strasberg werkte. 'Hij is ... opzettelijk ongehoorzaam geweest', zei ze.

'Heus, mevrouw Monroe?'

'Ja. Hij heeft vanavond op een feestje twee mensen gebeten. Twee hotemetoten.'

'Stoute Maf!'

Marilyn borstelde haar haar uit, stopte er toen mee en legde de borstel op haar schoot. Ik keek naar haar en besefte dat dit net zo goed ons liefdesverhaal was. Ik meende dat ik me nooit in mijn leven met iemand zo verbonden zou voelen. Niet alleen om het gevoel dat ze me gaf, maar ook om de andere dingen. Ik geloof dat ze me alles heeft bijgebracht wat nodig was om je in een ander te verplaatsen. Ik geloof dat ze daarin als Keats was: haar kleine pogingen getuigden van schoonheid en waarheid, en wel op een manier die haar eeuwigheidswaarde gaf. Kijkend naar haar, luisterend naar haar gedachten, was ik verliefd. Ze heeft alles in mij gevormd, ook mijn idee van de roman. Zelfs als ze kwaad was, hoefde ze maar naar me te kijken en ik begreep de roeping van de verhalenverteller. 'Een roman moet zijn wat alleen een roman kan zijn: de roman moet dromen, de ogen openen.' Ze pakte *De gebroeders Karamazov* uit haar tas en inspecteerde de achterkant, waarbij ze haar onderlip naar voren stak en als een kind de haren uit haar ogen blies. Het was raar om te bedenken dat al die mensen opvattingen over Arthur hadden.

Er waaide een koele bries van de rivier. Ik voelde me beroerd, niet beschaamd, alleen egoïstisch en waardeloos, het soort hond waarmee je niet samen wilt leven, zoals een van die mormels bij Conan Doyle. Lena knoopte een sjaal om haar hoofd en van achteren leek ze net Marilyn: ik vroeg me af hoe haar gezinsleven eruitzag, met haar man nu thuis en haar kinderen in slaap, het huis vast heel schoon. Haar familie vond haar werk heel glamoureus, het soort werk waarover je kon praten met mensen die in waren voor een nieuwtje. De lampen van Greensboro Bridge waren opgehangen als kerstboomverlichting. God, wat voelde ik me onbegrepen. Een pispaaltje. Sommige dieren worden gerespecteerd om hun artistieke geweten, zoals Congo, de getalenteerde chimp, wiens schilderijen werden bewonderd door lieden als Miró en Picasso.*

* Tussen twee haakjes, dat was niet wederzijds. De chimp beschouwde zichzelf als sociaal-realist en verweet Miró dat hij 'onderbewuste Catalaanse krabbels' produceerde. In mei 1960 zag ik Congo op televisie met Desmond Morris. De bioloog was aan het praten over abstract impressionisme, toen Congo, die op ritmische wijze het doek tamponneerde, mompelde dat het schilderij in feite een portret van wijlen zijn moeder was.

Er kwam een teckel om de bank gesnuffeld, terwijl zijn baas een sigaret rookte, de hond nog breedkakiger en misantropischer dan Edmund Wilson. Toen kwam er nog een hond, een dobermann, knap als de honden die door Landseer zijn geschilderd. 'Ze weten nooit wie ze zijn of wat ze willen.'

'Over wie heb je het, chef?' zei de dobermann, terwijl hij mij een vriendschappelijke blik toewierp.

'Hun', zei de teckel. 'Mensen.'

'Ach, schiet toch op', zei mijn vriend. 'Ik heb vandaag drie maaltijden gehad en mij hoor je niet klagen. Leuke avond, hier. Gun de mensen hun problemen. Doe normaal. Waarom zo'n treurige snuit, makker?'

'Ik heb het verkorven bij mijn vriendinnetje', zei ik. 'Ik heb op een feestje mijn tanden in een ouwe zeur gezet. Twee ouwe zeuren. Wat kan het mij verdommen? Ze vroegen erom. Maar goed, ze heeft me uitgekafferd. Daarna begint ze in de auto naar huis te zaniken hoe erg ze haar laatste hond, Hugo, mist. Haar ex woont nu met mijn voorganger in Connecticut.'

'Wat erg', zei de dobermann. 'Om met die lullige vorigehondsmoes om de oren geslagen te worden. Ik bedoel, da's klote.'

'Ik kende de vorige hond', zei de teckel met een sombere blik. 'Hugo. Saai als een weekend in Amagansett. Frikkerig type. Hield van Ibsen.'

'O, moet dat nou, Marty?' zei mijn vriend. 'Zie je niet dat onze vriend hier lijdt? Hij heeft een dosis van het bekende zelfmedelijden opgelopen, als ik me niet vergis.'

'Een beetje maar', zei ik. 'Mijn baasje heeft in het ziekenhuis gelegen. Maar ze is geweldig. Zo gis als wat.'

'Ach, zelfmedelijden. De grote romance.'

'Vertel mij wat', zei de breedkakige teckel.

'Wat heb je een leuk accent', zei de dobermann, met een likje over mijn oor en een lief grommetje. 'Denk eraan dat je in goed gezelschap verkeert. Bijten, bedoel ik. Doe het niet te veel of het heeft invloed op je maaltijden. Het heeft altijd gevolgen als je bijt. Herinner je je Urian, de hond van kardinaal Wolsey? Hij beet in de hand van paus Clemens VII. Hij veroorzaakte de Reformatie. Althans, dat zegt mijn baas.'

'Serieus?'

'Absoluut. Hé, heb je de koningin van Engeland weleens ontmoet?'

'Nee', zei ik. 'Maar het baasje wel. Ze heeft een miljoen corgi's of zo. Ik moet zeggen dat ik me vanavond triest voel. Ze zal het niet licht vergeten. Ze is gauw gekwetst. Wat doe je met zo iemand?'

'Het uitzitten, makker. We weten dat mensen van hun hond houden, zelfs als ze proberen dat niet te doen.'

'Leer ze te verachten', zei de breedkakige teckel, die voor het hek liep te ijsberen. 'Je kunt beter een hondenleven leiden. Het zijn niet onze vrienden. Trap niet in die shit van "de beste vriend van de mens".'

'Ahh, tuttut', zei mijn vriend. Hij wendde zich tot mij. 'Vergeef het hem. Hij woont bij een vent die het niet kan laten gebouwen neer te zetten. De vent heeft een edificatiecomplex. De baas piekert veel, vandaar.'

'Het gaat wel over', zei ik. 'Maar vanavond ben ik Citron, de hond die terechtstaat in *Les Plaideurs*. Ken je Racine?'

'Neu', zei hij. 'Mijn baas is priester in Onze Lieve Vrouwe van de Vrede. Prima kerel. Is gek op misdaadromans. Detectives, je kent het wel. Ik denk niet dat Racine iets voor hem is.'

Een kleine straatkat bleef staan boven de zandbak. 'De Puppiade', zei ze. Haar tong leek van elastiek terwijl ze haar alexandrijnen opzei, en ze likte haar snuit en trok met haar oren.

De hond steelt een kapoen en moet zich vervoegen
Bij rechter Dandin, zo meld ik met genoegen.
Zo stiptelijk was hij aan 't pontificeren
Dat 't Franse gepeupel terstond ging applaudisseren.

De puppy's verdedigden pa voor 't gerecht,
Maar wie, jonge Maf, is er die jouw eer bevecht?
Je moet een advocaat, en wel een gladde vent,
Om je vrij te pleiten en te zeggen wie je bent.

Lena tilde me op en kuste me op mijn kop. 'Oké, Maf Schat. Bedtijd.'

'Welterusten, jongens', zei ik over haar schouder. De honden knikten en besnuffelden de grond rond de bank, terwijl de rivier achter hun rug glinsterde en een misthoorn over de East River klonk.

12

Wilshire Boulevard. Op de parkeerplaats van een Jack-in-the-Box-kiprestaurant was een jonge marktonderzoeker mensen over hun koopgedrag aan het enquêteren. 'Wij waren al middenklasse voor we een auto hadden', zei een kaal Phil Silvers-type met kluivige vingers. De Gray Line-bus was achter de man gestopt en je kon hem nauwelijks horen door het geronk van de motor.

'Wat ... contant betaald?' vroeg de vent met het klembord.

'Weet ik niet. Ik weet alleen dat mijn familie auto's heeft en dat heel normaal vindt. Mooie auto's. Mijn ouwelui hebben op een en dezelfde dag een klein huis en een grote auto gekocht.'

'Waar?'

'Pasadena. Mijn vader werkte voor de Amerikaanse Termietenbestrijdingsdienst.'

'Hebben ze een auto en een huis gekocht?'

'Jawel, meneer. Mijn paps en mams zijn met mij en mijn zussen naar het attractiepark Knott's Berry Farm and Ghost Town gereden om te vieren dat we een nieuw huis en een nieuwe auto hadden. Je weet wel, in Buena Park? We hebben toen ook kip gegeten.'

'O, ja?'

'Jawel, meneer. Jawel. En we hebben daar overnacht in een motel om het te vieren.'

'Jullie hebben gevierd dat jullie een nieuw huis hadden met een overnachting in een hotel?'

'Dat hebben we inderdaad gedaan, meneer. Mijn vader had in het leger gezeten. South Pacific. Hij kwam terug naar Californië en zei dat hij een huis, een auto en een wasmachine wou, en die kregen we ook. Dus we hadden wat te vieren de avond dat alles kwam. We namen de auto en gingen naar een motel met een zwembad.'

Je kunt niet op Wilshire rijden zonder aan het Romeinse Rijk te denken. Misschien alleen in de zomer, wanneer een laag zinderende hitte over de weg hangt, de rechte weg die van de beschaving naar de zee leidt. Ik dacht aan druiven. Ik dacht aan olijven. Ik dacht aan stoere jongens op sandalen. Ook heerste er een gevoel alsof de vochtige dag iedere moment kon uitmonden in vernietiging, geen Gallische pijlen maar Russische raketten die uit een volmaakt blauwe hemel neerregenden op het aangename tafereel. De palmbomen huiverden in de middagzon. Ik zat bij Marilyn op schoot achter in die lange zwarte wagen, en we waren opgewekt, klaar voor een broodje kip. 'De laatste keer dat ik zoiets eet, oké, makker?'

'Je ziet er geweldig uit', zei ik. En dat was ook zo, ze zag er geweldig uit, klaar voor brandend zand.

'Ik moet een film maken. Ik moet al dat New Yorkse babyvet kwijt, oké, puppy?'

Op weg naar Doheny Drive die dag vroeg ze Rudy, haar chauffeur van de Carey Limousine Company, te stoppen bij Mullen & Bluett, om wat nieuw beddengoed te kopen. 'Het zal wel triest zijn om lakens alleen voor jezelf te kopen', zei ze. 'Maar zo is het nu eenmaal, Rudy. Zo is het nu eenmaal.' Het naamplaatje op de deur van het appartement luidde MARJORIE STENGEL, wat in werkelijkheid de naam van Montgomery Clifts secretaresse was. Ze moest de wereld op afstand houden. In L.A. had ze nooit een fan gehad als Charlie in New York, niemand zo slim en vol van de toekomst als hij. Sommige van haar spullen zaten in dozen, voor de rest was het Doheny-appartement een lege ruimte met een bed en een paar boeken. Op een omgekeerde sinaasappelkist had ze een stapel scripts gelegd. Haar verblijf in New York had haar weer bewust gemaakt van haar potentieel, wat een heerlijk idee is na barre tijden. Dat dacht ze. Marilyn at paksoi, dronk water en verzorgde haar huid.

Haar schoonheidsspecialiste hield praktijk in twee ruimten op Sunset Boulevard. Het was madame Rupa, een vrouw die nauwelijks kon geloven dat een beest dat in Hollywood woonde geen oudgediende was in de showbusiness. 'Kun je een dansje maken of een liedje voor me zingen?'

'Hij is heel stil', zei Marilyn.

'Geen enkel talent?'

'Ik denk dat hij veel nadenkt.'

'Daar heb je niks aan! We willen dansen. Acteren! Kan hij huilen als Shirley MacLaine of een paar woorden spreken zoals het paard op televisie?' Er klonk muziek in de kamer, een lied dat 'Ae Mere Pyare Watan' heette, een patriottisch lied uit een film getiteld *Kabuliwala*. 'Een prachtig lied over onze heimwee naar ons vaderland als we er ver vandaan zijn', zei madame Rupa, terwijl ze een speciaal masker van Bayer-aspirines voor Marilyn mengde. Ze stampte de pillen fijn in een oude, traditioneel uitziende vijzel en voegde water toe tot het een romig mengsel was. 'Bayer verricht wonderen!' zei madame Rupa.

'Gossie', zei Marilyn. 'We kennen wel een paar zuurpruimen die dit zouden kunnen gebruiken, of niet, Maf Schat?'

'Tientallen', zei ik.

'Dokter Kris!' zei Marilyn. Lachend ging ze achterover op de bank liggen.

'Paula Strasberg', zei ik.

'Richard Nixon!'

'Mevrouw Trilling!'

'Arthur. Wat dacht jij, Maf? Árthur.'

Soms stemde het me verdrietig dat ze me niet kon horen. Marilyn giechelde, haar ogen priemend uit het witte spul. Ze aaide me. Ze had me niet begrepen. Madame Rupa kon alleen maar naar ons staren vanachter het kralengordijn, haar voorhoofd gefronst door de aanwezigheid van alweer twee gekken. Ook zij had me niet begrepen. Ze bracht het gezond verstand terug door verder te praten over het lied dat nog steeds klonk, waarvan de sitars opgingen in de airconditioning. 'De woorden zijn in het Dari', zei ze. 'Uit Afghanistan. Ik begroet de bries die uit uw dalen is gekomen, betekent het. Ik zal eenieder kussen die uw naam kan noemen.' Ze las graag de misdaadberichten in de *LA Times*. Dat ging ze doen als de liedjes en verhalen op waren.

Er waren in L.A. heel veel fijne plekken om te plassen. Ik bedoel, als je moet plassen, moet je plassen, en waarom dan niet naast het zwembad bij het Château Marmont, toch? Toen Marilyn aan Doheny woonde, was de hoek van Cynthia en Doheny, waar een gigantische jacarandaboom over de weg hing, mijn favoriete plek. In de loop van die weken dat we terug waren in Los Angeles, vulde het appartement aan Doheny zich met spullen: het eerste wat werd binnengedragen, herinner ik me, was een groot bronzen borstbeeld van Carl Sandburg. Ze had wat platen meegenomen en zo veel kleren als maar pasten in de twee hutkoffers die haar vriend Ralph helemaal uit New York had meegebracht in zijn oude Buick. Het viel me op dat het appartement vrolijker was, net als zij: haar sombere New Yorkse boeken waren achtergebleven, alsof ze haar niets meer konden leren. Geen Fitzgerald meer. Geen Carson. Geen Camus. Alleen een van de Dostojevski's. Dit was het begin van Marilyns laatste periode. Ze was in haar laatste maanden en op de planken had ze eigenlijk alleen maar kinderboeken staan. Beatrix Potter, Dodie Smith, *Peter Pan*, de boeken waarvan ze zich verbeeldde dat ze alleen voor haar bedoeld waren. 'Het was geen mislukking', zei ze tegen een van haar vrienden over New York. 'Die stad loopt toch niet weg?'

Gloria Lovell, Sinatra's assistente, woonde in hetzelfde appartementencomplex. Ze kende me van mijn eerste weken in Amerika – Gloria had de overdracht met mevrouw Gurdin in Sherman Oaks geregeld – en nu was ze de liefste buurvrouw ter wereld, zoals ze met worstschotels en allerlei soorten liefdesbetuigingen aan kwam zetten. Het probleem met de mensen van Frank lag nooit aan de mensen van Frank, maar altijd aan Frank zelf, die zich in die tijd zo kwaad maakte en opwond over de Kennedy's dat hij voortdurend één bonk zenuwen was. 'Zo'n prachtige vondst, jouw hond', zei Gloria. 'Kleine Maf. Het enige zinvolle cadeau dat Frank ooit aan iemand heeft gegeven.'

'Kende je de mensen van wie Natalies moeder hem heeft gekregen, de fokkers, bedoel ik?' vroeg Marilyn.

'Ik weet het niet zeker. Engelse malloten was het enige wat Natalie me heeft gezegd.' Marilyn keek met half geloken ogen neer op mij in haar armen.

'Ik neem hem overal mee naartoe', zei ze. 'Hij is mijn mascotte.'

'Je ziet Natalie nog', zei Gloria. 'Frank is een kleinigheid aan het regelen voor vrijdag.'

Ik maakte inderdaad deel uit van het leven aan de boulevard. Franks kleinigheid was een privédiner bij Musso & Frank's. Natalie was er die avond, en ik had het gevoel dat Sinatra alleen maar met zijn favoriete meisjes wilde pronken bij een gangstervriend van hem, Frank DeSimone, die een bril droeg en zich 'Franks Advocaat' noemde. We waren maar met z'n vijven. Ze zeggen dat Franks Advocaat op klaarlichte dag Hooky Rothman heeft vermoord, achter in Mickey Cohens herenmodezaak aan Sunset. Hij kleedde zich stijlvol: zijden stropdas, Engels pak. Bij Musso & Frank's was Sinatra aan het afgeven op de overleden Whittaker Chambers en vertelde hij iedereen wat een zakkenwasser dat was geweest, wat een gluiperd. Tegelijkertijd bestelde hij het eten voor de meisjes, erop aandringend dat ze dit of dat gerecht van het menu namen. 'Hoor eens, schat. Je moet die zucchini nemen, oké? Je neemt het. Ik bedoel gefrituurd.' Hij keek op naar de ober. 'Zeg tegen Bob dat de olie vers moet zijn.'

'Mag ik niet alleen rijstpudding nemen?' vroeg Marilyn.

'Hè, ben je gek geworden? Of wat?' Hij keek naar de andere Frank en haalde zijn schouders op. 'Die mokkels. Heb je dat gehoord? Je gelooft je oren toch niet, Frank? Ze hebben geen weet van eten, die meisjes. Ze hebben geen weet van leven. Ze willen een dessert voordat ze vis hebben gehad. Ze willen geen pasta eten. Wat een sof. Hé, kloris! Doe me een lol. Breng deze dame de garnalen Louie en een salade deluxe. En daarna de spaghetti bolognese.'

'Wow, Frankie. Zo veel krijg ik niet op', zei Marilyn. Natalie lachte nerveus en sloeg een bourbon-soda achterover.

'Wat een sufkont', zei Frank. 'Je gelooft je oren toch niet? Begrijp jij deze meisjes? Wat een sufkont.'

'Ik neem de gepofte appel', zei de Advocaat. Alles wat hij zei, werd met zachte, dreigende stem uitgesproken. Sinatra keek hem aan. Het was vreemd te zien dat Frank niets zei.

'Neem je niet de fricandeau?'

'Ik neem de gepofte appel.'

Even wenste ik dat een van de meisjes het lef had Sinatra van repliek te dienen. Het was een bullebak. Maar er was die avond in het restaurant geen gejeremieer of verdrietig gesnik, alleen een soort bangheid bij Marilyn en Natalie. Sinatra plukte een draadje van zijn stropdas en lachte alsof een lach iets oplost. 'Chambers', zei hij. 'Wat een verlinker. Geloof jij hem? Hij heeft in '48 getuigd. Het is het soort kerel dat mensen in dit land tot waanzin heeft gedreven. Verdomd als het niet waar is. Hij heeft zijn beste vrienden erbij gelapt.'

'Dit is een prachtig land, Frank', zei de Advocaat.

'Spreek je niet tegen.'

'Een prachtig land. D'r zijn d'r misschien die de boel aan de communisten willen overlaten, toch? Misschien zijn d'r die willen dat die kindeke-Jezushaters onze scholen over komen nemen, toch? Weet je, Frank, ik ben blij dat ik Amerikaan ben. Ik moet d'r van janken. Ik wil niet dat een of andere Russische rotcommunist me komt vertellen hoe ik moet leven.'

Marilyn aaide me op de stoel naast haar. Ik voelde de drang om enige informatie door te geven. 'Whittaker Chambers heeft *Bambi* vertaald', zei ik. Ze aaide me weer.

'Wist je dat Whittaker Chambers *Bambi* heeft vertaald?' zei ze. (Wow, dacht ik. Eindelijk.) Ze schudde haar blonde haar. 'Jawel, het was een heel belangrijke schrijver.'

'Wie maalt er om een godvergeten schrijver?' zei Sinatra. 'Een verrader en een schrijver! Iemand uit het jaar nul. Misschien hadden ze hem de Congresmedaille moeten geven. Hebben jullie het gehoord? Hij heeft iets met *Bambi* gedaan!'

'Een fantastisch verhaal, dat', zei de Advocaat. 'Mijn kinderen moeten huilen bij dat verhaal. Ik ben gek op dat verhaal. Normaal gesproken hou ik niet van dieren. Ik heb een hekel aan dieren.' Hij knikte naar beneden. 'Om je de waarheid te zeggen, normaal gesproken heb ik een hekel aan honden. Je mag van mij omdat je een heel knappe meid bent. Ik haat hondenliefhebbers. Meestal zijn het lafaards die niet zelf mensen durven bijten.'

'Allejezus!' tierde Frank. 'Hondenliefhebbers!'

Marilyn werd dronken, en Natalie ook. Ze waren allebei zenuwachtig om Sinatra en Sinatra was zenuwachtig om zijn advocaat en het was gewoon niet leuk om met ze bij Musso & Frank's te zijn. Natalie begon te praten over Elia Kazan en de film die ze net hadden gemaakt, een epos vol gekrijs, waarin Natalie absoluut alles over haar moeder kwijt had gekund. De meisjes stapten van Kazan over op Strasberg en toen weer op Marilyns tijd in New York, waarbij Natalie deed wat acteurs altijd deden: minzaam haar vriendins gevoel dat ze iets had bereikt ondermijnen. 'Ach, *Anna Christie* is zo hoogdravend, vind je niet?'

'Hoezo?' zei Marilyn. 'Ik vind het prachtig.'

'O'Neill is te hysterisch. Ik bedoel, wie ben ik? Maar voor mij is het te veel van het goede. Het brengt in de meeste mensen het slechtste boven, verdomd als het niet waar is.'

Ze glimlachte. 'Het vraagt om ... hoe zou je dat zeggen? Onbeschaamde emoties.'

Marilyns hand trilde toen ze aanstalten maakte me onder de tafel te zetten. Ik hoorde Sinatra aan Natalie vragen hoe het met haar moeder was, en Natalie zeggen dat Moed op oorlogspad was en haar vader recentelijk alle honden uit het huis had verbannen. 'Hij is iedere dag dronken', zei ze. 'En Moeddr denkt nu dat de Russen samenspannen met de ufo's.'

'Het is een slimme vrouw', zei de Advocaat.

Ondanks al hun verschillen denk ik dat Natalie had wat haar moeder in zo'n indrukwekkend buitensporige omvang had: niet alleen de Slavische paranoia, maar ook de gedreven gekweldheid. Misschien kwam het grotendeels door Nick Gurdin, de alcoholist van Sherman Oaks met zijn geweer, maar het was ook alsof de overdaad van Amerika de familie naar het hoofd steeg. Het is niet altijd gepast het ene tijdelijke baasje met het andere te vergelijken, maar een hond staat ongewild weleens stil bij zijn materiaal, om zo te zeggen, vooral een reizende hond, en ik moet zeggen dat de familie Gurdin een soort vagevuur voor me was, een plek waar je je buitengesloten voelde van zowel de kans op geluk als de zekerheid van het oordeel. Ik had een heel fijne tijd daar, tijdens mijn tussendoorleven, maar ik vind het onverdraaglijk te bedenken hoeveel honden mevrouw Gurdin op van de zenuwen naar de Verenigde Staten moet hebben gestuurd.

Sinatra had een van zijn schoenen uitgedaan onder de tafel en hij wroette zenuwachtig met zijn teen in de plavuizen, waarvan het stof op zijn sok kwam. Natalie begon een stomdronken litanie over Moeddr, zoals ze de hulp in Sherman Oaks behandelde, en over Nick, die zo ver heen was dat hij zich de verloren zoon van de familie Romanov waande. Haar lach had iets krankzinnigs. Ze keek van de een naar de ander met een hunkering naar geruststelling in haar ogen, lachte weer en begon op een gegeven moment de stem van de moeder in de film van Kazan na te bauwen. 'Allee, Wilma Dean', zei ze. 'Ik wil je wat zeggen. Jongens hebben geen respect voor meisjes die het met ze doen. Jij en Bud hebben het toch niet gedaan, hè?'

'Jezus, schat. Ben jij even verknipt', zei Sinatra. Toen ze van *Splendor in the Grass* overstapte naar Bobby Kennedy, ontdeed Sinatra zich van zijn andere schoen. Tegelijkertijd legde de Advocaat voorzichtig zijn hand op Marilyn en begon haar dij te strelen. Ik stak mijn kop naar beneden en besnuffelde een van de lege schoenen, die naar niets rook. Plotseling had ik een visioen van *Het Laatste Avondmaal*, dat mooie schilderij van Titiaan waarop de apostelen veel guller lijken als het gaat om restjes van de tafel te laten vallen.

Ik hou best wel van de zee – ook destijds in de haven van New York, toen we naar Staten Island gingen – zolang ik maar bij de hondjes op het dek kan zijn, door een gietijzeren schip van een paar ton beschermd tegen de geheime stromingen. Maar het water zelf, nee. Ik had angst voor diep water,* een probleem in Californië, want Marilyn was graag op het strand bij Santa Monica en zij associeerde het met een

---

* Mogelijk heb ik deze bangelijkheid overgehouden aan een aantal mensen dat ik heb ontmoet, vooral Natalie Wood, maar ook, begrijp ik, aan een vroeg persoonlijk trauma, de verdrinking van mijn tante Cressy in Loch Morlich, een voorval uit de eerste weken van mijn puppyschap. Dat was één familieverhaal; de gewoonte het weg te stoppen omdat het morbide was, een ander.

gelukkige ervaring uit haar jeugd. Ze was een goede zwemster en ze vond het een ongecompliceerde plek. Wat dat betreft ben ik nooit een echte vakantieganger geweest. Zoals alle honden vind ik een zekere hoeveelheid legitieme luiheid vanzelfsprekend, maar stranden, zonnebaden, ijs? Voor mij betekent het strand een onbepaalde tijd aan een braadspit, een verstikkende bezoeking, en al dat water even verderop een grens van regelrechte angst. Het is voor een hond niet altijd gemakkelijk te weten waar het zelf eindigt en het baasje begint, maar mijn watervrees maakte me ervan bewust dat Marilyns angsten anders waren dan de mijne.

Aan het einde van die zomer begon ik te accepteren dat ik New York misschien wel nooit meer zou zien. Het leven in Californië was op de een of andere manier trager en heerlijk leeg. Sommige middagen, op de autoweg, op het strand, kon je maag zich kortstondig omdraaien van het scherpe besef dat het leven ergens anders was. Ik ging het zien als een heel Californisch gevoel: het hoorde bij de smog en de gebronsde gezichten. We brachten veel tijd door in Peter Lawfords strandhuis in Santa Monica, een heerlijk huis, een buitenpost die ooit had toebehoord aan Louis B. Mayer. Gewone stervelingen zouden het fantastisch vinden om van Lawfords veranda zo het strand op te lopen. Soms schopte Marilyn haar sandalen uit en holde het zand op, om meteen geconfronteerd te worden met een beeld van zichzelf zestien jaar eerder, een ontluikende ster in een bikini voor een of andere legerfotograaf die het wilde gaan maken bij tijdschriften. Peter was een van die Engelse mannen die volmaakter Engels worden naarmate ze verder van Engeland verwijderd zijn. (Marilyn had heel wat ongezouten waarheden over hem gehoord van Frank. 'Wat dacht je van sloom, slap, sluw en slijmerig?') Innerlijk voelde Lawford zich altijd als een komisch nummer, een surrogaat-Europeaan, niet echt op zijn plek te midden van al die Amerikaanse overmacht. Hij had voldoende talent om er zijn voordeel mee te doen, te trouwen met de zus van de president en zo, maar hij zat erover in dat hij nooit zo zelfverzekerd of zo belangrijk was als zijn vrienden, wat wel een heel puberaal gevoel was. Lawfords vloek was ook zijn zegen: hij wilde altijd zijn als de mensen om hem heen. Als hij naast Frank stond, wilde hij zijn als Frank, als hij dronk met de surfjongens, wilde hij zijn als de surfjongens. Marilyn en ik belichaamden weliswaar hele volksstammen, maar voor Peter waren we de gemakkelijkste wezens in Californië.

En dan nu de president. Verwacht geen adembenemende onthullingen. Ik ben bang dat ik hem maar één keer heb ontmoet, op een warme avond daar in het strandhuis, en mijn voornaamste herinnering is dat hij zich zorgen maakte over zijn rug en een lokaal tekort aan procaïne. Wat Lawford betrof, Jack was een heel ongecompliceerde zwager, een gewone, open kerel, die het prettig vond om bij Peter en diens vrienden te zijn, zolang ze maar veel lol maakten en aardig waren voor zijn zus. Het feest was niet geanimeerder dan anders. De mensen zullen wel wat lichter in hun hoofd zijn geweest vanwege de president, meer gedronken hebben, naderhand meer gedanst, met dat vreemde zelfvertrouwen van mensen die beseffen dat ze zijn waar het gebeurt. Ieders ogen waren groter en waarschijnlijk donkerder dan normaal, vol van de directe aanwezigheid van macht, en ieder meisje in de kamer was gewapend met een vraag. 'Meneer de president, wat kunnen we doen om president Ngo Dinh Diem te steunen in zijn strijd tegen de Vietcong?'

vroeg Angie Dickinson met een zwaai van haar haar, waarbij een rimpeltje op haar voorhoofd verscheen terwijl ze serieus 'speelde'.

'Jáck', zei hij. 'Noem me Jack.'

Marilyns make-upman Whitey Snyder had ons van Doheny naar het strand gereden. Het was een van die zachte avonden waarop de palmbomen plotseling zinvol zijn, met de warme bries fluisterend tussen de bladeren op Santa Monica Boulevard. 'Ik denk dat mijn vader me heeft proberen te bellen, Whitey', zei ze. 'Ik werd gebeld door een ziekenhuis in Palm Springs.'

'Wat zeiden ze?'

'Ze zeiden dat hij meneer Gifford heette. Ze zeiden dat hij zijn dochter wilde bereiken.'

Er scheen licht op de bomen en de schaduw van de bomen gleed door het interieur van de auto. 'Denk je dat iemand me bij de neus neemt, Whitey?'

'Heb je niet gevraagd om doorverbonden te worden?'

'Nog niet. Ik kon het niet. Ik heb het nummer genoteerd.' Ik legde mijn kop op haar arm, en ze ademde met die snelle, gekunstelde onverschrokkenheid van haar, voorbereid op alles, voorbereid op de hele wereld. 'Weet je, ik vergeet altijd dat ik een dochter ben', zei ze.

'Dat moet je niet doen, schat', zei Whitey. 'Het is te belangrijk om te vergeten.'

'Ik heb gelogen tegen mijn New Yorkse analytica', zei ze terloops. 'Ik heb haar verteld dat mijn vader dood was.'

'Het is gewoon te belangrijk om te vergeten', zei hij.

We arriveerden op het feestje 's avonds om een uur of elf, te laat voor het avondeten, maar mooi op tijd voor de kliekjes. Het was trouwens een staande gebeurtenis, wat honden wel begrijpen, en Marilyns komst veroorzaakte geen opschudding. Kim Novak lachte vanuit de hoek en zei 'hoi' met een bevallige cascade van vingers. Lawford begroette oude vrienden altijd op zo'n idiote, theatrale Engelse manier, alsof hij de hele avond alleen op jou had staan wachten. Het was een kunstje dat hij van zijn vader, sir Sydney Lawford, had geleerd: hoe gepassioneerde belangstelling uit te stralen zonder een greintje echte, persoonlijke betrokkenheid. Ze zeggen dat Peters moeder haar zoontje de eerste tien jaar van zijn leven als meisje kleedde, wat een heel fraaie en sympathieke verklaring was voor een aantal dingen omtrent Peter. Zijn leven lang bedacht hij gedenkwaardige scènes die hij naar zijn hand kon zetten zonder zichtbaar aanwezig te zijn. Stralend nam hij Marilyn bij de arm. Iemand gaf haar een glas champagne, en ik staarde vol bewondering naar Lawford omhoog. Ik vond hem geweldig in *Zoon van Lassie*, als de RAF-piloot die door de sneeuw van Noorwegen in veiligheid wordt gebracht dankzij de hulp van een hond in wiens ogen het vuur van het vreemde existentialistische gedachtegoed van Martin Heidegger brandde. De hond leefde van moment tot moment, niet zeker wiens zijde hij moest kiezen, maar Lawford liet zich van zijn beste kant zien en haalde de hond over zijn vrijheid te verwerven door rede en moraal van zich af te schudden. Zo wordt die film gewoonlijk niet omschreven, denk ik, maar volgens mij moet Lawford het eens zijn geweest met mijn herinnering ervan, want hij tilde me uit Marilyns armen met een asjemenou van herkenning. 'Nee maar', zei hij. 'Je hebt de hond meegenomen. Is dit de Frank-hond?'

Lawson had me in feite al een paar keer eerder ontmoet. In gesprekken deed hij graag alsof hij dingen niet wist, alleen maar om iets te vragen te hebben. Zo liet hij merken dat hij tot de hogere kringen behoorde.

'Ja. Het is Maf.'

'Maf?'

'Jawel. Mafia.'

Lawfords knappe gezicht plooide zich in een lach. 'Hallo, Droommannetje', zei hij. 'Toevallig weet ik wel drie personen die compleet gek zouden zijn op dit kereltje.' Marilyn lachte en bewoog haar hoofd als iemand die droomt over zichzelf, terwijl ze haar hand uitstak om mensen te begroeten, de Democraten, de mannen van het geld, die al snel om haar heen zwermden.

Drie kinderen in pyjama zaten op de trap. Ze hadden een kom popcorn tussen zich in en zagen er al wat slaperig uit. 'Ik wil 'm. Ik wil 'm', zei Christopher, de oudste. De jongen klauterde omlaag naar het vloerkleed en probeerde me bij mijn oren op te pakken.

'Nee, ikke, pappa. Ikke', zei Sydney.

'Ik ga hem niet na jou zoenen! Pappa. Ze heeft pietjes', riep Christopher.

'Hond', zei Victoria, de jongste.

Honden houden van kinderen: we houden van ze omdat hun narcisme zo puur is. Maar kinderen houden niet altijd van honden. Ze houden van ons uiterlijk en onze teddybe-righeid, hoe trouw, mak en schattig we kunnen lijken, maar ze zien ons altijd als verzinsels, zelfs als ze de natte veeg van onze tong op hun lachende gezicht voelen. We zijn natuurlijk net zo min trouw als kinderen onschuldig zijn, maar we doen ons best en proberen te voldoen aan het beeld dat de kleine mensen van ons hebben als vierpotige balen wol en onnozelheid. Voor hen zijn we grappige dingen, fantasiewezens, mengelingen van vorm en kleur uit tekenfilms die het eenvoudigweg heerlijk vinden om geaaid te worden. In Hollywood viel me altijd op dat honden dat waarschijnlijk minder zijn dan mensen, maar wie smelt nu niet voor de naar wonderen speurende ogen van een kind, ook als ze opdoemen te midden van een spervuur van geduw en getrek en algemeen gestoei. 'Dit is Droommannetje, de hond van Marilyn', zei Lawford tegen de kinderen.

'Hond van Mamala', zei de kleinste. Christopher, de jongen, nam me in zijn armen en zwaaide me heen en weer. *'Oh, my darling, oh, my darling, oh my darling, Clementine'*, zong hij met een boerse stem en een koeienlik zo groot als New Hampshire.

'We verven hem blauw!' zei Sydney.

'Jij ben Huckleberry Hond!'

'Ukkelbellie Jon', zei Victoria.

'We verven hem blauw!'

Vervolgens lieten ze me een aantal malen op twee poten de trap op stuiteren, waarbij Christopher regels scandeerde uit een recente aflevering van hun favoriete tekenfilm. 'Bezems en borstels. Wil u een van onze nieuwe bezems en borstels kopen?'

'Maak een ruimtehond van hem', zei Sydney.

'Tuinhond', zei de kleinste.

'Met een ruimtehelm.'

'Zo?' vroeg Christopher, terwijl hij een plastic bekertje op mijn kop zetten.

Al die tijd had meneer Lawford met een man van de beveiliging staan praten. Hij draaide zich om en daar was zijn brede lach weer. 'Moet je die kinderen eens zien', zei hij. 'Zijn ze niet geweldig?' Ik lag in een mand van kleine handen en mijn kop was nat. Toen ik opkeek, staarde ik naar Peter en herinnerde me hoe dicht hij bij Lassie was geweest in dat prachtige verhaal.

'Meneer Lawford', zei ik. 'Is aanvaarding van de Sterfelijkheid een voorwaarde voor het Zijn? Ik bedoel, is alle ervaring een aspect van de Tijd?'

'Kom op, Christopher. Doe eens lief. Maak het hondje niet aan het blaffen. Laat hem nu maar gaan. Het is bedtijd.'

'Maar pappa, het is net zo leuk.'

'Ik zei dat het genoeg is, Christopher.' Meneer Lawford trok me los, en de oudste kinderen zetten een keel op. De peuter kauwde op haar manchet. Lawford vertrok zijn gezicht als een clown, alsof zijn besluit hem meer pijn deed dan hun, en ze holden de trap op en stonden te grinniken boven de balustrade.

Een boel deprimerende schoenen op het feest. Ik bedoel muiltjes. Overal waar ik een poot zette, waren het de goudkleurige, opengewerkte sandaaltjes van D'antonio en Engelse muiltjes van Rayne. De mannen die in de filmbusiness zaten, droegen witte schoenen. De jongens van Harvard droegen zwarte oxfordschoenen met veters van gelijke lengte. Ik passeerde heel wat flanel en seersucker, in zomertinten, tot ik bij de schoenen van de president kwam, en dat waren natuurlijk oxfords. Glimmend van jewelste.

Ik had graag willen zeggen dat Marilyn en Kennedy een belangrijk wereldhistorisch gesprek hadden, maar dat was niet zo, al leek het er even op dat het ervan zou komen. Samen voerden ze een scène van een paar korte minuten op, waarbij er een sfeer van grote importantie om hen heen hing. Ze hadden nooit zomaar een man en een vrouw kunnen zijn die elkaar in een hoekje van een feest tegenkwamen, dat was onvoorstelbaar, vooral in hun geval: hun gesprek was een samenkomst van persoonlijke fantasieën die weer persoonlijke fantasieën zouden voortbrengen, en in mijn herinnering lag er iets dramatisch net onder het oppervlak van hun conversatie. Kennedy dronk whisky met soda. Hij zat in een prachtige Charles Eamesstoel. Hij had een kussen in zijn rug, en als hij tegen haar sprak, tikte hij op de zijkant van triplex om zijn woorden kracht bij te zetten. Zij zat op het bij de stoel behorende voetenbankje, en ik nestelde me tegen haar benen. Haar hand trilde heel licht terwijl ze mijn vacht streelde. 'Je mag wel stellen dat hij de intuïtie van een rivierbootgokker heeft', zei hij met een brede grijns. Ze hadden het over de vicepresident, meneer Johnson.

'Het is een harde, hè?'

'Het is een Texaan.'

'Maar heeft hij de progressieve verbeeldingskracht?'

'Natuurlijk.' Kennedy zweeg even. 'Nou, dat is een interessante vraag, Marilyn. Ik had me niet gerealiseerd dat je zo veel om die dingen gaf. Trilling en zo.'

'Ik lees weleens iets.'

'En Trilling? Ken je die?'

'Nou, ik ken hem niet. Ik weet alleen dat hij iets gezegd heeft … geschreven heeft. Over Fitzgerald, je naamgenoot. Hij schreef een regel over de "gebruikelijke muziek van Scott Fitzgeralds ernst". Ik wou dat iemand zoiets over mij had geschreven.'

'Is dat zo?'

'Ik denk van wel.'

'Die literaire jongens. Een van hen noemde me een "existentiële held".'

Ik likte haar arm. 'Maak dat de kat wijs', zei ik.

'Is dat een compliment, meneer de president?'

'Daar zou ik geen eed op durven doen. Ik denk dat het meer een compliment is voor degene die het heeft geschreven. Je bent zo lief, Marilyn. Weet je, ik denk dat je niet zo veel moet piekeren.'

'Ik ben piekerend geboren.'

'Maar toch niet over pijprokers? Je brengt heil en vreugde in het leven van mensen. Dat is de waarheid.'

'De gehele waarheid en niets dan de waarheid?'

Hij grinnikte. 'Zo waarlijk helpe mij God almachtig.'

'Niet van onderwerp veranderen, meneer de president. We hadden het over burgerrechten.'

Zoals sterren altijd de beste sterrenfans zijn, zo zijn de behoeftigen vaak de allerbeste bevredigers van de behoeftigen. De president en zijn nieuwe vriendin waren onafscheidelijk die avond, spraken over elkaars twijfels, zijn seksuele en haar intellectuele, tot iedereen concludeerde dat ze een stel moesten zijn. Gezeten bij de patiovensters van Lawfords huis leken ze zo'n hemels samenstel van natuurlijke verworvenheden dat niemand de verleiding kon weerstaan hen in elkaars armen te zien. Dit soort dingen wint aan kracht door de wens en herhaling, en wie zoals ik meer van mythen dan van feiten houdt, zal het idee van Marilyn en de president samen wel aanstaan. Toch waren ze maar een paar keer in elkaars gezelschap, waarbij ze steeds in een openbare ruimte over zichzelf en over politiek praatten en een wederzijdse genegenheid uitstraalden die de geschiedenis zou consacreren tot iets wat boven de werkelijkheid uitsteeg. Hij tikte zijn meningen op de zijkant van de stoel, reagerend op haar argumenten, onder de indruk van de manier waarop ze luisterde, ook al wilde hij haar vragen over succes stellen. Daar lag de belangstelling van de president voor haar, dat was wat hem feitelijk intrigeerde. Het had zijn vader gefascineerd en het fascineerde hem: hij wilde het wezen van de roem doorgronden. Zij had er langer mee geleefd dan hij en zij had er ook onder geleden. Hij zou haar nooit hebben gezoend in een kamer vol mensen: hij was getrouwd met een respectabele vrouw en was te politiek ingesteld voor spontaniteit, maar wat daar nog het dichtst bij kwam, was het moment waarop hij haar uiteindelijk op de vrouw af vroeg, haar mooie ogen openstaand voor zijn Bostonse omzichtigheid, hem te vertellen wat er schuilging achter roem.

'Gossie', zei ze. 'Wat een vraag. Volgens jou is het antwoord persoonlijk leed, nietwaar?'

'Ja. Dat denk ik wel.'

'Nou, dat is niet het antwoord, meneer de president. Achter roem gaat geen persoonlijk leed schuil, roem benadrukt het alleen maar. En ik had vast ook wel problemen gehad als ik nooit was weggegaan uit Van Nuys.'

'Wat dan wel?' vroeg hij. 'Dat zou ik weleens willen weten.'

'Zelfkennis', zei ze. 'Zo simpel is het. Wat er schuilgaat achter roem is zelfkennis.'

'We moeten nog eens praten.' Er hing een draadje onder aan de broek van Kennedy's pak en daar wilde ik mee spelen, eraan trekken met mijn tanden om te zien hoelang het duurde voor het knapte.

'Zeg, ik heb jouw vraag beantwoord. Afspraak is afspraak. Jij moet die van mij beantwoorden.'

'Je wilt weten of ik doctor King uit de staatsgevangenis van Reidsville heb vrijgelaten?'

'Inderdaad, ja. Lester Markel van de *New York Times* heeft

me verteld dat jij en de minister van Justitie iets mieters hebben gedaan. Hij zei dat je mevrouw King hebt opgebeld toen hij daar zat, in die gevangenis. Hij zei dat mevrouw King een kind verwachtte. Je hebt gebeld om haar gerust te stellen, en dat nieuws verspreidde zich in de gemeenschap, de kerken. Binnen de kortste keren was iedereen echt geïnteresseerd. Heb je dat gedaan, meneer de president? Heb je die dame gebeld?'*

'Je geeft me te veel eer', zei hij. 'We liepen op eieren. Maar ik moet je zeggen dat het Harris Wofford was, mijn campagnemedewerker. We namen grote risico's in het Zuiden: we hadden heel wat stemmen te verliezen en heel wat stemmen te winnen. Zelfs de vader van doctor King stond op dat moment achter Nixon.'

'En doctor King was gearresteerd? Omdat hij in een snackbar in Atlanta was gaan zitten?'

'Dat klopt. Ze hadden hem in de gevangenis gezet.'

'En jij hebt hem vrijgelaten?'

'Nee. Nou ja. Je moet het zo zien. We konden King niet openlijk steunen in een Zuidelijke strijd over segregatie. Daar had niemand baat bij gehad.'

'Maar jullie wilden dat wel, hè?'

'Natuurlijk wilden we dat. Maar we moesten het langzaamaan doen. We staken 's morgens vuren aan en doofden ze 's middags weer.' Op dit punt in het gesprek merkte ik dat de president op het puntje van zijn stoel was gaan zitten en nu een groep toehoorders toesprak, wat betekende dat zijn flirt met mijn baasje voorbij was. 'Je had mensen in

---

* Waarom Marilyn zei dat het die vent van de *Times* was die haar het verhaal had verteld, weet ik niet, maar het was Frank Sinatra.

de gevangenis', zei hij. 'Je had lui van de Ku-Klux-Klan in de velden. Doctor King zat in een zwaarbeveiligde gevangenis en Wofford kwam op het idee om Coretta te bellen. Een paar woordjes maar. We hadden een paar minuten tijd op O'Hare, dus ik pakte verdomme gewoon de telefoon en belde.'

Marilyn dronk nog wat champagne en legde het glas naast me neer. Ik likte de rand. Haar ogen stonden wijd open en ze was dronken. Ik denk dat ze pillen had genomen en alle remmingen had verloren. 'Wat heb je gezegd?' De president lachte als een doorgewinterde campagnevoerder die de sympathie van vreemden moest winnen.

'Ik zei dat ik begreep dat het zwaar voor haar moest zijn, met een kind op komst en een man in het gevang. Ik zei dat we aan haar en doctor King dachten.'

'Brave jongen', zei Marilyn. Ik denk dat ze het tegen mij had, maar zeker weet ik dat niet.

'Bobby werd razend', zei hij. De president had ook pillen geslikt en die deden hem goed. 'Het was nog maar dertien dagen tot de verkiezingen. Maar toen werd hij zo kwaad dat hij opdracht gaf King vrij te laten. Hij kon er niet tegen dat de een of andere lynchrechter de leider van een burgerrechtenbeweging tot dwangarbeid had veroordeeld. Zo is het gegaan. Ik belde en Bobby belde en van het een kwam het ander.' Peter Lawford leunde over Marilyns schouder en gedroeg zich als een vooraanstaande verslaggever.

'Het had een ingrijpend effect, toch, op de negerstemmen in het Zuiden?'

'Juist. Ingrijpend is juist.' Hij boog zich lachend voorover en pakte zijn glas. 'En weet je wat King senior daarna zei? Weet je wat hij zei? Hij zei dat hij nu op Kennedy zou stemmen, ook al was ik dan katholiek en zo.'

Het gezelschap lachte. 'Is het niet ongelooflijk? Dat de vader van Martin Luther King zo steil is?' En toen keek hij weer vertrouwelijk naar Marilyn. 'Tja', zei hij. 'Het is wat met die vaders, nietwaar?'

Er zaten mensen rond het zwembad. Anderen persten zich tussen de veiligheidsmensen door om op het strand te gaan wandelen, en ik volgde. Ik ging naast de jonge Mexicanen zitten die bediend hadden. Mexico was het helemaal voor mij. De bedienden zaten te lachen en te dollen, wat me deed denken aan de jonge Texanen die me destijds hadden meegenomen om de ufo's te zien, de avond dat we naar rock-'n-roll luisterden. De kelners rookten pot en gaven het ding door op het strand. Ze aaiden me en zeiden: 'Hier, jongen.' De lucht was zacht en de hemel was vol gele strepen. De kelners hadden niet verwacht dat de avond zo informeel zou zijn, maar met hun glanzende huid en hun witte hemd, hun vlinderdasje, leken ze erbij te horen. Ze hadden het erover hoe sexy de filmsterren waren, hoe fantastisch de gerechten en hoe gaaf de vuurwapens van de beveiliging. Maar een van de kelners wilde me niet op schoot, een jonge man uit Watts die Jabril heette. Hij rookte de wiet, die zich mengde met zijn eigen zoete geur, maar hij zei tegen de anderen dat hij een hekel had aan honden.

Ik luisterde met veel plezier naar de jongens. De nachthemel werd inktzwart, en ik zoog zo veel mogelijk op van de zachte lucht. Mensen zijn zo druk met denken over het paradijs dat ze niet zien dat ze er allang zijn. Het was voor mij een avond van luisteren – een leven van luisteren – geweest zonder te worden gehoord, en daar naast het huis van Lawford moest ik denken aan Plutarchus, zijn prachtige verhandeling 'Over het luisteren naar voordrachten'. Een jackrusselvrouwtje kwam door ons gezichtsveld hollen en ging rechtstreeks op de branding af. Ik sprong uit de armen van de kelner en rende achter haar aan tot de kolkende rand waar het schuim op het zand bruiste. Ik was iemand die altijd heel langzaam verliefd werd en heel snel met vertragingstechnieken kwam, maar de jack russell joeg mijn hart de lucht in als een tennisbal. Wie was zij? Ik knikte naar achteren in de richting van het huis en mijn jonge vrienden, de Mexicanen. Ze wierp me een zijdelingse blik toe, een min of meer volmaakte beweging van haar lange wimpers. 'Deugd heeft maar één handvat', zei ze. 'Het oor van de jongeren.'

'Ze zijn aardig', zei ik. 'Mijn soort mensen.'

'Hou je van Mexico?'

'Jazeker', zei ik. 'Het is de ultieme bestemming. Het is nooit uit mijn gedachten geweest. Ik geloof dat we er binnenkort heen gaan. Een kort avontuur. Dat is het plan. Ik heb mijn baasje erover horen praten.'

'Wat een bofkont ben jij. Ik ben er nooit geweest.'

'Daar is Trotski iets overkomen. Ik bedoel ... hij ...'

'Ja', zei ze, realist als ze was. 'Hij is overleden. Was hij een vriend van je?'

'Nee, geen vriend. Hij was van vóór mijn tijd. Mijn eerste baasjes hielden van hem. Je weet hoe dat is?'

'Ja. Je vergeet ze nooit. Eerste liefdes.'

We liepen om elkaar heen, teder snuffelend. Toen gingen we aan de rand van het water zitten, en ik duwde tegen haar wang en likte haar oor. 'Pas op, schat', zei ze. 'Ik ben al bezet.'

'Waar woon je?'

Ze liep een paar passen en knikte omhoog naar de helder verlichte huizen voorbij de kliffen. 'Pacific Palisades', zei ze.

'Heus?'

'Je houdt van schrijvers, toch?' zei ze. 'Dat voel ik. Ik zit in hetzelfde schuitje. Mijn grootouders kenden al die schrijvers.'

'Daar?'

'Ja', zei ze. 'Brecht. Mann. Die Belg, Maeterlinck. Die kon goed luisteren.'

'Ik ken hem! Ik vind hem fantastisch!'

'Ja. Hij kwam naar Hollywood om voor de film te werken. Ik denk dat Samuel Goldwyn apetrots was dat hij een Nobelprijswinnaar in dienst had. Hoe dan ook, Goldwyn stopt hem in een kamer. Hij heeft daar maanden gezeten. Maeterlinck besloot zijn boek *Het leven der bijen* te bewerken. Dus komt hij wuivend met een stapel papieren naar buiten en die wordt naar de grote man gebracht. Een uur later komt Goldwyn uit zijn kantoor gestormd en schreeuwt: "Mijn god. De hoofdrolspeler is een bij!"'

We lachten allebei. De avond was plezierig, en dat is de liefde ook. 'Nou, tot ziens', zei ze. 'Geniet van het leven, Maf. Je gaat naar Mexico, toch? Waar iemand iets is overkomen.' Ze likte mijn kin en verloor verder geen tijd, maar rende als de wiedeweerga het strand af. Aan het andere einde gaf het baasje van de hond haar een klopje op haar dijen en sprak woorden die ik niet kon horen. Ik denk dat ze zei: 'Naar huis, lieverd. Nu naar huis.'

Marilyn nam haar glas mee van het feest. Ik zag haar naar me toe komen over het zand. Ze zong een paar woorden en ging zitten uitkijken, want ze hield van het water en ook van de verte. Het was een blij liedje. Nat King Cole, dacht ik. Haar lippen waren zacht en haar haar viel achterover in die blonde golfjes. Het liedje had ze geleerd van haar moeder, die had gezegd dat het voor haar werd gezongen door de enige man van wie ze ooit had gehouden. We waren niet ver van de pier. Het reuzenrad ging rond en de lichten ervan brandden een gat in de duisternis.

13

Haar laatste Kerstmis brachten we door in het huis van dokter Greenson in Brentwood, waar we kastanjes roosterden en woordspelletjes deden. Er heerste een gevoel dat de dingen eindigden in een geest van mogelijke vernieuwing, wat eigenlijk misschien het allertreurigste gevoel denkbaar is. Tegen die tijd had ze nog maar weinig weg van een mens, maar meer van een element, of van die vluchtige zwermen duiven bij Wallace Stevens die leven in een oude chaos van de zon. Ze maken 'ambigue golvingen', zoals zij in die laatste maanden in Los Angeles, voor haar 'neergang naar de duisternis, op uitgestrekte vleugels'.

Marilyn had een kerstboompje opgezet in haar appartement aan Doheny en liet het daar maandenlang staan, kijkend naar de rode schaduw van de lichtjes op de muur als ze niet kon slapen. Bij de familie Greenson was alles gelukkiger en was de psychoanalyse een manier van leven. Ze leken zich te koesteren in het wereldwijde succes ervan. Vaak bleef ze na haar sessies eten bij de familie, schilde aardappelen en dronk champagne, waarbij het zuivere, creatieve leven in dat huis haar het gevoel gaf dat alles beheersbaar en veilig was.

Ze zetten mij dan op de eetkamervloer, waar ik at uit een hemelsblauwe tupperwarekom die ze speciaal voor honden hadden. De kom was een soort anomalie, want Hildi Greenson hield van aardewerk. Aan de wand naast de ontbijtbar hingen vier antieke bordjes – 1900, zou ik zeggen – van Creil Montereau, die 'L'Esprit des bêtes' heetten. Op de onderste stonden twee ezels gekleed als geleerde heren met opstaande boorden. Een ervan steunt met zijn elleboog op een groot boek, naast een Romeins standbeeld, en hij is aan het woord. '*Sans nous*', zegt hij, '*que seraient devenues les merveilles de la science et les chefs-d'oeuvre de l'esprit humain?*'*

Ik moet zeggen: ik was niet dol op dokter Greenson. Hij was flamboyant in zijn oordelen, enigszins voorbarig in zijn meningen en hij had een beetje te veel verering voor roem. Bij al zijn verhevenheid vertoonde hij een nogal irritante mentale slapheid. Maar hij geloofde in Marilyns 'potentieel' en was ervan overtuigd dat haar gevoeligheid haar talent ten goede zou kunnen komen, een theorie die tot gevolg had dat zij hem als een vader beschouwde. Welnu, ik ben een hond en ik zie dingen op mijn eigen manier, en ik moet u zeggen dat dokter Greenson zich een beetje te veel liet meeslepen door zijn favoriete rol. De dokter was Marilyn aangeraden door Marianne Kris in New York, die in haar ververering slechts werd overtroffen door haar jeugdvriendin Anna Freud. Deze twee vrouwen konden het goed vinden met Greenson, die nu de behandeling overnam van mijn gedoemde maatje, wier eigen vader nergens zichtbaar maar overal aanwezig was, als de volmaakte schepper en de ergst denkbare ziekte.

---

* 'Wat zou er zonder ons zijn geworden van de wonderen der wetenschap en de meesterwerken van de menselijke geest?'

Dokter Greenson speelde graag de vader van hen allemaal. In de tijd waar ik het over heb, hielp hij Anna in haar strijd tegen de film die John Huston over het leven van haar vader wilde maken, en Marianne bij de publicatie van een aantal van haar vaders verhandelingen om hem de eer te geven die hem toekwam. Ik was daar in Franklin Street op de dag dat Greenson zei wat dokter Kris ook al had gezegd: Marilyn zou een vergissing begaan als ze de rol in de film van Huston zou aannemen, de rol gebaseerd op Anna O.

'Maar waarom niet, als ik toch het gevoel heb dat ik haar ken?' vroeg Marilyn. 'Er is een sterke verwantschap, vind je niet?'

'Leo Rosten heeft net een boek over me geschreven', zei hij. 'Dat zou je eens moeten inzien, Marilyn. De roman heet *Captain Newman,* MD. Hij heeft fictie van mijn leven gemaakt. Ik ben er heel blij mee – ik begrijp kunst. Ik heb hem geholpen met informatie. Maar het is niet niks om je problemen en je ervaringen en misschien zelfs je genialiteit gefictionaliseerd te zien, snap je? Psychologisch gesproken: het is een hele uitdaging. Ik weet wel dat dit iets anders ligt. Maar denk je dat het spelen van een van de bekendste hysterica's uit de geschiedenis je gevoelens van welbevinden op dit moment zal bevorderen?'

'Dit is wat anders', zei ze. 'Het is niet mijn verhaal.'

'Ja en nee.'

'Weet je, ik verlang naar een fatsoenlijke rol.'

'We zullen zien, Marilyn. Ik heb met Anna Freud gesproken in Londen en ze is ervan overtuigd dat deze film een karikatuur gaat worden. Van haar mogen ze allemaal doodvallen, om je de waarheid te zeggen.'

'Is dat wat ze bedoelen met doodsdrift?'

'Nee, Marilyn. Het is de levensdrift. Je moet je eigen vader toch kunnen beschermen?'

Greenson weerde mij ook uit de behandelkamers, zowel die in zijn huis als die in zijn praktijk aan Roxbury Drive, met het argument dat hij niets zag in Freuds geloof dat honden hielpen bij de therapie. 'Ze hebben oren', zei hij, wat minder paranoïde was dan Marilyn op dat moment aannam. 'En ze hebben ogen. Ik voel die ogen altijd. Dit hondje kan bij mijn dochter beneden wachten.' En zo was die cirkel rond, van dochter naar dochter naar dochter naar dochter, de hemelse vader boven met zijn patiënt en Joan en ik in de keuken met twee kommen pretzels en een tv waarvan het geluid zacht gezet moest worden.

De meevaller bij dit alles was mevrouw Murray. Ze was in de jaren veertig de eigenares geweest van het huis van de familie Greenson en had contact met hen gehouden als hun vriendin en helpster. Voor mevrouw Murray was huizen inrichten een soort religie, en gegeven het feit dat ze een swedenborgiaan was, kreeg de kwestie van handbeschilderde tegels en tuinmeubels de dimensie van een helio-spirituele queeste. Bij mevrouw Murray had ik altijd het gevoel dat ik in mijn eigen reis een cirkel aan het sluiten was: ze was Schots, ver weg, een inrichtster in hart en nieren, een dienares van de psychoanalyse, een dierenliefhebster en een vrouw met een enorme passie voor het leven en de folklore van Mexico. Ze was democratisch of serviel, al naar gelang haar stemming. Toen Marilyn besloot dat ze net zo'n huis nodig had als dat van de familie Greenson, was mevrouw Murray degene die het vond, slechts een paar straten van Fifth Helena Drive 12305. Ze wilde er wel huishoudster worden. Mevrouw Murray nam me in haar armen en vertelde me met haar fluisterstem dat op het einde alles altijd goed komt.

Niets is zo leeg als een leeg zwembad. Mevrouw Murray kwam de tuin van het nieuwe huis in met haar grijze haar en haar vlinderbril, haar kleine oogjes driftig op zoek naar poëtische verbeteringen. Ze leek volgens mij wel wat op de Cheshire Cat uit *Alice in Wonderland*, die zich niet gek voelde, of een hond, maar die in staat was tot eigen vondsten van de verbeelding. 'Het beetje leven dat we hebben, moeten we zelf máken, Maf Schat.'

'Wat ben je lief', zei ik.

Ze liep altijd op haar tuinsloffen. Ze fluisterde religieuze bedenkseltjes als ze de deur naar de serre opende of ervoor zorgde dat de bouwvakkers aan het werk konden. Wat wij nodig hadden, stond haar heel duidelijk voor ogen: een huis als dat van dokter Greenson, een schuilplaats tegen spiedende ogen. Het was ook een plek waar Marilyn kon beginnen zichzelf te leren kennen, de draad van haar leven oppakken en zich voorbereiden op geluk. Dat was het soort dingen dat een vrouw soms moest doen in het leven, en dat is nooit gemakkelijk met echtgenoten die weglopen, maar we doen het, zei ze tegen zichzelf, we doen het en het gaat ons goed, is dat niet hoe het moet? Heb ik gelijk, Mafia Schat? Op onze wandelingen legde mevrouw Murray me uit dat het huwelijk eeuwig is en dat iemands man of vrouw na de scheiding en zelfs in het hiernamaals nog steeds iemands man of vrouw is. 'Als iemand niet getrouwd is, zoals jij, lieverd, dan heet het dat je je vrouw voor het eerst in de hemel zult ontmoeten.'

'O, jippie', zei ik.

Dit werd allemaal heel zachtjes gezegd. Sinds Vanessa Bell was ik met niemand omgegaan die zo totaal toegewijd was aan haar zelfverzonnen wereld. In mevrouw Murrays ogen was haar wereld echt en stond God in het middelpunt ervan. 'Alle kwaad komt voort uit de mens en moet worden gemeden', zei ze op een dag tegen mij, terwijl ze een stuk beigeachtige vloerbedekking in de kast van de grote slaapkamer legde. 'Goede daden komen van God.' En wie zou niet houden van zo iemand die gelooft in de mogelijkheid van het eeuwig leven? Ze maakte in het gastenverblijf een bedje voor me op een oude bontmantel die Marilyn ooit had gekregen van Arthur Miller. Ze opende een raam en snoeide de bougainvilleranken terug die zich rond de spijlen hadden gewikkeld. 'Zo', zei ze, terwijl ze een zakdoekje uit haar mouw trok, een zakdoekje met een bruin kruis in een grijze cirkel. 'Iemands lot na de dood komt overeen met het karakter dat hij tijdens zijn leven heeft verkregen.' Ze hoestte in haar zakdoekje. 'Zij die hielden van de Heer of graag nuttig voor anderen waren, zijn absoluut in de hemel.' De vorige eigenaars hadden twee tegels in de drempel van het huis laten aanbrengen, met de tekst: CURSUM PERFICIO.* Die eerste week voelden de tegels slechts mijn poten en de pantoffels van mevrouw Murray.

Mevrouw Murray was ondanks haar kippigheid en haar zachte stem een belangrijk radertje in de machine van het zelfbewuste. De familie Greenson was lange tijd afhankelijk van haar geweest, van haar verrassingsmaaltijden, haar tuinieren en haar bibliotheekkaarten – de manier waarop ze praktische problemen doorzag, erover las, ze de baas werd en ze vervolgens tegen geringe kosten en met stille trom oploste. Ze had in de intellectuele en artistieke wereld van

* 'Mijn reis is ten einde.'

Brentwood de naam gekregen van iemand die met de lippen op elkaar de beslommeringen van mensen oploste, en dan heb ik het over mensen met een boel beslommeringen. (Ze kon telefoontjes plegen waarbij je je oren niet geloofde, met inbegrip van een telefoontje naar de Mexicaanse ambassade, waarmee ze via via een vrijstelling van quarantaine voor mij wist te bemachtigen, zodat ik mee kon op de reis naar Mexico.) Mevrouw Murray kwam altijd met haar spullen in een netje en haar fijne, bemoedigende lachje: ze had geheimen die glinsterden als mica in haar betrouwbare karakter, en ze hield zich op aan de rand van het bewustzijn van haar werkgever, wachtend op fouten die ze kon rechtzetten zonder iets te zeggen. De weggelopen echtgenoot, John Murray, was een swedenborgiaanse voorganger geweest die in navolging van Christus timmerman werd. Schijnbaar bezat hij weinig van mevrouw Murrays huiselijke vuur, dus verdween hij naar Mexico om daar vakbonden te organiseren. Hij kwam nooit weerom, al vermoed ik nu dat hij ergens in de buitenwijken van de hemel woont met zijn vrouw, mevrouw Murray.

Ze deed haar intrede in het leven van mijn baasje en nam de touwtjes in handen: huis, auto, doktersafspraken, kleding passen, was, fruitsalades en – bovenal – wat zij noemde 'de eisen van de woninginrichting'. Belangstelling voor dat soort zaken hoorde bij mijn stamboom, maar mevrouw Murray bleek moeilijk te beïnvloeden. Haar overtuigingen waren ingeworteld op het niveau van, laten we zeggen, persoonlijk leed en natuurlijke obsessie, en ik kon haar slechts begeleiden en zachtjes keffen terwijl zij ons huis aan Fifth Helena Drive vormgaf. Zoals ik al zei, haar grote voorbeeld was het huis dat ze had verkocht aan de familie Greenson, het huis waar ze voor altijd had willen wonen met haar echtgenoot

John. De stijl van dat huis was Mexicaans en mevrouw Murray wilde het allemaal overdoen, maar dit keer beter, als om te laten zien dat haar vaardigheden er na haar teleurstelling alleen maar op vooruit waren gegaan.

De reis naar Mexico was door mevrouw Murray tot in de allerkleinste details voorbereid. Het zou de volmaakte combinatie van politiek en winkelen worden. Marilyn wilde natuurlijk spullen voor het nieuwe huis zoeken, maar ze wilde ook langsgaan bij wat mensen uit New York die nu in *la Patria* woonden, in de filmindustrie werkten of het leven van hun dromen leidden. Het was eind februari 1962 en er hing werkelijk iets van magie in de lucht toen we arriveerden in het Continental Hilton. Marilyn droeg een van haar gelige Pucci-jurken en ik herinner me dat er een heerlijke bries door de hal blies, alsof we eindelijk waren aangekomen in de wereld van de eeuwige lente.

Mevrouw Murray zorgde ervoor dat de koffers naar de kamers werden gebracht, terwijl Marilyn mij meenam naar de bar op het dak van het gebouw. Drie glazen Dom Pérignon later stonden we over Mexico uit te kijken met dat gevoel van voldoening dat hoort bij aankomen. Plotseling herinnerde ik mij, of haalde ik uit de herinnering van mijn baasje, het verlopen doktertje in *The Asphalt Jungle*. Hij zegt dat Mexico City een fantastische stad is: de lucht is er zuiver, er zijn fantastische nachtclubs en restaurants, een renbaan en mooie meisjes. 'Sorry dat ik je zo ver van je speeltjes vandaan sleep, Schat', zei mijn gedoemde maatje.

'Ben je gek?' blafte ik. 'Dit is het paradíjs. Mijn eerste baasjes, de Schotten, die vertelden me dat Mexico het land van vrijheid en mescaline is. Dat hadden ze geloof ik bij Huxley gelezen. Ze hadden geloof ik een gezonde houding tegenover het hallucinatiegebeuren. Mijn fokkers namen het leven zoals het was.'

'Maar is het niet mieters?' zei ze, me niet horend. Toen zachtjes: 'Het is wel heel fijn om een thuis te scheppen.'

'Een klein stukje van hier', zei ik.

Ze brak een paar nacho's in een kom. 'Hier, Sneeuwbal. We hebben alles wat we nodig hebben.'

De uitdrukking op haar gezicht was Mexico en het bonzen van mijn hart was Mexico, net als de geur die de bries meedroeg. 'Een boek dat hij me voorlas op die boerderij in Schotland', zei ik. 'Er waren een heleboel schilderijen in en op een ervan zag je de Azteekse stad die oprees uit het water van het meer. Eronder stonden de woorden van Bernal Díaz uit 1519. Hij sprak van het moment dat ze in de stad aankwamen, "de dag dat we zagen wat we altijd voor ons geestesoog zouden zien, en dat onze soldaten vroegen of het niet allemaal een droom was".'

Die avond gaven de Mexicaanse filmlui een feest voor Marilyn in het Grand Hotel. We kwamen er om een uur of zes aan, toen op een immens, voornaam plein een vlag werd gestreken. En het leek te horen bij de voortdurende glorie van de opstand dat de historische schreeuw om vrijheid en gelijkheid mettertijd zou leiden tot een bourgeoishotel. Dat gebeurt vaak met de strijd van mensen, zo is me opgevallen: die begint in Spaanse *barrios* en ruige cafés en eindigt in de chique zalen van luxe hotels, of in kwalijk riekende paleizen, omgeven door bewakers en grijze sofa's. De tegenstelling leek zeer tastbaar in het Grand Hotel, heel erg op haar plaats, oerwoudvegetatie en plafondventilatoren die samenwerkten om de lucht in beweging te brengen. 'Natuurlijk!' leek de directeur te zeggen, er is een noodzakelijk onderscheid tussen de roemrijke massa's en de weinige uitverkorenen. In één glimlachende beweging liepen we van de stoep – de klikkende camera's, de prachtige gezichten die 'Maralien, Maralien' riepen – naar een witmarmeren trap. De grote bazen van de Mexicaanse filmindustrie keken over de leuning, terwijl Marilyn me optilde, haar hoofd schuin, mijn ogen verblind door de lach van de mannen en wat schitterend tiffanyglas.

We aten als vorsten. Een man bracht me naar de keuken en gaf me een truffelomelet op een zilveren schaal, en ik huilde bijna van genot. De man was politieagent geweest, maar was nu tot inkeer gekomen. Hij grapte tegen zijn kameraden dat ik *un guapo* was. Alle mannen in hun witte uniformjasjes lachten, en ik ging van hand tot hand. Ze waren allemaal aardig, en ik begreep eindelijk waarom zo veel kelners acteur zijn, want een goede kelner kan op ieder moment acteren. Ik heb het zelf gezien. De klapdeuren zwaaiden open en daar kwamen ze naar buiten met een andere houding, een ander gezicht, en overhandigden me aan mijn baasje met een vormelijke knik en een zijdelingse blik naar de maître d'hôtel.

'Meneer Huston is een heel geweldige regisseur. Ik moet je zeggen, hij is geweldig. Knaaaaap. *Sí.*'

'Je hebt met hem gewerkt, ja?'

'Sí, aan *The Unforgiven*. Hij is wat ik noem mijn geluksregisseur, oké? Voor mij is hij geluk.'

Marilyn giechelde. 'Je zou hem eens aan de dobbeltafel moeten zien. Daar komt geen greintje geluk aan te pas.'

'Ha, sí, sí. John is *obstinado*, niet ... bij de roulette, niet, en de whisky?'

'Obstinado', zei ze.

'Ik zeg jou, Maralien. Zonder een twijfel. Hij doet me denken aan John Steinbeck. Ken je meneer Steinbeck? Ik heb *La Perla* geregisseerd – ja, doet er niet toe. Lange tijd geleden heb ik *La Perla* geregisseerd, oké? Hij is dezelfde soort macho, sí. Dezelfde *hombre muy obstinado*. Drank. Enorm.'

'Met mij kun je over Steinbeck praten', zei ik. 'Ik ken *Reizen met Charley* zowat uit mijn kop. Charley de hond en de grote man doorkruisen het land. Charley weet meer over geografie dan de schrijver, nee? En Charley is de kunstenaar die op de loer ligt terwijl de pijnbomen zwart worden tegen de hemel.'

'Gaat niet het gerucht dat hij kandidaat is voor de Nobelprijs voor de Literatuur?'

'Es verdad', zei de man, die Emilio Fernández heette. Hij had een mooie snor en een heel serieuze vrouw genaamd Columba. Ze was actrice, maar haar donkere ogen zeiden je dat ze niet van zins was deel te nemen aan al deze opwinding. Dat gebeurt soms. Ze was tot de conclusie gekomen dat Marilyn misschien een bedreiging vormde voor de integriteit van een mannelijke kunstenaar.

'Binnenkort ga je weer werken met meneer George Cukor', zei Columba opgewekt. 'Is waar?'

Marilyn had haar ogen half geloken. 'Ik ben dol op George.'

'Is een sekskomedie, nee? Niet moeilijk om politiek engagement te maken met dit soort materiaal?'

'Ik weet het niet zo zeker', zei Marilyn. 'Het speelt in een slaapkamer. Bestaat er nog andere politiek dan?' Ze haalde haar schouders op, en meneer Fernández barstte in lachen uit, terwijl zijn vrouw haar lippen op elkaar perste.

Een jonge vriend van hen die een filmscenario over een kakkerlak had geschreven, was heel voorkomend tegen Marilyn en zij vond zijn grappen leuk. Hij heette José en naderhand stuurde hij haar een woud van kerststerren. Maar de hele avond groeide mijn opwinding bij het vooruitzicht van het optreden van Cantinflas, de moderne Don Quichot die aan het andere uiteinde van de tafel zat te eten en iedereen aan het lachen maakte. Ik had lang gewacht op een ontmoeting met Cantinflas. Ze noemden hem de Charlie Chaplin van Mexico. Feitelijk was hij veel meer dan dat: een verbaal idealist, een schelmse schlemiel, de ziel van de natie. Ik bleef maar naar hem kijken aan de andere kant van de tafel, zag zijn smalle snorretje en wenste dat ik hem kende als vriend. Maar in zekere zin had ik hem altijd al gekend, door osmose, door intuïtie, deze verpauperde Elckerlyc, deze satiricus, voor wie politiek en kunst bij elkaar hoorden. In een land van ongeletterden nam hij de taal over, in een land van migranten nam hij de stad over. Hij spotte met de wet en maakte een spektakel van het leven. De eeuwige *pelado* kende mijn soort al zijn hele leven lang, en toen, tijdens mijn mijmering, stond hij op aan het andere einde van de tafel en bewees het. Hij sprak Engels als die keer dat hij de bediende van meneer Fog speelde in *Reis om de wereld in tachtig dagen*.

'In Vaudeville, in Godville, kunnen we niet zonder onze rekwisieten.' Hij pakte een gedeukt hoedje, en de hele tafel barstte in applaus uit toen hij het op zijn hoofd zette. Het gejuich hield aan toen hij een fles pakte en voor zichzelf een glas inschonk, daarna nog een, waarbij hij de fles bleef vasthouden en zijn hoedje scheef zette. Hij vertrok zijn mond, alsof er een bij op zijn neus zat en nam een kippenpootje van het bord. Marilyn klapte. We keken toe hoe hij de kip at, maar er was iets in onze concentratie waardoor het leek dat we naar een Velázquez zaten te kijken. Hij at gulzig als een hond en wist dat als een mens. 'Als werk kostbaar was,' zei hij met zijn mond vol kip, 'zouden de rijken het ongetwijfeld voor zichzelf hebben gehouden.'

'Viva Cantinflas!'

De tafel schudde van plezier en tumult. Hij stak een sigaar op. 'In de grootse traditie van geweldige onthalen,' zei hij, 'sinds oude tijden gegeven door de ingezetenen van Mexico met hun zegeningen voor de ruw overgeplanten – ik bedoel de moede matroos die courtoisie verwacht voor zijn Cortez-ie, de nobele plunderaar die een veilige haven wenst – was het altijd onze gewoonte ze met hongerige ogen te aanvaarden alvorens hun onderdrukking te ondergaan. Kortom, dames en heren, we scharen ons achter de wetgevers van onze natie en verwelkomen Amerika aan onze tafel. Ze komt in het harnas van harmonie. En dat werd tijd ook, en zo is het en niet anders in het uur van onze dood, amen.'

De man naast me huilde zowaar van het lachen. Hij bonkte op de tafel. De voorstelling had iets kwikzilverigs en gedurfds: Cantinflas had geen aantekeningen en het nummer was nieuw, maar niets scheen ongepast en de woorden die hij sprak, waren vurig en absurdistisch en ze vrolijkten iedereen op. 'Haar huid is als porseleinen sneeuw op de toppen van onze vulkanen. Onze gast komt niet uit het herenhuis, mijn vrienden. Ze komt uit het huis in de barrio bij de dievenmarkt, zoals deze man – geen zeeman, maar wel een man – en haar talent alleen heeft haar gemaakt tot de Koningin van Liefde en Intelligentie.'

Iedereen keek naar Marilyn, en ze lachte die prachtige lach van gezondheid en goede tijden en nog betere op komst. 'Marilyn is hier bij ons en ze is een democratisch feit.'

'Ik hou van je, Cantinflas', zei ik. De mensen aan tafel juichten en ze leken op dat moment de mensen die het best wisten hoe ze moesten leven, die wisten hoe ze zichzelf moesten zijn. En ze waren trots, heel trots, op Cantinflas en zijn woorden. Trots op zijn non-conformisme. Een van de acteurs kwam bij hem staan in de rol van hoteldirecteur. Cantinflas draaide zich naar hem toe en werd schichtig als een paard.

'Ik ben nog niet bereid mijn rekening te betalen', zei hij. 'Een rekening is oplichterij, een belediging van de vrije man. Als je jezelf een man noemt, geef ik je bevel een tegenbevel tegen je bevel te geven.'

'Señor', zei de man die de hoteldirecteur speelde. 'Het gerucht gaat dat u vrijuit over vrijheid praat. De rekening wordt verdubbeld. Ik meen dat u het woord "democratie" gebruikte?'

'Ik zei "geografie". Ik zei: Mevrouw Monroe was de Koningin van het Weten Waar Ze is.'

'Señor. De cognac is gratis. De kip en de sigaar zijn gratis. Dit is uw rekening voor het gebruik van dure woorden.'

Hij keek naar de rekening, en het gezicht van de komiek verstarde van geveinsde afschuw. 'El Capitán! Als mijn ogen mijn ogen zijn, staat hier dat de kosten van ons avondje viermaal de nationale schuld bedragen.'

'Dat is juist, señor. U hebt te veel uitgegeven. Het is niet goedkoop in dit land om schoonheid te prijzen.'

'Ha, lelijkheid! Lelijkheid', zei onze held. Van de zijkant van de zaal klonken violen, het soort droeve muziek dat in stomme films te horen is. Marilyns ogen waren groot van opwinding, en ik drukte mijn neus in haar middel. 'Het is de hond! Geloof me, de hond!' zei Cantinflas wijzend. Ongetwijfeld heb ik gebloosd onder mijn snorharen. Marilyn lachte en wreef over mijn wang. 'De hond is de navigator.

Volgens mij is hij de geograaf.'

'Hoe dat zo, señor?'

'Marilyns hond is de dictator van het optimisme. Ik zeg dat hij Mexico is binnengeglipt om zich verkiesbaar te stellen als president. Hij heeft zich bij deze prachtige vrouw gevoegd met het doel ons land te leiden.'

De tafel brulde het uit, en Marilyn knuffelde me en ik was bijna duizelig van de aandacht.

'Je bent niet wijs. Dit is een hond!'

'Een hond, ja. Een wit hondje. Een hondje van *la chica moderna*. Hij is hier als gast van de Mexicaanse filmindustrie.'

'Sí. En wat wilt u daarmee zeggen, señor? In dit etablissement vragen we een hoge prijs voor onzin.'

'En wat vraagt u voor wijsheid? Zeg eens, el Capitán. Klopt het of klopt het niet dat in Brazilië een neushoorn in een regeringsfunctie is gekozen?'

'Dat is juist, señor. Twee jaar geleden. De naam van de kandidaat was meen ik Cacareco.'

'Een kundig ambtenaar.'

'Inderdaad. Een neushoorn. Een kundig ambtenaar als je toevallig in Brazilië woont. Gekozen door de stem des volks.'

'De stem des volks! Die term komt op uw rekening te staan, señor.'

'En ik zeg u dit, el Capitán. Het volk van Malawi koos een parkiet als districtsbestuurder. Het volk van Polen stemde ooit voor een varken als politiechef. Hij schijnt een zin voor gerechtigheid gehad te hebben die voor het volk heel vanzelfsprekend en geschikt was.'

'Kom me alstublieft niet met "Het Volk".'

'Daar kom ik juist wel mee, el Capitán. Ik kom met het

volk. En ik kom met een keuze! En ik kom met democratie! Meneer, ik kom met schoonheid! En ik kom – onder het oog van alle hemelen, met de geschiedenis tot onze vrije beschikking en de rebelse geest van Cuauhtémoc die onze bliksem stuurt – ik kom met de hond van Marilyn Monroe als nieuwe president!'

De tafel was uitzinnig en iedereen stond op met geheven glas en verheven stem, het vrolijke kabaal aanstekelijk voor alles en iedereen en Marilyn verliefd op de grote grap en geest van de Mexicaanse logica. Mensen kwamen om ons heen staan en aaiden mijn oren en kusten Marilyns hand, en Cantinflas werd omstuwd door zijn vrienden. De kelners stelden zich op langs de achterwand van de eetzaal en applaudisseerden. Er werd gedanst, en Marilyn en Cantinflas waren als tieners – Norma Jeane en Mario Moreno – en dansten een rumba, slangachtig met de heupen zwaaiend en zich te pletter lachend. Later belde meneer Fernández om het ministerie van Onderwijs te laten openstellen, zodat Marilyn en de rest van ons de muurschilderingen van Diego Rivera konden zien. (De schilder had een idiote mening over Trotski, maar wat zou het. Je mag niet verwachten dat alle visionaire mensen op dezelfde manier visionair zijn.) Cantinflas, Marilyn en de jonge scenarioschrijver graaiden flessen champagne mee en gingen voor in een stoet over het plein, vervolgens de straat in naar het ministerie. Daar was het donker, maar iemand vond kaarsen en algauw flakkerde er licht over hun gezichten, over Marilyns gelukkige ogen, terwijl ze door de gangen liepen op zoek naar Rivera's gift van een droom die ze konden delen, *De dag van de doden*.

Marilyn en de scenarioschrijver vonden een hoek waar ze een deel van hun kleren konden uittrekken. Ze zoende hem en hij ging boven op haar liggen, en algauw kreunde ze in zijn mond. Hij was snel. (Leuk om volwassen mensen zich te zien vermaken.) Aan privacy doe ik niet, dus ging ik aan hun voeten liggen en wilde meeknuffelen met hun knuffel, en zodra ze niet meer bewogen, nam ik mijn kans waar en kroop tussen hun benen. '*Bueno*', zei de jonge man. 'Een kleine hartslag aan mijn voeten.' De volgende dag stuurde de vent de bloemen naar onze hotelkamer, en Marilyn verving het kaartje en stuurde het boeket door naar Cantinflas.

Mevrouw Murray had die eerste dagen in het hotel zitten telefoneren. Ik wist niet wat er aan de hand was. Ik zou zeggen dat ze emotioneler was dan anders en je weet hoe het is met religieuze mensen: ze richten zich het vurigst tot God wanneer ze het minst bereid lijken zijn voorbeeld te volgen. Marilyn begreep het. Ze had niets met God, maar wel iets met mevrouw Murray. Hoe dan ook, op de derde dag verrees ze weer, de huishoudster, en kwam de trap af trippelen voor het ontbijt met een lijst winkeliers voor Marilyn en een kleine kluif voor mij. Ze had die gekregen van mijn goede vriend de piccolo. 'Hij doet niet veel met die kluif, Marilyn', fluisterde ze na een poosje.

'Nee, mevrouw Murray. Ik denk dat hij hier al genoeg kluiven heeft gekregen. We hebben de muurschilderingen van Rivera bij kaarslicht gezien. Zijn ze niet geweldig? Ik wou dat we er een mee naar huis konden nemen.'

'Kunnen we niet betalen', zei mevrouw Murray.

Weet u nog de botten in Central Park, de begraven botten van het oude Manhattan waaraan ik moest denken op de dag dat ik met Marilyn naar dokter Kris ging? Ik had eenzelfde visioen toen we onderweg naar Toluca door die prachtige bergen met sneeuw op de toppen reden, een visioen van voorvaderlijke honden die waren gestorven en begraven in de heuvels. Het was niet zozeer een sombere gedachte: de plaatselijke charmes hadden mijn somberheid, zo niet angst, verdreven, en voor de eerste keer zag ik het wonder van de wereld gebeuren en vond ik dat ik enkele van haar duisterder geheimen deelachtig was. De auto ronkte naar de marktstad, en intussen fluisterde mevrouw Murray feiten over aardewerk en weefgetouwen en aaide Marilyn mijn vacht, terwijl ze ook naar de bergen keek en zich voelde als een van de wolken die wegdreven in de blauwe lucht. Mexico was een oord waar mensen en dieren nog samenleefden in de straten.

De markt was zo groot dat je er kon verdwalen. Mijn vriendinnen kochten tegeltjes en bestelden met leer beklede stoelen, ze vonden een met bloemen beschilderde kom, kochten manden en dekens en een Azteeks wandtapijt met de voorstelling van een liggende god. De meeste spullen zouden worden bezorgd, maar mevrouw Murray en de chauffeur sjouwden er een paar mee naar de auto, terwijl Marilyn met zonnebril en sjaaltje een longdrink uit een gehavende fles zat te drinken. Ik voelde me als Berganza in de drukte van de markt, echt waar, een brave schooierende *pícaro*, en ik jatte zelfs een paar tuinbonen en likte een huiveringwekkende ijzeren lepel druipend van de jus af. Veel van de dingen die ze kochten, waren niet mijn smaak, zoals dat heet: al dat geschulpte huisraad! 'Af, jongen', zei mevrouw Murray toen ik met mijn poten aanviel op een leren bank om te kennen te geven hoe lelijk die was. Aan de rand van een kraampje waar *patatas bravas* werden verkocht, kwamen twee volmaakte imagistische katten – katten uit William Carlos Williams – over de stoffige grond aangetrippeld, en het waren straatkatten, die gewoon stuiterden van de vlooien. Ze grauwden. Ze hadden vuile bekken, maar ze spraken mooi. Eerst de ene:

> Alleen de geur van
> vis
> maakt me zo
> hongerig.
> Ze liggen op die
> kraam
> zout te zweten.

Toen de andere:

> Mijn vader zat
> te soezen
> op een Pepsikrat
> achter het
> oude hotel.
> Hij werd wakker
> van waswagens
> geparkeerd in een rij.
> Gisteravond laat
> zag ik hem
> graven maken
> voor al zijn
> nietige gebroken
> draadjes.

Een groep communistische vrienden had ons uitgenodigd voor de lunch. Het waren mensen die Marilyn kende van Connecticut. Blijkbaar kende mevrouw Murray sommigen van hen ook. Meneer Field was directeur van het Instituut voor Vreedzame Betrekkingen en zijn vrouw, Nieves, een schoonheid die me voortdurend streelde, had ooit voor Rivera geposeerd. Ze hadden het allemaal over Cuba, en de kelners bleven hapjes en flessen champagne aandragen. Marilyn zette haar glas voor me neer en liet me een paar mondjesvol oplikken.

'Fideel', zei ik. 'Fidel-io.'

De interessantste figuur op de winkeltrip was een man genaamd William Spratling. Na een bezoek aan Taxco de volgende dag belandden we met hem op zijn ranch, een oase tussen welige groene bananenbomen. Jean Renoir vertelt ons in de biografie van zijn vader hoe de oude man, als hij met hem door een veld liep, een vreemde dans uitvoerde om maar niet op de paardebloemen te trappen. Spratling leek ook zo'n kleine voorzichtige gewoonte te hebben. Hij was hoogleraar architectuur aan de universiteit van Tulane geweest en hij wist ook alles wat er te weten viel over de mensenrechten en de eigenschappen van zilver. Ik mocht hem vanwege de worsten. Ik mocht hem al direct bij onze ontmoeting, toen hij met een stok naar ons toe wandelde en Marilyn kuste, zijn blauwe ogen schitterend met jaren van charme.

Onder het ontbijt had hij het over zijn oude vriend William Faulkner. Hij zei dat meneer Faulkner een man was met een visie, een man die voeling had met elk gelukkig en somber deel van hemzelf, een echte schrijver, iemand met zo'n voorstelling van de wereld dat niemand die hem gelezen had nog precies hetzelfde leven kon leiden als voordien. Jaren geleden, in de begintijd, had meneer Spratling Faulkner geholpen een boek over Sherwood Anderson te schrijven, maar hij sprak liever over zijn vriends dagen vol drank en geschreeuw in Hollywood. 'Weet je, Marilyn, dat Louis B. Mayer hem bij Metro onder contract had? Bill zei dat hij in de filmstudio niet kon werken en vroeg of hij thuis mocht werken. LB vond het goed. Vervolgens hoort LB dat Faulkner zich wekenlang niet had vertoond omdat hij thuis werkte: in Mississippi!'

'Wat leuk', zei Marilyn.

Als iemand een grap vertelt, is een groot aantal Amerikanen geneigd 'wat leuk' te zeggen, terwijl Europeanen geneigd zijn te lachen. Marilyn was altijd sterk voor de tweede groep geweest, maar in die laatste periode voor het begin van de opnames van *Something's Got to Give* begon mijn baasje weg te glijden van haar natuurlijke reflexen. Ik zag dat voor het eerst in Mexico, misschien wel precies op het moment van het Faulkner-verhaal, de aanvang van haar afglijden naar abstractie, naar een plek waar alle stemmen klonken als stemmen uit het verleden. Niets was nog nieuw voor haar. Als een slaapwandelaarster waarde ze rond in de uren dat het licht was.

Meneer Spratling had de eerste tentoonstelling van Mexicaanse kunst in het Metropolitan Museum georganiseerd, en het deed Marilyn goed, louterde haar feitelijk, dat hij haar meenam naar de beste plekken om zilver te kopen. Hij was heel prettig gezelschap en zijn genialiteit deed haar zichzelf vergeten. Na uitgebreid te hebben gewinkeld in Taxco en de Jardín Borda keerde de club terug naar de stad en bracht Marilyn een gearrangeerd bezoek aan een plaatselijk weeshuis. Meneer Spratling en mevrouw Murray namen me mee naar het nabijgelegen Coyoacán, en hoe dichterbij we kwamen, hoe nerveuzer ik werd, want die middag leek de geschiedenis te druipen uit de muren van de gebouwen en uit de zon zelf. Het was alsof een of ander oud geloof, iets persoonlijks, bovenkwam uit de krochten van mijn eigen verleden, toen we naar een gebouw met torens liepen. Mevrouw Murray tilde me op, bleef voor het gebouw staan en veegde een traan uit haar oog. Meneer Spratling zei iets en ik ving de naam Mercader op, waarbij ik met de klap van de herinnering een sterke smaak van Parijse broodjes in mijn mond kreeg. Dit was het huis waarin Leon Trotski was vermoord. Mevrouw Murray zette me weer op de grond, en ik liep snuffelend vooruit en bleef staan naast het hek, nu overtuigd dat ik op de weg nog bontjassen kon ruiken, Siberische bontjassen met voeringen genaaid in Manhattan.

Ik keek naar de vensters, het stof op de weg. Ieder ding heeft zijn geschiedenis en ieder wezen heeft zijn verhaal, en Trotski, nou, hier waren zijn huis en de tuin die hij had onderhouden. In het huis zou ongetwijfeld zijn oorspronkelijke bureau staan met al de foto's, de inktpot en de dictafoon. Maar terwijl ik daar stond, was mijn kop vol van de kracht van zijn voorbeeld. Was hij niet de god der kleine dingen en grootse ideeën, een cultivator van de betere instincten in de mens? Dat, mijn vrienden, is het indrukwekkendste werk van de verbeelding: niet de actie, maar de gedachte aan actie. (Trotski en Shakespeare, dacht ik, wat zouden dat goede vrienden zijn geweest.)* Ik zag een glimp van de tuin waar

---

* Als ik nadacht over schrijvers, moest ik altijd aan Charlie denken. Die keer op de veerboot, toen hij met Marilyn sprak over politiek, likte ik zijn hand en nam een paar zinnen over Trotski geschreven door zijn favoriete schrijver in me op. 'Ik was opgetogen over deze beroemde figuur, zoals hij de indruk wekte te navigeren op de sterren, diep na te denken, in staat te zijn te spreken in de meest menselijke bewoordingen en universele termen.

Trotski zijn slakropjes moest hebben gekweekt. Hij liet ons zien dat alle schepselen slaven zijn en dat ieder schepsel de meester is van de slaaf in zichzelf. Ik liet een traan vallen in het stof van Coyoacán, net toen mevrouw Murray haar neus snoot en terugliep naar de auto met de woorden dat het verleden altijd het verleden is en dat niets daar verandering in kan brengen. Ik liep achter haar aan met emoties zo heet als de zon. 'Het is de mens, mevrouw Murray – hoort u me? De mensen en niet de dieren maken zich schuldig aan bestialiteit. Dat werd voordat een van ons was geboren opgemerkt door het pratende varken van Plutarchus.'

'Rustig maar, Maf', zei ze.

Op weg naar Marilyn bedacht ik hoe leuk het zou zijn jezelf te ontdekken in de vorm van een keramische hond, van het soort dat mevrouw Spratling heel erg bewonderde en heel erg uitstalde. Die keramische honden waren belangrijk in de cultuur van Colima, met hun lege ogen in het onvermijdelijke starend en hun oren gespitst op nieuws over uitstel van executie. Terwijl de hitte toenam en de auto tot stilstand kwam, was ik me aan het afvragen of een van die honden tussen de begrafenisornamenten in de befaamde studeerkamer van meneer Freud prijkte. De hitte zinderde boven de stoffige weg, maar ik kon Marilyn verderop zien. Ze zat op het stoepje van een oude *cantina* te spelen met een knap Mexicaans meisje op blote voeten, waarbij ze allebei lachten en in hun handen klapten. Het begon te regenen en die regen kwam als een enorme verlichting in al die droogte. De meisjes stonden op en dansten op de veranda, en door de regen leken ze heel jong.

14

Ik moet zeggen dat ik van alle regisseurs in Hollywood George Cukor het meest waardeerde. Ik vond het geweldig dat George niet alleen een stijlvol verhalenverteller was, maar ook een excellent interieurontwerper. Vrouwen waren voor Cukor geen onbeschilderde doeken, lieve poppetjes die wachtten tot ze in een jurkje werden gestoken en hun haar werd gekruld, klaar om hun mond te laten stiften en hun durf te testen. Hij was weliswaar harteloos en zo homoseksueel als een week in Tanger, maar George had een subtiel gevoel voor het vrouwelijke zelfbewustzijn, een feilloos inzicht, niet alleen in de manier waarop vrouwen dachten, maar ook in de manier waarop ze wilden dat er over hen gedacht werd. Hij was de beste regisseur van vrouwelijk talent die de filmindustrie ooit heeft voortgebracht, een man met een persoonlijke smaak zo goed dat die op het randje van slecht was, iemand die een kamer wist in te richten en aan te kleden, zonder te vergeten – al wilde hij dat graag – dat hij afkomstig was uit de gegoede middenklasse van Hongarije die eenvoudigweg gek was op het theater.

Cukor zag een vrouw als een project, en niet als een dier, een mandje parels die tot een snoer geregen moesten worden. Zij is een meisje uit het niets dat wacht op transformatie tot haar grotere, imaginaire zelf, dat een sieraad voor haar omgeving is en drama ademt. Hij maakte films op dezelfde manier als hij zijn huis inrichtte – het mooiste huis in Beverly Hills, dat daar stond als een naar lavendel geurende villa aan de Côte d'Azur –, en dat betekende comfort en orde en een grote mate van lichtheid. George geloofde dat het leven waardigheid ontleende aan de vereniging van tegenstellingen, en bij al zijn twijfel was hij heel goed geworden in wat hij deed, en een regelrechte autoriteit daar aan Cordell Drive. Bij mensen, zo heb ik gemerkt, hebben de grootste genoegens van het leven altijd te maken met autoriteit: ze moeten gepaard gaan met het vernietigen van iets, vooral het vernietigen van je kleinere of vroegere zelf. Ik hield van zijn stijl. Ik hield van zijn methoden, de manier waarop hij de dingen aanraakte zodat die direct iets verfijnds kregen. Zo zette hij Vivien Leigh in een Regency-fauteuil en begon haar rol in *Gejaagd door de wind* met haar te repeteren. Zo legde hij Greta Garbo op een satijnen beddensprei onder een schilderij van Vuillard, en terwijl hij haar hand vasthield alsof het een porseleinen vogel was, toonde hij haar hoe om te gaan met haar verdriet in *Camille*. En zo ook ontbood hij Marilyn naar een ovale kamer achter een geurige belvedère, naar een plek tussen twee Venetiaanse, gedeeltelijk vergulde morianen, en streelde haar gezicht met de rug van zijn vingers. Ze stonden onder een schilderij met een aantal eetrijpe peren van Georges Braque. De regisseur vertelde mijn vriendin dat ze een zeer groot artieste was die de wereld versteld zou doen staan in *Something's Got to Give*.

Ik zat alleen maar op de koude parketvloer naar een koperen openhaard te staren. Ik trippelde naar buiten, zodat Marilyn door kon gaan met het ventileren van haar problemen. Ik probeerde me voor te stellen hoe het zou zijn om in George Cukors huis te wonen en kwam tot de slotsom dat het zwaar moest zijn, even zwaar als de ontbering geleden door de wees Lazarillo de Tormes, een van de oorspronkelijke schelmen die een korte periode woonde bij een man die tamboerijnen beschilderde. Lazarillo heeft de kunst van het weglopen uitgevonden.

Het zwembad was stil. Twee tamelijk frivole katten lagen boven op een geparkeerde auto in de oprijlaan, terwijl een derde metrisch van de rand van een turquoise luifel op de flagstones sprong. Ze miauwde koket en wreef met haar schouder tegen haar wang. 'Wij staan allemaal achter je plan', zei ze.

Je houdt duidelijk van de gewone man.
Je bent beslist de beste democraat
Zeker waar het de jeugd aangaat.

De romanschrijver Henry Fielding, vriend uit mijn jeugd, vriend van mijn jeugdvrienden, begon ooit een boek met de rake opmerking dat een goede man een voorbeeld is voor al zijn bekenden. Dat wil zeggen, goedheid is de beste prikkel tot navolging, al vind ik dat meer gelden voor honden dan voor andere dieren. Fielding ontvouwt deze knappe theorie in *De geschiedenis van de avonturen van Joseph Andrews en van zijn vriend de heer Abraham Adams.* Mijn moeders baasje, mijn eigen fokker, die Schot, kwam vaak van de tractor met hele passages van Fielding in zijn hoofd. (Hij was een liefhebber van de epische komedie, de kunst van de roman, de sport van de uitweiding.) Hoe dan ook, deze kwestie van het voorbeeld – van de kracht van het voorbeeld – werkt bij honden, maar zelden bij katten. Katten hebben iets met het burleske. Ze herinneren zich niet het ding zelf, maar de stijl van het ding. In die zin zijn ze heel modern. Wanneer de katten probeerden te wedijveren met de honden in het huis van meneer Cukor, maakten ze vaak gemene opmerkingen terwijl ze langs plantenpotten streken, sprekend in klassieke formules zonder echt iets aan de conversatie van de honden toe te voegen. 'Ga naar het zwembad en kijk uit voor het afstapje, alsjeblieft', zei het kokette type in een staat van geestelijke luxe.

De jongens hebben het over een Siciliaanse kaas.
Die was gestolen door Labes uit Aexone,
Een gemene schurk in de tijd van Aristofanes.

De drie honden van meneer Cukor lagen te luieren bij het zwembad en bespraken het wezen van het drama. Honden uit de showbusiness deden dat wel vaker, al blijven hondachtigen in mijn ervaring de zaak vaak energieker najagen dan hun baasjes. Niet energieker dan Cukor echter, die dergelijke kennis nog in zijn slaap bleef najagen. Bij het zwembad stond een lage, geverfde tafel met twee glazen tequila, de randen flonkerend in de oranje zon, de stenen beelden van goden en keizers luisterend tussen de magnolia's. Een stel teckels, Amanda en Solo, had het hoogste woord. De derde was Sasha, een gewone zwarte poedel die geïrriteerd leek, alsof de andere twee samenspanden tegen haar. Sasha was afkomstig uit Parijs, een cadeau van Garson Kanin en Ruth

Gordon, mensen die net als Sasha geloofden dat een filmlegende veel belangrijker was dan het soort legenden dat door de broodschrijvers van het oude Griekenland aan de man werd gebracht. Zoals u weet, ben ik een toegewijd onderzoeker van het niet-menselijke gedrag, en ik zou zeggen dat de twee teckels, die ergens in de Valley geboren waren, zich erin verkneukelden dat ze weleens superieur konden zijn aan die verwaten Europeaan, Little Miss Boulevard Raspail. 'Luister eens, mens, je moet luisteren ...'

'Kijk eens aan. We ebben een bezoekèr.'

De honden draaiden hun koppen terwijl ik de trap af kwam, gegeneerd omdat ik iedere tree afzonderlijk moest nemen. Ik kon niet naar beneden springen als een hijgende husky om ze onderaan te begroeten. (We hebben allemaal zo onze handicaps.) De Française kwam naar voren. 'Een bezoekèr. Ben jij de ond van Marilien?'

'Aye. Dat ben ik', zei ik.

'IJ zekt "Aye". Skots, non?' Ze draaide zich om en deed twee sierlijke stapjes naar het zwembad, waar ze een pootje in het water stak en zuchtte. 'Skots.' Ze draaide zich om. 'Eb je dat aardike dier kekend – oe is ij? Kreyfriars Bobby? Is in Edinburk, non?'

'Kré Vrijt Wie?' zei Solo.

'Bobby, jij iediôte. Ik bedoel de ond die bij de oude man in de buurt bleef. De Disneyfilm.'

'Ik heb hem niet persoonlijk gekend, ben ik bang', zei ik. Maar ik vond het heel lief dat ze het vroeg en was bijkans met stomheid geslagen van bewondering.

'Een praktik veraal, èh. Daarbij verkeleken lijkt Lassie op een mens. Iek maak keen krapjes.' Ik sprong op een met zeildoek overdekte zwembadstoel om naar ze te kijken. Het leek dat Sasha wraak nam voor wat eerder was gezegd.

'Helemaal te gek, man', zei Solo. 'Ik vertelde net tegen Sasha hier dat het gaat om gerechtigheid.'

'IJ probeerde me te vertellen', zei ze. 'Misluukt.'

'Vertelde, mens. Niet probeerde.'

Sasha schudde minachtend haar kop en keek naar mij alsof ik onmiddellijk zou begrijpen hoe kinderlijk ze waren. 'Et zijn Californièrs', zei ze. 'Wat verwakt je andèrs? Ze weten un eikèn cultuur niet te waarderèn, dus doen ze ... wat? Ze citeren de ele dak Aristofanès.'

'Niet waar, man. We zijn gek op films.'

Ze rolde met haar ogen. 'IJ ies kefokt door twee meisjes die werkten bij de Boekandel City Lights. Je weet wel, èh? In San Francisco? De meisjes kwamen te wonen in Sherman Oaks en bekonnen teckels te fokken. Moet je ze oren pratèn.'

'Ik hou van accenten', zei ik. 'Ik heb een poosje in Sherman Oaks gewoond, bij mevrouw Gurdin. Ze handelt in Engelse honden. Kennen jullie haar?'

'Ach, wie kent haar niet?' zei Amanda. 'Rijdt rond in die bestelwagen met die grote kont, met honden die uit de ramen hangen? Het is een klein opgefokt mens. Ze is Russisch, ja? En ze heeft zo'n paranoïde man die altijd met zijn auto van de weg af raakt. Jezus, ik bedoel, jézus. Ben je begonnen in dat huis en zit je nu bij Marilyn in Brentwood?'

'Er zat heel wat New York tussen.'

'Ach, New York', zei Solo. 'Ik wou dat we eens naar New York konden gaan. Dat zou te gek zijn. Meneer Cukor is daar opgegroeid.'

'Ze hebben een leuk accent in New York', zei ik. 'Jullie hebben een leuk accent, jongens.'

'Dat is keen accènt', zei Sasha. 'Het is een ècho van stupidité.'

'Zeg, zing es een toontje lager, zus', zei Amanda. Ze keek me aan met een zekere mate van voorgewend gemak. 'Ze voelt zich alleen op haar teentjes getrapt omdat meneer Cukor een hond – niet haar – een rol heeft gegeven in de nieuwe film. Ze is furieus.'

'Dat ben iek niet', zei Sasha. 'De rol die ies niet koed voor mij. Ik doe keen sprongen. Ik doe keen kunstjes. Nooit kedaan.'

'We hadden het over *Wespen*', vervolgde Amanda. 'Ken je die gave komedie? Was hij ook bij jullie?'

'Ja', zei ik. 'Een kerel in Engeland die altijd op bezoek kwam, was criticus. Cyril Connolly?' De jongens schudden hun kop. 'Hij kwam altijd lunchen. Hij heeft me een hoop van die Griekse dingen geleerd.'

'Ja, man', zei Amanda. 'Het stuk geeft ons iets om onze tanden in te zetten. Labes pleegt een misdaad. Wie weet was hij wel een schurk. Maar de ijdelheid van de mens is de grootste vernietiger van naties. Dat is wat het stuk aantoont.'

'Nee, mevrouw ond', zei Sasha. 'Bommen vernietiken naties. 'Ebt u dat niet ke-oord?'

'Nee, dat is niet zo', zei ik. 'Ik bedoel, het zou wel kunnen. Maar de gedachte aan bommen behoedt naties. De gedachte aan bommen weerhoudt naties ervan te veel ijdelheid tentoon te spreiden.'

'Dat moeten we nok zien', zei Sasha.

Door de bomen hoorden we gelach. Het was afkomstig van het huis en kwam naderbij. Het waren de mensen. Ze zouden er al snel zijn om hun drankjes te pakken. Sasha maakte een Frans geluidje in haar keel, iets tussen gegrom en gejank, vol verachting. 'De film is waar drama koed komt, èh.'

'Hoe bedoel je, mens? Goed komt?'

'Waar et morele leven wordt opke-eldèrd. Volkens mij komt et door de film dat mensen de betekenis van vriendskap zien, de waareid van de liefde, de prijs van de ambition. Films, ja. We zitten in de koede wereld, broeders en zusters.'

Ik overwoog om een pleidooi te houden voor de roman, maar ik was toen nog jong. Ik lachte alleen vol vreugde bij de aanblik van haar enthousiasme.

'Et is de film, ondje. Of de television? Ik noem Rin Tin Tin. En wat vind jij van Lassie of de Kreyfriars Bobby? Mijn favoriet is Toto, die met zijn filosofische zwijken in *De Tovenaar van Oz* de menselijke wensen kewoonwek absuurd maakte? In die film? Ik zweer et bij Kod. Toto stal de show alleen al met aar kedakten.'

'Je maakt me aan het lachen, Sasha', zei Solo. 'Ze vergelijkt zichzelf met de groten van de film. Je weet waarom: omdat ze er zelf een wil zijn.' Er viel even een stilte en ik hoorde voetstappen.

'Weet jij dat Toto in een van de films van meneer Cukor zat?' fluisterde Sasha. 'Ze speelde in *The Women*.'

'Dat begreep ik al', zei ik. 'Daar in het huis terwijl ze aan het praten waren. Ik zag een foto.'

'Ze speelde de sterren van de emel', zei Sasha.

Enkele weken later zag ik Marilyn op een middag de auto nemen op Fifth Helena Drive. Ze had dingen te doen in Palm Springs. Die dag was er iets waardoor ik me verbeeldde dat ze veranderde in een versie van het meisje dat ze ooit was. Haar haar was zachtwit en haar huid prachtig fris. Het was alsof de wereld haar had gebleekt met aandacht. We reden Highway 10 op, en misschien leek het wel dat ze niemand was. We voelden ons niet als twee wezens op weg naar de woestijn, maar meer als een stel dolfijnen op weg naar een blauwe en verre oceaan, om daar te zwemmen en te rollen en te drijven op de grote golven. Marilyn was altijd al politiek ingesteld, maar na Mexico zag ze alles in politieke termen, alles, van haar gezicht tot haar toekomst. Ze was, zoals ik al zei, in zichzelf gekeerd, maar dat leek haar eenvoudiger te maken, een opbloeiend meisje.

Tijdens die ongeveer honderdvijftig kilometer praatte ze met me als iemand die haar bewustzijn uitstuurt over het land, over de woonwagenkampen en de hamburgertenten, om uit te komen bij de motelletjes met de dichte gordijnen. 'Er is niets mis met seks', zei ze. Het zou fijn zijn, dacht ze, om gewoon een vrouw te zijn, een vrouw als iedere andere, met talenten om te gebruiken en te delen. Marilyn wist zeker dat ze normaal kon worden. In New York zei ze op een keer dat de beste manier om zichzelf te vinden was te bewijzen dat ze een actrice was, maar toen ze die avond de gouden schemering in reed, veranderde ze van mening. 'Ik probeer mezelf te bewijzen dat ik iemand ben', zei ze. 'Dan kan ik mezelf misschien ervan overtuigen dat ik een actrice ben.'

Ze gaf me de helft van een broodje kalkoen. Het rook naar verwachting, en dat is de allerlekkerste geur. We stopten bij een bowlingcentrum. Marilyn dacht aan dokter Greenson, die haar herinnerde aan een aardige man van wie ze les had gehad op de middelbare school in Van Huys. Hij was hetzelfde type: het soort persoon aan wie je je onzekerheden kon toevertrouwen. De leraar vertelde haar ooit dat ze alles aankon in de wereld als ze er maar haar ziel in stak. Ze gaf me een tikje op mijn snuit en ik blafte van liefde. 'Maar in plaats daarvan stak ik mijn ziel in strakke truitjes', zei ze. De auto had geen dak, en we konden achteroverleunen in de koelte. De ingang van de Coachella Bowl had de vorm van een piramide. De jongens in hun leren jasjes deelden sigaretten rond bij de deur. Ik wilde zeggen dat ik die knullen kende, ik kende hun type en zag dat ze pas zouden weten hoe vrij ze waren als hun jeugd voorbij was. Ik wilde haar vertellen over de jongelui in Dallas, die me hadden meegenomen naar de heuvel toen zij weg moest met het vliegtuig om van Arthur te scheiden. Ze zou ze wel gemogen hebben, die jongelui die de strijd aanbonden met de toekomst. Ik ging op haar schoot liggen. Ik vroeg me af of Raymond deze zomer weer kruideniersbediende was of dat hij bij de marine was gegaan. Marilyn leunde achterover met haar hoofd, en de hemel was geheimzinnig, net als de hemel in Texas toen we wachtten op tekenen. Ze viel in slaap, en ik dacht dat het misschien de pillen waren. Ik vond de hemel toch al mooi, de gedachte aan die chimps, die honden, die op zoek gingen naar kennis en van de wereld een veiliger plek om te leven maakten. In een van zijn brieven schreef Freud dat hij met zijn hond in de buurt vaak de aria van Ottavio uit *Don Giovanni* bleek te neuriën, die over de vriendschapsbanden. 'De eenvoud van het leven zonder de ondraaglijke conflicten van de beschaving', schrijft hij. 'Er is een gevoel van onmiskenbaar bij elkaar horen.'

Het ziekenhuis was een wit gebouw aan de rand van de woestijn in Palm Springs. We waren er niet lang: het was een van de korte onderbrekingen op weg naar Frank, maar uitkijkend over de leegte naar de San Jacinto Mountains moest

Marilyn denken aan de woestijnlocaties in *The Misfits*. Het was een gedachte die haar aan het huilen maakte, en dat deed ze heel stil, als een kind dat weende om iets in het besef het nooit meer te kunnen veranderen. Maar ik ben ervan overtuigd dat de gedachte aan meneer Gable haar ook de kracht gaf om te doen wat ze ging doen. Ze duwde de achteruitkijkspiegel omlaag en verwijderde met een papieren zakdoekje haar lippenstift. Ze wilde er onberispelijk uitzien. Ze pakte een envelop van het dashboard en stapte uit de auto, maakte haar vinger nat en hield die in de afwezige wind. 'We zijn in de *agua caliente*', zei ze opgewekt. Ik stond recht overeind met mijn poten op het stuur. Ik keek toe hoe ze over die stoffige parkeerplaats naar het witte gebouw liep, iedere stap een inspanning die je hart kon breken als je zag hoe mooi ze was en hoe onmetelijk het land om haar heen. Ik geloof dat ze de brief eenvoudigweg aan de receptionist gaf. Op haar weg terug naar de auto bleef ze staan en keek in de verte, deed een stap en bleef weer staan.

Beste dokters,
Een man die bij u in behandeling is, de heer Gifford geheten, heeft me thuis in Los Angeles gebeld met de bewering dat hij mijn vader is. Vraag die heer alstublieft me niet meer te bellen en zich, als hij bepaalde wensen heeft, te richten tot mijn advocaat, de heer Milton Rudin.

Hoogachtend,
Marilyn Monroe

Een uur later arriveerden we bij Frank. 'Weet je wat, schatje. De pot op met de Actors Studio. De pot op met Marlon

Brando. En de pot op met Peter Lawford. Peter Zwagerford, me reet. Het is een waardeloze ordinaire oplichter en een valse Engelse nicht.'

Omdat de Kennedy's hem slecht hadden behandeld, was meneer Sinatra zo kwaad dat hij een drankwagentje vol kristallen glazen een zet gaf door een openstaande patiodeur. De glazen sloegen te pletter tegen een dikke woestijnrots, het soort rots dat overal in de Rancho Mirage te vinden was, verspreid tussen honderd cactussen. (Dat was een van de weinige dingen die Frank gemeen had met Trotski: ze hielden allebei van cactussen.) Het complex bevond zich op de zeventiende fairway van de plaatselijke golfclub, waardoor er in de droge lucht een extra laag verveling hing. Als Sinatra kwaad was op iemand, brandde hij hem volledig af. 'Lawford is een mietje', herhaalde hij. 'Wist je dat zijn moeder hem in meisjeskleren stak? En nu is hij Jacks man met de buidel aan de Westkust. Mooie boel! Mooie boel! Ik zeg je, schat, die jongen kan het schudden.'

Hij liep de kamer op en neer, stoelen wegtrappend. Hij keek naar haar. Hij liet zijn vuist neerkomen op de glanzende klep van een vleugel. 'Stuk koleretuig dat-ie is. De lamstraal!'

'Frank.'

'Kom me niet met Frank! Kom me goddomme niet met Frank!'

'Peter zou nooit ...'

'Dat zou-ie wel. De zak. Dat zou-ie wel. Hij heeft het gedaan. De verdomde gluiperd. Hij heeft het gedaan.'

'Ik weet zeker dat Jack wilde ...'

'Hij heeft het gedaan. Kom me niet met Jack. Kom me goddomme niet met Jack. Godallemachtig. Ik vermoord nog es iemand.'

'Frank.'

'De pot op met jou! De pot op met jullie allemaal. De pot op met Lawford. De pot op met Pat. De pot op met de president. De pot op met zijn waardeloze broer, die achterbakse nietsnut van een broer. De pot op met ze. En de pot op met jou. En de pot op met Bing Crosby! De president wil godverklote naar Palm Springs komen. Wil-ie dáár zijn? Hij was mijn vriend! Wil hij echt naar Crosby? Zakkenwassers. Weet je, ik heb meelij met ze. Ik heb meelij met jullie allemaal. Miezerige laaienlichters en koleregluiperds. Ik zeg het je. Hoor je me? Peter Lawford kan het schudden. Ik heb daar sodeju een heliplat laten aanleggen. Zie je het? Je kunt erheen lopen. Wil je het zien? Een heliplat. Een heliplat voor Jack Kennedy, sodeju.'

'Hij weet het wel ...'

'Hij weet het wel? Hij weet wat, sodeju? Kom mij niet met wat hij weet. Doe dat niet. Doe dat goddomme niet. De president. Godallemachtig, ik ga nog es iemand vermoorden. De slijmbal. Weet je wat? Ik heb meelij met jullie allemaal. Ik heb sodeju een HELIPLAT laten aanleggen!'

Marilyn stond op haar duimnagel te bijten. George de bediende bleef uit de buurt: hij was in zijn witte jasje in de keuken aan het werk met een bezem. Hij had het al zo vaak gezien, hoe de Kennedy's Frank zijn zelfvertrouwen konden ontnemen. Ik wilde naar George toe lopen en hem vertellen waar ik allemaal was geweest sinds ik hem de laatste keer had gezien aan Nimes Road, vertellen over New York, de feesten, de mensen en de reis naar Mexico. Alle avonturen. Ik wilde citeren uit *De gebroeders Karamazov*. 'Het kan nu eenmaal niet anders of er moeten heren en dienaren zijn, George,' wilde ik zeggen, 'maar laat ik ook eens de dienaar van mijn dienaren zijn en voor hen doen wat zij voor mij doen.* Ik wilde dat tegen George zeggen, maar die had zijn oren dichtgestopt. Dat kon je hem niet kwalijk nemen, want Frank stond op ontploffen. Ik likte zijn hand, en George vertrok afkeurend zijn mond.

'Weet je wat? Jullie zijn allemaal zieke mensen. Gewoon zieke mensen zonder klasse. Ik heb hun campagnelied gedaan. Ik heb fondsen geworven. Fondsen! Ik heb hun conventie georganiseerd. Georganiséérd. Iedereen ingehuurd. Gezongen! Ik heb goddomme iedere ster in Hollywood opgetrommeld voor die avond. Ik heb hem goddomme *Chicago* gegeven. Jezus. Bing Crosby is een rotte republikein!'

Frank smeet een bourbonglas op de grond en legde zijn hand op zijn hart. 'Ik krijg sodeju nog een beroerte', zei hij. 'Dat komt door jullie. Ik ga dood, hier ter plekke op dit vloerkleed, goddomme. Wat – willen ze me niet meer zien? Ben ik plotseling een soort gangster?'

Marilyn tilde me op als om me te beschermen. Er stond een fles op de ontbijtbar en daaruit schonk ze in een schoon glas. 'Hier, Frank', zei ze. 'Waarom neem je dit niet?' Hij stak zonder te kijken zijn hand uit en nam het aan als in een trance.

'Wat ben ik?' vroeg hij. 'Een charlatan? Een lulhannes in de filmbusiness, wat? Een zakkenwasser uit een nachtclub? Ze denken dat ik een verkiezing voor ze kan winnen en dan … wat? Ze zetten me te kakken? Ze lozen me? Ze laten me afgaan, wat? Ben ik een klootzak voor ze? Ben ik een spaghettivreter voor ze? Ouwe rukker Frankie, wat. Ben ik soms een stumper?'

* Dat zegt de starets Zosima. Hij denkt dat God altijd thuis is.

'Je bent helemaal geen stumper, schat', zei Marilyn. 'Frank. Het zijn maar politici.'

'DE POT KUNNEN ZE OP!' schreeuwde hij. Hij nam een teug uit het glas en bracht zijn gezicht dicht bij onze gezichten. 'Ik heb je dat hondje gegeven. Ik heb iedereen alles gegeven. Dat is mijn probleem. Ik heb iedereen te veel gegeven.' Ik voelde haar handen trillen rond mijn ribben.

'Het was allemaal een geschenk aan jezelf', zei ik. 'Zo'n schenker ben jij. Laat haar met rust.'

Frank bleef maar tieren en zijn gal spuwen, echt een man, echt een verwende man. Klagen is een kunst die sommige mannen met een zelfvernietigend vuur beoefenen. Met ieder woord lijken ze kleiner, grijzer, treuriger te worden, terwijl stilte een medicijn voor hen had kunnen zijn. Frank sloot zich af voor iedereen van wie hij hield om de volle omvang en grofheid van zijn woede te kunnen uiten.

Grrrrrrrr.

'Die hond heeft iets aan zijn strot. Breng hem goddomme naar de dierenarts.'

Ik keek naar hem omhoog. 'Je bent een idioot, Frank.'

'Zeg hem dat hij niet meer naar me moet kijken. Ik sla je de kop in, jij kleine klootzak.'

Ik sprong uit de armen van mijn baasje en had even spijt dat ik ooit uit Schotland was weggegaan. Wie was ik, om een ongelukkige actrice te bewaken? Wie waren die lui helemaal, die op het doek levens konden bedenken, maar niet eens wisten te beginnen met hun eigen leven? Ik rende naar de andere kant van de woonkamer en deponeerde een plasje op een oranje juten kleed. Ik heb vergeten te zeggen dat het complex van Sinatra onvergeeflijk oranje was. Honden kunnen die kleur niet goed zien, maar Franks hoofd zat vol oranje en oranjemanie en dat pikte ik op. Alle genoegens van de woninginrichting gaan in hun tegendeel verkeren wanneer je je, al was het maar in je fantasie, in een knaloranje oord bevindt: de wanden waren oranje-perzikachtig en de bank was oranje-bruinachtig, terwijl de schilderijen oranje waren als een zwoele avond in Madras en het kleed angstwekkend oranje was als de eruptie van de vulkaan Etna. Ik kon iedere afzonderlijke tint voelen. Ik ben een hond van indigo stemmingen, van korenbloemblauwe nuances, dus de grote kamers van Rancho Mirage waren een verschrikking van het allerergste soort. Sinatra zei ooit dat oranje de gelukkigste kleur is, maar bij zo'n hysterische toepassing besefte je dat hij voortdurend op de rand van een zenuwinzinking verkeerde. Hij hield van oranje en hij hield van rood, de alarmkleuren.

Marilyn had altijd een boek in haar handtas. Ze was altijd op weg naar een ontdekking, naar een groot inzicht dat alles zou veranderen. En dat soort hoop, denk ik, was de kern van onze reis. Goede menselijke verhoudingen zijn gebaseerd op het instinct andermans illusies te dulden en zelfs te beschermen: als je ze eenmaal gaat uitpluizen, als je hun verdediging gaat slopen, hun overlevingsplan aantasten, hen in hun eigen ogen kleineren, dan is de verhouding dood als een dodo.* Marilyn had haar hele leven kunnen zoeken naar iemand met de fantasie om van haar te houden, en nu moest ze mee-

* Ik ben geen wetenschapper, maar ik ben van mening dat de grote universiteiten een lacune vertonen. Waarom is er geen faculteit van het Uitsterven? De kwestie is zowel voor de mens als voor het dier van belang, of misschien verraad ik alleen maar, als de meeste wezens, dat ik een product van mijn eigen tijd ben.

maken hoe al die hoop de bodem in werd geslagen, terwijl Sinatra vol haat naar haar keek en zei: 'Je bent zo verdomde stom, Norma Jeane. Weet je dat? Jij en Lawford en de president – jullie stellen allemaal niets voor. Hoor je me? Níéts.'

Ik ging naar Marilyn bij de patiodeuren. Ze stond te huilen met een glas tegen haar borst gedrukt en ik wreef langs haar benen. Ik voelde haar knieën trillen, terwijl ze toekeek hoe Frank kleren uit een van de gastenkamers naar de rand van het zwembad sleurde, golfkleren en badkleding die van de Lawfords waren. Hij riep van alles over telefoontjes naar Atlanta tijdens de verkiezingen en diensten bewezen aan Joseph Kennedy. 'Zie je dit, Norma Jeane? Zie je dit, jij waardeloze hoer?' riep hij naar de patiodeuren, wijzend naar de hoop kleren. Hij haalde een Zippo tevoorschijn en binnen twee seconden schoten er vlammen omhoog naast het zwembad. Marilyn keek ernaar alsof het vuur iets doodnormaals was. Ik begon te blaffen en in kringetjes te rennen, terwijl Frank, nog steeds schreeuwend over loyaliteit en Washington, uit andere gastenkamers kwam met kinderhoedjes, handdoeken en gympies. Uiteindelijk laaide het vuur op en dreigde over te slaan naar een van de ligstoelen, waarop Frank, die nu buiten zichzelf van razernij was, alle brandende spullen van de Lawfords in het zwembad trapte. De vlammen dreven een tijdje, en Frank liep door de kamer te stampen en met deuren te slaan, de dag vervloekend dat hij naar Palm Springs was gekomen. Marilyn en ik stonden maar te staan bij de patiodeuren, terwijl de rook als schimmen opsteeg. We liepen naar het zwembad, en mijn baasje dompelde haar voeten in het water en dronk haar champagne, terwijl de verbrande kleren op het blauwe water dreven, als landmassa's op een verschroeide kaart. We staarden ernaar. Het was alsof in Frank Sinatra's zwembad een miljard jaar in één klap voorbij was gegaan, waarbij de donkere continenten naar het midden dreven en Amerika, een bikinibroekje met slierten verbrande veters, naar zijn plaats gleed, toen plotseling de lichten op het terrein uitgingen en het donker was.

15

We gaan niet waardeloos naar bed om wijs te ontwaken, maar we hopen dat de nacht wat kleur brengt in onze morele reizen. Als ik met Marilyn in haar slaapkamer aan Fifth Helena Drive lag, leek de bougainville vaak te trillen in de duisternis bij het raam en de maan ons bloed aan te trekken in onze dromen. Maar meestal sliep ze alleen. Tot diep in de nacht keek ze naar platenhoezen en sprak ze teksten tegen zichzelf, haar ogen slechts dotten wit in de donkere en klamme kamer. Ik hoefde maar één keer te blaffen of ze gooide me de slaapkamer uit en sloot de deur. Daar stond ik dan Euripides te citeren en tegen het hout te krassen, jankend als een kat. 'Eén trouwe vriend is beter dan tienduizend verwanten.'

De spullen uit Mexico slingerden nog door het huis in kartonnen dozen. Eén nacht was het abnormaal koud toen Marilyn eindelijk in slaap viel, met de gordijnen bollend bij het raam en het geluid van een blaffende hond op San Vicente Boulevard. 'Sst', zei ik. 'Ze zet me nog eruit.' Ze had slaappillen genomen en droomde van Pierre Salinger. Het was een persconferentie die ze op televisie had gezien, toen

Salinger het Witte Huiskonijn Zsa Zsa bij de oren hield en de verslaggevers lachend vertelde dat het konijn door een goochelaar uit Pittsburgh naar de jonge Caroline Kennedy was gestuurd. Zsa Zsa ging vergezeld van een toeter en een flesopener. 'Meneer de perschef', werd er gevraagd. 'Wist u dat dit konijn een dronkelap is?'

'Het enige wat ik van Zsa Zsa weet,' zei Salinger, 'is dat ze in staat zou zijn de eerste vijf maten van het Amerikaanse volkslied op een speelgoedtrompet te spelen.'

'Kan het konijn hier niet een paar nummers voor ons spelen?'

'Dat kan ik haar vragen', zei Salinger.

Toen was het Chroesjtsjov. In haar droom zag hij eruit als de producent Joe Schenck. De Sovjetleider wilde graag naar Disneyland. Hij zei dat hij de atoomraketten zou lanceren als hij de muis Mickey en de hond Pluto niet mocht zien. Marilyn wilde praten over Sjostakovitsj en hij wilde praten over de ruimtedieren. Hij schepte op over Laika en toen over Belka en Strelka en zei dat de pupniks de Sovjet-Unie duizend jaar lang tot eer zouden strekken. Marilyn droomde vervolgens het gezicht van mevrouw Kennedy die Poesjinka wiegde, een pup van Strelka, een cadeautje van de Russische leider voor haar dochter. Ze hield de pup in haar armen en die keek naar haar omhoog. Marilyn stond alleen in een soort woestijn, bij een ziekenhuis, of was het een versterkt huis in Coyoacán? In een tuin zag ze een man zijn konijnen verzorgen en knuffelen. De man keerde zich om en glimlachte voor de camera, net toen het konijn zijn bek opende. 'Het is maar goed', zei het konijn, 'dat de mogelijkheden van de kunst even onuitputtelijk zijn als het leven zelf, want degenen onder ons die niet eenvoudigweg de valse schoonheden en ijdele kunsten van de heersende klasse onderschrijven, gaan dan misschien wel geloven dat de kunst veel rijker is dan het leven en een gevarieerd licht werpt op wat het heeft betekend om samen te zijn in de wereld.'

Voor *Something's Got to Give* had meneer Cukor de decorbouwers van Fox een replica van zijn huis aan Cordell Drive laten maken. Het was exact hetzelfde, tot en met de Romeinse beelden en de vensters met luiken, de tafels bij het zwembad en de jacaranda. Zoals ik enige tijd geleden al vertelde, missen honden van nature het vermogen feit van fictie te onderscheiden – dat leren we alleen door te letten op de neurosen van de mensen –, maar de nieuwe versie van Cukors huis stelde mijn geloof in de kracht van de realiteit sterk op de proef. Uiteindelijk vonden zelfs de honden het huis op Toneel 14 echter dan Cukors huis zelf. Het had meer weg van een woonhuis dan van een filmdecor, behalve dat het dak van het namaakhuis boven de namaakbomen en namaakbeelden niet eindigde in de sterrenhemel van Californië, maar in een propvol raster van hete lampen en kabels. Dat probeerden we te negeren.

'Ach, kijk eens. Het is Mankepoot Oedipus.'

'Leuk, Dino. Heel leuk.'

Wally Cox had zijn been geblesseerd, waardoor zijn stem nog miezeriger klonk dan normaal. Dean Martin mocht hem graag pesten met zijn knappe, intellectuele vrienden. 'Hé, Wally', zei hij. 'Nog steeds bevriend met al die zieleknijpers? Denk je dat ik korting kan krijgen bij ze? Ik heb een hele wagonlading vol van ze nodig hier. Zouden ze me korting geven, Charlie?'

'Dat is leuk, Dino.'

'Zeg ze dat ik een golffanaat uit Steubenville, Ohio, ben. Hebben ze daar eigenlijk goedkope tarieven voor?'

'Waarschijnlijk zouden ze jou meer rekenen, Dino', zei meneer Cukor, die van het zwembad kwam aanlopen en zijn mannelijke hoofdrolspeler op de schouder klopte.

'Dat is walgelijk, George. Het lijkt hier wel een gekkenhuis.'

'En dit vind jij een gekkenhuis? Dan moet je eens zien hoe ze zich doodlachen in het oude land.'

'In Italië?'

'Inderdaad, Dino. Op de set van *Cleopatra*. Ze hebben het budget met dertig miljoen overschreden.' Ik vroeg me af of die aardige Roddy McDowall zich daar wel amuseerde. Ik weet zeker dat hij een beetje chaos wel leuk vindt. Meneer Martin grinnikte en wendde zich tot meneer Cox.

'Hé, Wally. Is dat wat alle zieleknijpers willen? De dure New Yorkse jongens? Die zitten allemaal in Cinecittà om Liz te helpen met haar make-up.'

'Leuk.'*

Meneer Martin kon meepraten over make-up. Zijn gezicht was een bruine olijf die te rijpen hing aan de antieke kust van Ligurië. 'Praat me niet over budgetten, schoonheid', zei hij in de richting van meneer Cukor. 'Ik heb zeven kinderen. Vraag maar aan Wally. Zeven kinderen. Ik geef meer uit aan melk dan aan bourbon, kloris. Dat is geen grap. En Mankepoot hier, die wil me niet een van zijn chique zieleknijpers

---

* Meneer Cox was een toonbeeld van menselijke vrijheid, althans menselijke vrijheid volgens de definitie van Jean-Paul Sartre. Hij was vrij om te zijn of niet te zijn, en ten slotte bewees hij, net als meneer Hemingway en anderen, zijn existentie door er een einde aan te maken.

afstaan. Heb je ooit zoiets gierigs meegemaakt?'

Marilyn had mevrouw Strasberg over laten vliegen van de Oostkust om haar te helpen met haar tekst. Maar mijn baasje kwam de meeste dagen niet naar de opnamestudio, omdat ze zich ziek voelde, omdat ze zich depressief voelde, en als ze wel kwam, was ze high, zou ik zeggen, voelde zich het ene moment angstig en het andere opstandig. Sinds haar terugkomst in L.A. was Marilyns paniek over wie ze was, overgegaan in wie ze was. Waarschijnlijk weet ik te weinig van het normale om te merken wanneer de dingen onherstelbaar worden. Maar Marilyn had zichzelf niet in de hand tijdens die laatste film, dat is buiten kijf. Meneer Levathes, het studioreptiel, stak altijd met uitgestoken tong zijn kop om de deur van haar bungalow. 'Kun je werken vandaag, Marilyn schat?' Ik wilde hem bijten en in zijn golfkar piesen. Op een dag hoorde ik hem achter de set praten met een co-producer. Hij zei: 'Ze is zichzelf niet, maar ze is nog steeds een publiekstrekker. Greenson zegt dat hij haar er vermoedelijk wel doorheen kan slepen.' Soms scharrelde ik gewoon maar wat rond op de set op zoek naar avontuur en bedelde bij de elektriciens om stukjes van hun broodjes. Dean Martin was vaak te vinden op het weggetje bij de opnamestudio, waar hij stond te roken, zwaaiend met zijn golfclub. Meneer Cukor had wekenlang scènes zonder Marilyn gedraaid en nu viel er niets anders meer te doen dan op haar wachten. Hij bracht zijn hond Sasha mee naar de set, in de hoop dat het zijn zenuwen zou kalmeren. Hij verloor de hond uit het oog bij alle ergernissen, maar Sasha en ik waren al snel de opnamestudio uit en renden over de weg om de hapjessituatie te onderzoeken. We holden langs een nepcowboysaloon en hielden toen stil bij het kantoor, waar

Sasha omhoogknikte naar de vensters. 'Ze kaan aar ontslaan, kleine ondje. Keloof me, de studió kaat aar binnenkort ontslaan.'

'Nee toch', zei ik. Ik was geschokt. Ik zag de dingen niet meer helder.

'Binnenkort kaat et kebeurèn.'*

Het was een heel hete dag en het was stil op het studiocomplex. 'Mensen hebben rechten', zei ik. 'De arbeiders hebben rechten.'

'Zij ebben ook pliktèn', zei Sasha, terwijl ze een van haar poten likte en op de grond tikte. 'Zij ebben de plikt te komen opdakèn en te skitterèn.'

'Dus je denkt dat ze haar gaan ontslaan?'

'Iek eb ze ke-oord. Ze kaan et doen. Ze dreikt naar ... naar New York te kaan, volkende week, om te zingèn op de verjaarspartij van Kennedy.'

'Ja. Dat klopt. Ik hoorde mevrouw Murray erover praten aan de telefoon.'

'In Madison Square Garden, oui?'

'Inderdaad.'

'Als zij dat doet, kaan ze aar ontslaan.'

'Gaan ze haar ontslaan? Gaan ze haar spullen in beslag nemen?'

'Dat ies een rare manier om et uit te drukken, non?'

'Robert Burns', zei ik. 'Ken je zijn gedicht "The Twa Dogs"?'

'Nooit ke-oord.'

'Caesar en Luath. De twee honden. De dichter noteert

---

* Ineens begreep ik waarom Jean Renoir dit bedrijf 16th Century Fox had genoemd.

hun gesprek over het gedrag van slechte huisbazen.'*

We sloegen een hoek om aan het einde van de straat en zagen de openstaande deuren van de eetzaal. We hielden stil, en Sasha draaide zich naar mij met een droeve Franse blik. Ze likte mijn oor. 'Ze ies verlorèn', zei Sasha.

'Nee', zei ik. 'Ze is nog maar net begonnen. Ze wordt binnenkort zesendertig. We zijn naar Mexico geweest en hebben dingen voor haar nieuwe huis gevonden: ze is slim en politiek betrokken. In Mexico was ze als herboren.'

'Ze zijn altijd erborèn', zei Sasha. 'En tok zijn ze altijd etzelfde.'

Er kwam een kater uit de eetzaal, zijn snorharen vochtig van de melk. Tussen hem en ons liepen twee timmerlieden met een stuk gekleurd glas, en een verbluffend moment lang leken we allemaal figuren in een glas-in-loodraam. Ik moest denken aan het favoriete raam van Duncan Grant, *Isolde de hond van de Schone herkent Sir Tristan*, van William Morris. Het was precies twee jaar na die aangename dagen in de tuin van Charleston, en het was een andere zon die scheen op de gebleekte stoepen van 20th Century Fox.

De kat met het melkgezicht was geen Tristan, maar zijn roem maakte alles goed voor mij. Voor Sasha niet. 'Ken jij die Oranjèrd daar?' fluisterde ze. 'IJ won een Patsy Dierenrol Award voor *Breakfast at Tiffany's*.'

'Heeft-ie een beeldje?'

'Oui', zei Sasha. 'Zijn tweede.'

---

* Het was het favoriete gedicht van mijn fokster, mevrouw Duff. In haar politieke hoogtijdagen kopieerde ze de regels vaak om ze aan regeringsfunctionarissen te sturen. Ze verbeeldde zich dat de onschuld van honden hen misschien op het rechte pad kon brengen.

‘Enig’, zei ik. ‘Hij zal wel heel getalenteerd zijn.’

‘Iek vind dat ij overacteert’, zei Sasha. ‘IJ kan maar één rol spelen – zikzelf.’

‘Ach.’

‘Jij probeert aardik te zijn, Maf. Mon Dieu. Als jij in katten bekint te kelovèn, is et tijd op te kevèn!’

‘Nee, Sasha’, zei ik. ‘Wij geven nooit op.’ Ik stampte met mijn poot. ‘Wij gaan door. Nieuwe avonturen. Nieuwe mensen. Meer hapjes.’

‘Apjes, ja!’ zei Sasha. Ze keek op en grijnsde naar de Oranjerd. ‘Monsieur’, zei ze. ‘Iek zie dat u er niet mee zit een bourgeoisvarken te zijn. Moet u die melk zien. U krijkt extra in de kantine, *non*?’

Oranjerd glimlachte slechts. Ik vroeg me af of katten eigenlijk niet de intelligentste wezens ter wereld zijn. Zichzelf genoeg maakten ze van de eenzaamheid iets groots en vertroostends, terwijl honden en mensen elkaar nodig hadden om gelukkig te zijn. De beroemde kat leek een toonbeeld van evenwichtigheid en zelfbewustzijn, zoals hij daar zijn rossige snor likte, voorzichtig een aantal passen over de weg deed en onderwijl William Butler Yeats citeerde. ‘Minnaloushe sluipt door het gras’, zei hij,

alleen, wijs en begaan,
en slaat zijn veranderende ogen op
naar de veranderende maan.

Een poosje later werden we weggehaald bij de keuken door een vloekende tweede regieassistent. Hij was van plan om ooit een groot schrijver te worden en had er geen zin in om een uur lang op het studioterrein achter een stel mormels aan te rennen. Terug op de set bleek Marilyn in staat te werken. Het grote nieuws nu was niet het feit dat Marilyn te laat of afwezig was, maar het vreselijke gebrek aan professionaliteit van de kant van de hond Tippy, die Marilyns personage moest herkennen als ze terugkeert van een onbewoond eiland. Misschien ben ik de enige die denkt dat *Something's Got to Give* best een leuk script was. Toegegeven, het was niet *De gebroeders Karamazov*, maar het was geweldig sexy en grappig en niet zonder stijl. Maar Marilyn verafschuwde het, en ik denk dat ze weer een mislukking voelde aankomen na *Anna Christie* en de Trillings en haar jonge uitgeversvriend Charlie, de intelligente wezens van New York.

Maar als het u gaat om een prima donna, zie onder: Tippy. De bereidwillige Marilyn stond, ondanks een temperatuur van bijna veertig graden, platinablond en glimlachend bij het zwembad, in de ene opname na de andere, maar de afschuwelijke Tippy wilde gewoonweg niet meewerken. 'Eb iek et niet kezèkd', zei Sasha. 'Zij ies niet keskikt voor de rol. Die ond heeft keen kevoel voor et personage. Poeh. Meneer Cukor was smoorverliefd op aar klanzende vakt – altijd et *décor*. IJ denkt eerst aan et décor en dan pas aan aar talent.'

'Ze is heel erg slecht. Ze zijn toe aan de drieëntwintigste opname.'

'Eko', zei Sasha. 'Iek ben bang dat et alleen maar eko ies. Toto zou ziek nooit zo ebben kedrakèn.'

'Sasha, Toto was het personage in *De Tovenaar van Oz*. De echte naam van de hond was Terry.'

'Et doet er niet toe.'

Ik stamppootte. 'Het doet er wel toe', zei ik.

Sasha luisterde niet naar me. 'Moet je deez eens zien', zei

ze. 'Deez Tippy, oe ze bijt naar de trainèr. Kst. Kst. Wat een vaktverspilling.'

Mijn baasje legde in haar rol van Ellen net haar kleine United Airlinestas neer en knielde voor de hond. De motivatie was heel simpel: de hond had Ellen in geen vijf jaar gezien en herkende haar, hoewel ze niet werd herkend door haar kinderen in het zwembad. Maar Tippy bleef haar claus maar missen en weigerde mee te werken aan de scène. 'Ik vraag me af wat Lee Strasberg over haar zou zeggen', zei ik tegen een onmiskenbaar stralende en in het gelijk gestelde Sasha.

'Kom op nou. Kom op nou. Spreek, jongen! Spreek!' zei de trainer, terwijl Cukor zijn hoofd schudde.

Marilyn lachte. Ze leek het plezierig te vinden dat iemand anders zijn tekst kwijt was. Cukors geduld was op. Hij had zich duidelijk vernederd gevoeld door Marilyns afwezigheid en nu voelde hij zich genomen door Tippy, die haar kop wezenloos op de schouder van zijn ster liet liggen met haar nutteloze tong uit de bek, terwijl de uren voorbijgleden. 'Sommike dierèn, zij duurven kewoon niet', zei Sasha. 'Zij wetèn niet voldoende te keven, weet jij?'

'Ja', zei ik. ''t Is een schande.'

'Nee, et ies beskamend', zei Sasha. 'De ond eeft keen moed. Keen art.'

Uiteindelijk kon Cukor een bruikbare opname maken, en Tippy kwam naar onze waterbakken gewandeld zonder ook maar een greintje schaamte.

'Hoe was het?'

'Prachtig', zei ik. 'Jij droeg echt de sfeer van de scène. Prachtig stukje werk, dat.'

'Keïnspireerd', zei Sasha. 'Et ele keval was kebaseerd op een zekere reserve, non? En die ad jij.'

'Bedankt, lui', zei Tippy. 'Het heeft even geduurd, maar wat dan nog? Het is het waard om door te zetten, toch? Het is het waard om door te zetten voor De Ene. Ik heb het hele geval gebaseerd op *Twee edellieden uit Verona*. Ken je de hond van Lans, Krab, de hond die tranen vergiet noch een woord spreekt? Jawel, man. Het was zwaar gebaseerd op Krab en ik denk dat ik het getroffen heb. Ik heb me echt door de emoties heen gewerkt. Het begon met gedachten aan regen. Ik herinner me de regen op het dak van de kennel in de nacht dat mijn grootmoeder overleed. Ik wist dat regen de sleutel was. Het zat allemaal in de stilte. Ik hoefde alleen maar daarnaar terug te gaan en ik herinnerde me Lans' tekst.'

'Bravo', zei ik. 'Het heeft wonderen verricht.'

'Ien de scène', zei Sasha. 'De motivatie was praktik. Miskien win jij wel een Patsy.'

'Ach, hou op, lui', zei Tippy. 'Ik durf het niet, weet je, ik durf er gewoon niet aan te denken.'

De volgende keer dat we gingen kijken, zat Marilyn in een van de ligstoelen en liet ze al haar voorhoofdholtes inspecteren door de studioarts. Paula Strasberg stond naast haar in een zwarte cape iets in haar oor te fluisteren. Whitey Snyder was in de weer met een lippenpenseel. Pat Newcomb was er met een gefronst voorhoofd en een bundel telegrammen uit New York. En boven ons allemaal uit torende de imitatie van Cukors huis, het huis met de witte luiken. Marilyn kreeg mij in het oog. Ze deed haar mond open om iets te zeggen, maar er kwam niets, en ik had het gevoel dat ze misschien op zoek was naar een afleiding in plaats van de vele afleidingen in haar directe kring. Er waren altijd telefoontjes naar dokter Greenson, en vandaag kwam hij opdagen op de set en stonden wij buiten met hem te wachten op de auto. Hij nam het op voor de studio. 'Misschien ben ik het alleen maar', zei hij. 'Ik ben alleen maar mij.' Marilyn keek hem in de ogen.

'Ik was ooit mij.'

'Daar werken we aan.'

'Goed nieuws', zei ze.

In de samenleving van de toekomst, schreef Trotski, zou alle kunst opgaan in het leven. Zo zou de wereld weten dat de goede filosofie overwonnen had. Dansers en schilders en schrijvers waren niet nodig: iedereen werd onderdeel van een grootse, levende wandschildering van talent en harmonie. Sinds ik ooit het hek van de boerderij in Aviemore achter me liet en de weg af hobbelde in het busje van Walter Higgens, wist ik dat ik op zoek was naar het grote theatrale moment, de ultieme fictie, een plaats waar politiek en kunst verenigd waren, hoe doorsnee de dag ook was. We wisten niet veel, maar één ding wisten we wel: de wereld zit zo in elkaar dat de hemel die nooit zou kunnen verbeteren.

Je ontdekt dingen. Jonge honden vragen me wat er gaat gebeuren in het leven en ik zeg: je ontdekt dingen. Die dag in mijn jeugd toen mevrouw Bell afdaalde naar de wijnkelder, een lucifer aanstreek voor een van haar Gauloises en mij vroeg de vlam met mijn poot uit te trappen, was ik denk ik te jong om te begrijpen dat ze aan haar overleden zus gedacht moest hebben. (Virginia had al haar honden geleerd datzelfde trucje voor haar te doen.) Toen meneer Connolly die dag onder de lunch Virginia's naam liet vallen, was Vanessa opgeschrikt omdat het haar plotseling confronteerde met echo's en voortekenen. En iets van dezelfde sfeer vervulde de limousine waarin we wegreden van Pico Boulevard de laatste keer dat ik op de set van *Something's Got to Give* was. Marilyn zei tegen haar chauffeur iedereen af te schudden en richting snelweg te rijden. 'Breng ons naar Forest Lawn, Rudy', zei ze. 'Ik heb zin in een wandeling. Je kent het wel, dat je soms alleen maar wilt wandelen en wandelen en geen gezeur aan je kop wilt hebben?' De auto was een fijne koeler, de volmaakte plaats om te zijn voor wie in Californië gaat wonen. Onder de achterruit lag een boek over Mexicaanse tuinen.

Dus op naar Glendale, aan de andere kant van Griffith Park, waar ik mijn leven in Los Angeles was begonnen, om het licht over de San Fernando Valley te zien wegsterven. Rudy parkeerde bij het hek, en ik liep met Marilyn Memorial Drive op, waar me opviel dat de namen van alle wegen en lanen klonken als gebieden op de maan. De Vallei van Vrede, Het Hof der Mijmeringen, Morgenlicht, De Tuin der Overwinning. Tegen de tijd dat we aankwamen bij het deel van de heuvel dat ze zocht, had ik door dat dit de plek was waar de resten van mensen terechtkwamen als ze dood waren. De gevallen eucalyptusbladeren knisperden onder onze voeten. Ik besnuffelde de grond en deed een plas. Marilyn pakte een papiertje uit haar tasje: in potlood, in haar eigen hand, stond er eenvoudigweg: 'Ruisende Bomen, Kavel 6739'.

De bries op Forest Lawn trok zichtbaar over de graven en nam licht en schaduw mee op haar weg heuvelop. En de graven leken te reageren op ons: een vrouw en haar hond aan het wandelen op een vroege zomeravond. Wat een schat aan bewustzijn heerste er in dat stille park. Mijn baasje ging boven in Ruisende Bomen in het gras zitten en stak een joint op die ze had gekregen van een van de make-upassistenten in de studio. Ze kruiste haar enkels en blies rook uit.

We zagen Gods Akker. De Oude Noorderkerk. Het Hof van Heldenmoed. De namen waren vast rustgevend bedoeld, en toch leek het oord vanaf de plek waar wij zaten boordevol onrust over Gods afwezigheid. (Hij is nooit thuis.) De lanen waren bedoeld voor eeuwigdurende hoop, en aangezien ik zo veel respect heb voor het verzinsel, het bedenksel, de serieuze creatie, waarom dan niet God als symbool van de grote fabuleerdrift? Waarom eigenlijk niet, inderdaad. Zittend op het gras in Forest Lawn ging ik eindelijk geloven in het menselijk geloof in God: hij mag dan niet het allerhoogste of zelfs maar bijzonder bezield zijn, maar hij moet op zijn minst even werkelijk zijn als Snoopy of Fatty Arbuckle.

Er viel geen spatje regen in Forest Lawn, waardoor ik me afvroeg hoe het gazon zo gazonachtig bleef, met die temperatuur en de wind die van de bergen kwam. We bevonden ons allebei op hetzelfde niveau, uitgestrekt op het gras en blij dat we bij elkaar waren. Marilyn had haar rare sigaret en ze begon weer te praten op de manier waarop Emma Bovary tegen haar hond Djali praatte, alsof het een geloofsdaad was om in het zwijgen van honden te geloven. Ze praatte over het meisje dat vroeger op school haar vriendinnetje was geweest, een jaar ouder dan zij en degene met het hoogste woord in de klas. Alice was iemand van de toekomst: haar blauwe, amandelvormige ogen en haar zwarte haar waren gemaakt voor de liefde, het tondel in haar kalme stem altijd klaar om te ontvlammen en de grote wereld te verbranden. Ze was een gewoon meisje uit Los Angeles, met een moeder die als cutter werkte voor Consolidated Film. 'Ze lachte eigenlijk altijd', zei Marilyn. 'Een van die meisjes van wie je denkt dat ze het leven voor iedereen makkelijker maken, gewoon door de hele tijd te lachen.' Mijn gedoemde maatje blies de rook uit en krulde haar tong. 'Dokter Kris heeft me ooit verteld over een brief die ze van Anna Freud had gekregen', zei ze. 'Ik herinner me nog precies een zin die Kris eruit citeerde: "Een vader verlies je nooit echt als hij goed genoeg was."'

Marilyn staarde het dal in. Dieren die de dood ontkennen, ontkennen ook Darwin. Dat wist ik heel goed. Wat zei meneer Connolly ook alweer toen hij aangeschoten was? Ja. 'Het leven is een doolhof waarin we al de verkeerde weg inslaan nog voordat we hebben leren lopen.' Heel goed. (En vier poten zijn beter dan twee benen als je de verkeerde weg inslaat.) Ik moet toegeven dat er onderweg genoeg Darwin voor me viel op te pikken, maar het zinde me niet dat aan alles de geur van de dood hing. Wat is evolutie immers anders dan het verhaal van ons ultieme uitsterven? Ik verkoos het mijn avonturen te beleven en ze alleen uit te diepen als ze onderhoudend voor mijzelf en anderen zouden kunnen zijn. Later begreep ik dat het allemaal neerkomt op een strijd om te overleven. Neem nou die graven heuvelafwaarts op Forest Lawn, stuk voor stuk staand voor een poging tot duurzaamheid, een unieke gooi naar onvergankelijkheid die hier eindigt in een kleine ijzeren ruit glinsterend in de zon. Weet u wat Charles Darwin las toen hij op de Beagle voer? Hij las *Het paradijs verloren*; de grote geleerde kwam er op het hoogtepunt van zijn ontdekkingen achter dat we in ons leven niet zozeer vertoeven in de hof als wel proberen ons die te herinneren. Kijkend in de heiige San Fernando Valley had ik een van mijn visioentjes. Eerst zag ik alle gebouwen en snelwegen verdwijnen, waardoor de kale bonenvelden zichtbaar werden, daarna zag ik de gebouwen weer verrijzen en instorten bij een toekomstige aardbeving.

Marilyn pakte een toilettasje en borstelde haar wenkbrauwen. Ze werkte een paar pillen naar binnen. 'Ik heb het gevoel dat dit een goede zomer voor ons wordt, Maf', zei ze.

'Als we klaar zijn met die rotfilm, gaan we terug naar New York.' Ik kwispelde met mijn staart, tripte op haar schoot en likte haar handen, die niet meer zo glad waren. Ik denk dat ze stoned was toen ze giechelend opstond. We liepen over het gras de heuvel af en bleven staan om te kijken naar enkele recente platen onder de bomen. GELIEFDE ECHTGENOOT EN VADER, EDWIN M. DAWSON, 1903-1958. Een paar stappen verder: IRENE L. NUNNALLY, DIERBARE ECHTGENOTE EN MOEDER, 1904-1960. We liepen omlaag naar de oudere afdeling, langs een menigte gewone graven, met onze schaduwen voor ons uit. Marilyn haalde het papiertje weer tevoorschijn en keek naar het opgeschreven nummer. Uiteindelijk kwamen we bij de plek die ze zocht.

ALICE TUTTLE
GELIEFDE DOCHTER, 1925-1937
'ONZE SCHAT'

'Ze was mijn beste vriendin', zei Marilyn. Een tijdlang streelde ze de letters op de gedenkplaat en volgde met dezelfde vinger ieder woord, alsof ze iets persoonlijks in die ijzeren wet wilde graveren. Ze sprak tegen het graf. 'Het was astma', zei ze. 'Het begon gewoon. Toen was het gedaan.' Marilyn zei dat ze bloemen had willen meenemen, maar ze had er geen, en ze raakte de plaat aan en ze raakte haar mond aan voordat ze in haar enveloptasje tastte en tien dollar stopte in een glazen vaas die onder het stof zat. Het gras leek heel groen, als studiogras, maar de bries was echt. Er kwam een moment dat Marilyn daar niet meer wilde zijn en me oppakte. 'Dag, Alice', zei ze en we liepen naar de weg. Hoe verder we van Ruisende Bomen kwamen, hoe meer ze weer op

Marilyn leek: ze liep anders en haalde dieper adem toen het hek in zicht kwam. Mijn baasje omhelsde me en keek me in de ogen. Ik dacht nog steeds aan Milton toen we bij de rand van Forest Lawn kwamen. 'Geesten, tot Zijn heerlijkheid geschapen,' zei ik, 'gaan bij miljoenen, 't zij we waken, 't zij we slapen, deze Aarde onzichtbaar rond.'

'Brave hond', zei ze.

Een week later besloot mevrouw Murray dat ieder kledingstuk in huis gewassen moest worden. Mijn baasje was naar New York. Ik kan niet uitleggen waarom ik altijd een band voelde met het huispersoneel. Het was al met al geen kwestie van politieke overtuiging, eerder van geur, de kleine dingen van temperament en de keuken. Alle ramen stonden open en de bijen roddelden van bloem tot bloem, een virus van grijsheid buiten op de zonnige veranda. 'Boffer voor de beatniks van Berkeley', zei een van de bijen, die landde op een tuinslang. 'Zukofsky en het einde van zen.'

'Het zijnde, niet het einde', zei een andere bij, die een bloem in kroop.

'Pardon?'

'Zukofsky, domoor. Het is "Zukofsky en het zijnde van zen".'

Ik vraag me af of ik de enige was die merkte hoeveel mevrouw Murray op me begon te lijken. Dat overkomt heel wat mensen die veel tijd met honden doorbrengen. Zo heette mevrouw Sackville-West bijna het evenbeeld van Pinker te zijn. Van Lionel Trilling is bekend dat hij eenzelfde scheiding in zijn haar legde als die van zijn Afghaanse windhond, Elsinore, en ze zeggen dat John Steinbeck vaak werd aangezien voor zijn poedel Charley, als ze door het land reden in een pick-up genaamd Rocinante. En mevrouw Murray was precies gaan lijken op mij of eenzelfde soort hond. Op een dag droeg ze me van de serre naar de keuken, toen we langs een Mexicaanse spiegel kwamen: ze bleef even staan om te kijken naar de hemelse engelen die haar in haar verbeelding beschermden tegen lijden en zonde, en toen ik in de spiegel keek, had ik kunnen zweren dat we helemaal niet naar onszelf keken, maar naar Monets *Portret van Eugénie Graff* met haar kleine terriër. Het was niet eenvoudigweg zo dat mijn vriendin Eunice veel leek op Eugénie, madame Paul, de eigenaresse van de patisserie in Pourville, maar ze leken allebei veel op hun respectieve hond in hun respectieve armen, een weerspiegeling die me bijna de lust in mijn kom Friskies benam.*

Maar tegen de avond begon het koud te worden. Dat was het probleem met de Spaanse haciendastijl: overdag scheen het huis in orde en licht, maar als er geen feestlichtjes en doornstruiken en verre gitaren waren, leek het 's avonds de vreugden van de Latijns-Amerikaanse wereld buiten te sluiten. Mijn stemming werd altijd bepaald door de huizen waarin ik woonde, de prijs voor het feit dat mijn baasjes artiesten en fantasten waren: hun verbeelding zette zich vast op de muren, net als hun afwezigheid. Je zou kunnen zeggen dat Marilyn in mijn gedachten was, maar daarmee was

---

* Madame Paul merkte in een brief aan haar zuster op dat Claude Monet een enorme zoetekauw was – *'aimait les sucreries'* –, maar dat zijn schilderij van haar en haar hond niet in de winkel zou komen te hangen. 'We zullen het een passende plek in de waskeuken geven', schreef ze. 'Ik hou van de voortbrengselen van de kunst en weet zeker dat monsieur M. ons precies heeft getroffen. Mijn man is een andere mening toegedaan. Volgens mij vond hij het verschrikkelijk te ontdekken dat Foulette en ik van hetzelfde materiaal zijn gemaakt.'

niet alles gezegd. Haar essence bespeurde ik overal. Dolend door de kamers merkte ik dat het spoor van Chanel No. 5 heel sterk was en het bracht haar weer dichtbij. Al haar spullen maakten diepe indruk: een exemplaar van de *Wee Small Hours* met opdracht, een enkele, prachtige schoen van Ferragamo, de Russische roman bij de deur, nog niet helemaal uit. Mijn vriendin zou binnen een paar dagen terugkomen naar Brentwood, en ik weet zeker dat ik met gelukkige ogen op haar zou wachten in de gang of bij het zwembad.

Mevrouw Murray had elk oppervlak overdekt met kleding. De televisie stond te schetteren in de hoek. In de vensters wapperden hemdjes aan knaapjes, aan de kille staande lampen hingen jurken, op de schouwen lagen panty's en de spiegels gingen schuil onder satijnen sjaaltjes. Ieder voorwerp leek zijn plaats in de woonkamer te vinden. 'Alle geschapen dingen zijn een evenbeeld van dingen in de hemel', zei mevrouw Murray, terwijl ze aan de tv-antenne draaide en die naar het zuiden richtte. Ze prevelde dingen uit haar bijbel en at tegelijkertijd een reep chocolade. Ze wendde zich naar mij en ik sprong op een leunstoel, ze gaf me het laatste stukje van de reep en ik likte mijn bek. Ze zuchtte en keek me aan op die typische manier van haar. 'Er is iets wat je moet weten, Maf Schat', zei ze. 'En dat is dat dieren niet naar de hemel gaan.'

'Wat een opluchting', zei ik. 'We kunnen geloven zonder voor de gevolgen te moeten opdraaien.'

'Waarom blaf je?' zei ze. 'Ik vertel je alleen maar de waarheid. Je hoeft het niet op mij af te reageren, kleine ... Sneeuwbal.'

Ze glimlachte vanachter haar oude vlinderbril. De deur naar het terras stond open en ik hoorde de cicaden hun aan

John Stuart Mill ontleende verdediging tegen de aanklacht van menselijke arrogantie viep-viep-viepen. Het volgende moment barstte de tv los en algauw zagen we haar op het podium in een witte stola en een jurk gemaakt van sterren. Op de kleine Magnavox-tv leek ze meer dan ooit iemand die heel ver af stond van het gewone leven. Ieder schepsel is een manifestatie van iets zeldzaams, maar zij was onbereikbaar, omringd door haar spookachtige aura, de avond compact om haar heen terwijl ze 'Happy Birthday' zong. Mijn gedoemde maatje zag eruit alsof ze nooit was aangeraakt door iets echts, geen klein verdriet, geen ander mens, geen Alice Tuttle. Ze was niet van deze aarde. Even meende ik dat ik de knaap Charlie in het publiek zag. De camera ging naar een rij lachende gezichten, jonge mensen die zich bekommerden om de toekomst van de samenleving, en ik meende dat Charlie een van hen was. We zagen president Kennedy naar het podium lopen. Er klonk operamuziek. Het beeld werd vaag en de muziek luider. Een moment lang dacht ik dat buitenaardse wezens een boodschap doorgaven, maar het was alleen maar Kennedy die tijdens de uitzending sprak, het beeld vaag en de muziek overweldigend. Mevrouw Murray leek zich nergens van bewust in haar leunstoel. Ze stopte een van Marilyns lievelingssokken en prevelde de woorden van een oud gezang.

De bougainville had een paar bloemblaadjes in het zwembad laten vallen. Ik zat op het terras van de avond te genieten. Mijn baasje mocht dan een half werelddeel van me verwijderd zijn, de insecten mochten druk aan het discussiëren zijn en mevrouw Murray mocht rustig zitten te werken in de Mexicaanse leunstoel, maar we waren allemaal hier samen onder de blauwe wouden van de hemel. Constellaties van dieren stonden daarboven te fonkelen – Grote Beer, Schorpioen, Grote Hond – precies zoals ze dat bijna tweeduizend jaar geleden voor Ptolemaeus hadden gedaan. Toen verscheen Lizzy, de kat van de orthodontist aan de andere kant van de muur, en ze scheen volledig in harmonie met de flarden Wagner die uit het huis kwamen. De kat sprak langzaam, haar beeld weerspiegeld in het zwembad.

De zon is net als wij fini,
Op zoek naar licht gaan wij ruïnes af.
Geniet je zomer, *mes amis*,
De dag mondt onafwendbaar in het graf.

Ik liep naar de muur van klimplanten en zette mijn poten ertegen, maar de kat bleef stoïcijns zitten en boog speels omlaag. Ze zag dat ik iets wist. 'Je hebt veel van je avonturen geleerd', zei ze. 'Dat beamen misschien zelfs je vijanden. Je bent ouder, Maf.'

'Kunstenaars zijn altijd jong', zei ik. 'In hun werk zijn ze altijd jong en hun dromen zijn altijd nieuw.'

'Brave hond', zei ze.

Met de muziek kwam bij mij de gedachte op dat het zwembad het diepe blauwe water van de Rijn kon zijn en dat boven het oppervlak van die rivier maagden konden verschijnen om een klaaglied op de herinnering aan hun verloren goud te zingen. Hun lach schalde uit de violen in het huis. En toen spraken de raven van wraak en werd Siegfried gedood, wat we altijd al hadden verwacht. Ik keek omhoog en verbeeldde me dat ik een felle rode gloed aan de hemel zag, met oplaaiende vlammen als Brünnhilde haar paard in de brandstapel rijdt en het over en voorbij is. Alles klaarde op en het zwembad was weer mooi, een vijvertje in Californië. Wagner zei ooit tegen Cosima dat ze alles moest delen met hun geliefde spaniël Peps. 'Vertel Pepsel alles wat in je opkomt', schreef hij. 'Als ik begin te werken, heb ik er behoefte aan dat de hond over me komt waken.'

Mevrouw Murray zat te soezen boven haar werk toen ik langs haar liep in de woonkamer. De televisie was nu een sneeuwvlakte en de klok tikte in een ander universum, dus liep ik langs de opgehangen kledingstukken naar mijn favoriete plekje achter in het huis, op Marilyns bed. Ik ging slaperig liggen en krabde mijn geleende halsband. Het is waar dat ik vaak uit de slaapkamer werd verbannen en soms in het gastenverblijf werd opgesloten, omdat ik te veel praatte, maar die nacht mocht ik op het bed van mijn baasje liggen en de precieze en altijddurende geur opsnuiven, de katoenen frisheid die zo gepast leek toen ik mijn ogen sloot en de geheimen van haar kussen inademde.

Andrew O'Hagan bij De Geus

Onze vaders
Stedenbouwer Hugh Bawn is een moderne held, een dromer en een socialist. Als man van het volk zet hij zich in voor een betere huisvesting van de arbeiders. In Glasgow sloopt hij oude achterbuurten om plaats te maken voor nieuwe torenflats. De gewone man biedt hij licht en lucht. Hugh Bawn is een legende.
Maar vele jaren later is hij vergeten. Zijn torenflats verpauperen. Zo ook zijn eigen leven.
Op de achttiende verdieping van een van zijn eigen flats nodigt Hugh Bawn zijn kleinzoon Jamie uit aan zijn ziekbed. Hughs leven loopt ten einde en hij wil schoon schip maken. Aan Jamie vertelt Hugh zijn levensverhaal, dat tevens het levensverhaal is van Hughs vervreemde zoon, Jamies vader.

Het idool
Maria Tambini is een dertienjarig meisje met een sublieme zangstem. Ze groeit op boven haar moeders snackbar op het Schotse eiland Bute. Haar familie droomt ervan dat ze met haar stem rijkdom en succes zal vergaren, en als Maria een talentenjacht op tv wint, lijkt dat ook te gaan lukken. Ze wordt naar Londen gebracht en in een mum van tijd tot een ster gemaakt.

Ze zingt met Dean Martin en gaat op tournee door Amerika. Ondertussen verliest zij echter meer en meer gewicht maar vooral ook haar persoonlijkheid. Maria wordt het levende voorbeeld van de tol van de roem.

Blijf bij mij
Als David, een Engelse priester, een Schotse parochie overneemt, is niet iedereen bereid hem te accepteren. Hij raakt bevriend met twee jonge mensen uit het dorp, Mark en Lisa, en komt in aanraking met een wereld die hij nauwelijks kan begrijpen. Elke dag lijkt het dorp donkerder te worden. Als het onafwendbare noodlot toeslaat, wordt zijn rustige leven het middelpunt van een publieke hysterie.
Gevangen in klassenstrijd en bedreigd door persoonlijke zwaktes ontdekt David wat er met de idealen van zijn generatie is gebeurd, terwijl er ondertussen op zijn eigen drempel een religieuze oorlog woedt.